SACRÉE FAMILLE

DU MÊME AUTEUR

Maudit Karma, Presses de la Cité, 2008 ; Pocket, 2010
Jésus m'aime, Presses de la Cité, 2009 ; Pocket, 2011
Sors de ce corps, William !, Presses de la Cité, 2010 ; Pocket, 2012

David Safier

SACRÉE FAMILLE

Roman

*Traduit de l'allemand
par Catherine Barret*

PRESSES
DE LA CITÉ

Titre original : *Happy Family*

© 2011 by Rowohlt Verlag GmbH, Reinbeck bei Hamburg
Illustrations d'Ulf K.
© Presses de la Cité, 2012 pour la traduction française
ISBN 978-2-258-09245-7

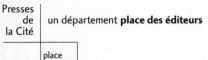

Presses de la Cité | un département **place des éditeurs**

place des éditeurs

A Marion, Ben et Daniel – vous me rendez *happy* !
(Toi aussi, Max, bien sûr)

EMMA

— Connais-tu ce proverbe indien : « Plus on aime quelqu'un, plus on a envie de le tuer » ? me demanda mon employée.

Et je me dis : La vache, qu'est-ce que je dois aimer ma famille !

Pour la énième fois de la journée, le portable sonna dans ma petite librairie spécialisée en littérature enfantine.

Ma fille de quinze ans, Fée, avait d'abord appelé pour me préparer psychologiquement à la voir redoubler (car, hélas, elle était à peu près aussi douée en maths qu'un labrador).

Puis ç'avait été le tour de son petit frère Max, pour me dire qu'il ne pouvait pas rentrer à la maison parce qu'il avait encore oublié la clé de l'appartement (existerait-il une forme d'Alzheimer propre aux enfants ?).

Cette fois, d'après le numéro affiché sur mon portable, c'était mon mari, Frank. Vraisemblablement pour m'annoncer qu'il rentrerait plus tard du bureau – comme presque tous les soirs, en fait. (Ce qui signifiait que j'aurais à affronter seule non seulement la fainéantise olympique de Fée en matière de devoirs scolaires, mais aussi le chaos qui régnait dans l'appartement. Certains jours, on aurait dit qu'il venait de subir le passage d'une horde de Huns. Accompagnés d'éléphants. Et d'ogres. Et de Britney Spears.)

Je décidai de ne pas répondre. Cela m'éviterait une conversation qui ne pouvait que m'énerver, sans compter qu'à la fin je serais encore plus énervée de m'être énervée comme ça.

A la place, je regardai dehors d'un air morne à travers la vitrine de ma librairie « Lemmi und die Schmöker[1] », tout en songeant avec tristesse qu'à une certaine époque j'avais aimé ma famille sans arrière-pensées négatives. C'était avant l'intrusion de ces monstres ordinaires qui ont nom : stress au travail, crise de la quarantaine et puberté.

Oui, nous, les Wünschmann, nous avions été une famille heureuse. Mais quelque chose s'était perdu au fil des dernières années. A mon grand regret, je n'avais aucune idée de ce que c'était au juste, donc encore moins de la façon de le retrouver. Pourtant, je le désirais tellement !

Tandis que je rêvais avec nostalgie au bon vieux temps, un jeune homme aux fesses fascinantes passa devant la vitrine. Je rajustai mes lunettes pour mieux voir.

— Beau cul, hein ? observa ma vieille employée, Cheyenne.

En réalité, elle s'appelait Renate, mais ne répondait pas à ce nom. Avec ses fleurs dans les cheveux et ses fanfreluches, ce devait être la plus vieille hippie du monde connu.

— Euh, je n'ai rien vu, prétendis-je de façon peu convaincante.

Devant l'air moqueur de Cheyenne, je m'empressai d'ajouter :

— D'ailleurs, il était un peu maigrichon.

— Emma, tu l'as donc bien vu, dit-elle en souriant. Ce garçon pourrait être ton fils, renchérit-elle tandis que je baissais les yeux d'un air coupable.

Mon Dieu, elle avait raison ! J'approchais de la quarantaine, et ce type devait avoir au maximum vingt-deux ans. Je pouvais être honteuse de lorgner un jeunot comme lui.

---

1. *Lemmi und die Schmöker* : série télévisée très populaire en Allemagne dans les années 1970, destinée à donner le goût de la lecture aux enfants. *(Toutes les notes sont de la traductrice.)*

— Quand as-tu fait l'amour pour la dernière fois, Emma ? demanda Cheyenne en sirotant son thé des yogis – dont l'odeur suggérait qu'un très vieux yogi avait dû y prendre un bain de pieds.

— Euh… hésitai-je, car j'avais du mal à me souvenir de la réponse.

— C'est bien ce que je pensais, dit-elle avec amusement.

De fait, avec tout le stress que nous causaient nos métiers respectifs et les enfants, les relations sexuelles régulières entre Frank et moi avaient été renvoyées au domaine de la science-fiction.

— Moi, la dernière fois, c'était hier ! m'informa gaiement Cheyenne.

Et elle poursuivit sans me laisser le temps de la prier de m'épargner les détails :

— C'est vrai que Werner n'est pas très baraqué, mais il a une bistouquette énorme…

— Attends, attends, l'interrompis-je. Tu appelles son machin… bistouquette ?

— « Bistouquette », ou sinon, « p'tit robinet ».

— Dans ce cas, j'aime mieux l'autre.

— Werner aussi.

Elle but une nouvelle gorgée de thé et poursuivit avec délectation :

— Werner est presque aussi bon amant que Carlos, tu sais, cet automne où il avait fait si chaud…

Cheyenne adorait reparler de ses innombrables anciens amants – ceux qu'elle avait égrenés au fil des décennies, Youssouf, Mumbato, Mao et les autres… Quant à moi, j'aimais écouter le récit de ses voyages dans de lointains pays. Des pays où je n'irais jamais. Pourtant, dans ma jeunesse, j'avais rêvé de faire le tour du monde…

Avec un soupir, je décrochai du portemanteau ma vieille veste en cuir.

— Il faut que je rentre à la maison, mon fiston est à la porte...

— Vas-y, Emma, de toute façon, nous n'avons pour ainsi dire pas de clients, répondit la vieille hippie en souriant.

— Mais si, nous avons des clients ! protestai-je. Des tas de clients !

Ce n'était pas vrai. Ce matin aussi, il y en avait eu très peu. La femme médecin qui, une fois par semaine, me demandait conseil pendant des heures, après quoi elle commandait les livres sur Amazon. Une famille dont les enfants choisissaient un seul titre de *La Cabane Magique* en même temps qu'ils abîmaient douze beaux livres reliés en les feuilletant avec leurs doigts pleins de crème glacée. Et Werner, l'amant de Cheyenne, venu acheter *Lola rentre à la maternelle* rien que pour voir sa chérie.

— Nous devrions vendre des romans érotiques, suggéra Cheyenne.

— Ce magasin est spécialisé en littérature enfantine !

— Il y a pourtant beaucoup de titres intéressants dans ce domaine. Par exemple, *L'Esclave des Cosaques*...

Je pris un air boudeur.

— Ou *Echange de lits au Danemark*.

Ma mine s'allongea encore.

— Ou alors, *Trois Noisettes pour Cendrillon*.

— Ça, c'est un livre pour enfants !

— Pas dans cette variante, fit Cheyenne en souriant.

— Pas question de vendre ce genre de livres... protestai-je. Et je ne veux pas non plus savoir pourquoi il y a trois noisettes, ajoutai-je très vite.

— Mais sinon, le magasin va se casser la figure ! insista Cheyenne. Notre canapé de lecture est défoncé, le coin jeux pour les petits est presque aussi vieux que moi, et l'autre jour, quand j'ai voulu enlever la poussière sur les étagères de la réserve, je me suis retrouvée nez à nez avec un cafard !

Ce que Cheyenne disait de ma librairie n'était que la triste vérité. Une vérité que je n'avais pas envie d'entendre, parce que j'en étais responsable. Si j'avais consacré plus d'énergie et plus de temps à ce magasin, il aurait eu meilleure mine et un chiffre d'affaires présentable. Mais où trouver du temps et de l'énergie quand on avait une famille comme la mienne ?

Cheyenne m'asséna alors une autre vérité tout aussi cruelle :

— Tu n'as plus qu'une solution pour augmenter ton résultat : tu dois me licencier.

— Il n'en est pas question !

— Mais tu n'as pas besoin de moi, soupira Cheyenne avec une tristesse qui laissait tout à coup paraître son âge. Si c'est pour vendre deux ou trois livres, tu peux aussi bien le faire toute seule.

C'est vrai, me dis-je.

— D'ailleurs, je me trompe sans arrêt dans les calculs, gémit-elle doucement.

— Ça, c'est vrai ! fis-je, cette fois à voix haute.

— Et la semaine dernière, j'ai bouché les toilettes.

— C'était toi ? m'écriai-je avec colère – car cette histoire m'avait valu une énorme facture de plombier. Mais comment as-tu réussi à faire ça ?

— Un de mes pansements pour les hémorroïdes est tombé, avoua-t-elle d'une toute petite voix.

Cheyenne avait raison sur toute la ligne : si je la licenciais, ce serait un progrès aussi bien pour mes finances que pour le fonctionnement de la boutique. Mais, sans salaire, elle serait obligée de dormir dans son minibus Volkswagen. Elle n'avait pratiquement droit à aucune retraite, parce qu'au lieu de travailler elle avait passé la plus grande partie de sa vie à voyager à travers le monde. Moyennant quoi, me disais-je toujours avec nostalgie, elle avait vécu davantage de choses que je n'en connaîtrais jamais dans ma petite vie étriquée.

— Je ne te licencierai jamais, déclarai-je d'un ton décidé.

— Tu es vraiment quelqu'un de chouette, me dit-elle avec un sourire reconnaissant.

Je lui souris à mon tour. Pourtant, il était clair que je devais trouver une solution si je ne voulais pas fermer ma librairie. Sans elle, je ne serais plus qu'une mère de famille. C'était beaucoup trop peu pour moi. Surtout dans l'état où se trouvait cette famille.

Je lançai un vœu vers le cosmos, souhaitant qu'il m'envoie une solution pour sauver mon magasin. A mon grand regret, je dus immédiatement constater que le cosmos avait un sens de l'humour très particulier.

Car, à l'instant même où j'allais sortir, Lena entra dans la librairie. Oui, Lena ! Je ne l'avais pas revue depuis quinze ans et elle n'avait pratiquement pas changé : elle était toujours aussi mince et aussi renversante. Mais en outre, elle portait maintenant des fringues très chics et chères, d'un genre que je n'avais encore jamais vu que dans les magazines de mode.

Dans une lointaine vie antérieure, Lena et moi avions travaillé ensemble comme jeunes correctrices motivées dans la filiale allemande de Penguin Books. Lena était ambitieuse et avait tendance à jouer des coudes pour se faire une place au soleil. Malgré cela, j'avais toujours une longueur d'avance sur elle. On avait même fini par me proposer un poste à Londres, une situation de rêve d'où j'allais pouvoir conquérir le monde – comme dans mes rêves de petite fille. En l'apprenant, Lena était devenue verte de jalousie.

Mais, quelques semaines plus tôt, j'avais fait la connaissance de Frank dans un club de plage au bord de la Spree. Pendant que je jouais au volley avec des amies, il était venu vers nous, avait expliqué qu'il était étudiant en droit, nouveau dans cette ville, et demandé s'il pouvait faire une partie avec nous. J'avais regardé au fond de ses yeux bleus… et mon cerveau avait dit au revoir la compagnie. Il avait carrément laissé la clé de mon corps à mes hormones et était parti boire des caïpirinhas et danser le limbo sur une plage des Caraïbes.

Au même instant, le cerveau de Frank avait lui aussi fait ses valises. Et quand deux cerveaux décident de partir en vacances de cette façon, cela aboutit généralement à des situations où chacun se jette sur l'autre avec passion sans trop se soucier, dans le feu de l'action, de savoir si le préservatif n'a pas glissé. Le résultat étant que, quelques semaines plus tard, on s'étonne d'avoir des nausées matinales.

En voyant le résultat positif du test de grossesse, nous avons été heureux comme des fous. Je me rendais bien compte qu'avec un enfant en route je ne pouvais plus accepter le poste de rêve à Londres. Mais j'aimais Frank comme je n'avais jamais aimé personne avant. Et me débarrasser de l'enfant… rien qu'à cette idée, j'avais encore plus la nausée.

La première fois que, chez le médecin, j'ai vu à l'échographie la petite chose flottante qui poussait dans mon ventre, j'en ai eu chaud au cœur. Profondément émue, j'ai tendu le doigt vers l'écran en murmurant : « C'est tellement beau. » Et j'ai été à peine déstabilisée quand le médecin m'a répondu : « Ça, c'est votre vessie. »

Je m'étais donc décidée contre Londres, pour l'enfant et pour Frank. Lena ne parvenait pas à comprendre. A ma place, m'a-t-elle déclaré, elle aurait choisi l'avortement. Mais elle était contente, puisque, grâce à cela, elle allait pouvoir prendre le poste de Londres, ce qu'elle commenta ainsi : « L'accident de préservatif des uns fait le bonheur des autres. »

Par la suite, il m'était arrivé à l'occasion d'avoir des nouvelles de la belle carrière que Lena faisait à Londres, mais je n'avais pas cherché à en savoir davantage sur une vie qui n'était pas la mienne. Au début parce que j'étais très heureuse avec ma famille, les dernières années plutôt parce que je me surprenais parfois à avoir des pensées du genre : « Qu'est-ce qui se serait passé si… », et cela, je n'en voulais à aucun prix. Mais voilà que cette vie venait tout à coup s'exhiber juste sous mon nez. Dans ma petite librairie.

— Lena ? fis-je, incrédule.

— En chair et en os, répondit-elle, la mine radieuse.

Que venait-elle faire ici ? Après toutes ces années ? Je balbutiai :

— C'est… c'est étonnant comme tu n'as pas changé.

— Toi non plus, Emma Wünschmann !

Nous savions toutes les deux que c'était un mensonge. J'avais déjà tellement de cheveux gris que souvent, dans la salle de bains, j'hésitais un moment devant le flacon de teinture rouge de ma fille. De plus, et pire encore, j'avais un petit ventre, résultat de mes grossesses (Cheyenne m'avait même offert un tee-shirt portant l'inscription : « J'ai surmonté mon anorexie »).

— Et tu es de nouveau enceinte ! fit gaiement Lena en montrant mon ventre.

Je rougis jusqu'aux oreilles, tandis que Cheyenne ne pouvait s'empêcher de pouffer.

— Oh, pardon ! se reprit Lena devant mon air douloureusement affecté.

— Qu'est-ce… qu'est-ce qui t'amène ici ? demandai-je pour éloigner la conversation de mon ventre.

— Je suis à Berlin pour mon travail. Aussi, quand les gens de notre ancien service m'ont appris que tu avais une librairie, je me suis dit que j'allais te faire une petite visite, répondit-elle d'un air ravi.

— Et… comment ça se passe à Londres ?

A peine avais-je prononcé ces paroles que je regrettais déjà ma question.

— Très bien. Je dirige le département des best-sellers mondiaux et je m'occupe de Dan Brown, de John Grishaw, de Cornelia Funke…

Elle avait pris son ton de voix le plus modeste, mais il ne cachait qu'imparfaitement son désir de m'en mettre plein la vue.

Je comprenais maintenant pourquoi elle était là : elle était venue me narguer avec sa vie fabuleuse. C'était mesquin. Tout à fait mesquin. Mais efficace. J'avais bien du mal à ne pas verdir d'envie.

— Cela me fait beaucoup voyager, poursuivit Lena avec un sourire désinvolte. La semaine dernière encore, j'étais à un festival de littérature à l'île Maurice.

Cette fois, je verdis pour de bon et pensai : Si elle en rajoute encore, je crie !

— Là-bas, j'étais chargée d'accompagner Hugh Grant.

— AHHHH ! criai-je tout haut.

— Ça va ? s'inquiéta Lena.

— Euh… oui, oui, fis-je en hâte. J'ai… je viens d'être mordue par un cafard.

— Tu as des cafards dans ta boutique ? demanda-t-elle d'un air dégoûté.

— Un seul, répondis-je avec une forte envie de rentrer sous terre.

Quelques secondes plus tard, m'étant ressaisie, je tentai de me persuader que je n'avais aucune raison d'être jalouse de Lena. En général, les femmes qui faisaient carrière avaient des relations peu épanouissantes, et pas d'enfants. Derrière leur façade rayonnante, elles étaient malheureuses – d'après ce qu'on voyait dans les films et les magazines féminins –, et leur vie était dépourvue de sens. En conséquence de quoi je posai à Lena cette question :

— Et… as-tu une famille maintenant ?

— Non.

Je le savais ! me réjouis-je intérieurement. Elle est malheureuse !

— J'ai préféré vivre pleinement ma vie, m'expliqua Lena. Et j'ai eu beaucoup d'amants. Tu sais ce que c'est.

— Non, elle ne sait pas, intervint Cheyenne avec un grand sourire.

J'eus bien envie de lui lancer un livre à la tête. Ou plutôt une vingtaine de livres.

— C'est vrai, se corrigea Lena. Tu as la chance d'avoir le même homme dans ton lit depuis quinze ans.

La chance, la chance, soupirai-je en moi-même, songeant que depuis quelque temps, à cause du stress, Frank souffrait de flatulences nocturnes.

— Maintenant, en tout cas, je suis avec Liam, reprit Lena (radieuse et ne paraissant pas le moins du monde malheureuse ni sans raison de vivre). Il est banquier d'investissement et nous habitons dans un ravissant cottage à la campagne, tout près de Londres.

Elle me laissa un peu de temps pour me représenter le tableau de cette vie campagnarde idyllique avant de me poser la question que je redoutais le plus :

— Et toi, Emma, comment ça va ?

Je ne voulais pas m'avouer vaincue. J'allais montrer à Lena que moi aussi j'avais fait quelque chose de ma vie.

— J'ai deux enfants tout à fait formidables ! dis-je.

Cheyenne ricana.

— Dis donc, tu n'aurais pas des livres à ranger dans les rayons ? demandai-je à mon employée.

— Nan, j'en ai pas ! répliqua en souriant la vieille hippie, qui n'avait pas l'intention de se laisser priver du spectacle.

Je me retournai vers Lena et déclarai avec un sourire affecté :

— Et puis, Frank et moi formons depuis maintenant quinze ans un couple très uni.

Cheyenne ricana de nouveau. Cette fois, j'eus bien envie de lui demander si elle n'avait pas un mur contre lequel se précipiter la tête la première.

— Et ta librairie ? demanda alors Lena. Comment marche-t-elle ?

— Pas mal.

A ces mots, Cheyenne éclata de rire. Je lui lançai un regard mauvais dont la signification ne pouvait lui échapper.

— Il faut que j'aille au petit coin, s'excusa-t-elle avant de disparaître.

Lena la suivit des yeux d'un air perplexe et murmura :

— A ta place, je virerais sans tarder une employée aussi tordue.

— Je ne ferai jamais une chose pareille, dis-je avec détermination.

Malgré sa surprise, Lena n'insista pas et changea de sujet :

— J'espère qu'un jour ou l'autre j'aurai une vie de famille aussi heureuse que la tienne.

Un grand éclat de rire nous parvint.

— Cette femme est bizarre, dit Lena. Qu'a-t-elle à rire tout le temps ?

— Ah, ce sont les effets secondaires de son médicament contre l'incontinence.

— J'ai tout entendu ! protesta Cheyenne derrière la porte des toilettes.

— J'ai une idée pour ton magasin, dit tout à coup Lena.

Elle avait parfaitement compris que les affaires ne marchaient pas fort, et elle prenait maintenant plaisir à jouer le rôle de la bienfaitrice.

— Ce soir, Stephenie Meyer sera au Ritz-Carlton pour le lancement de son dernier livre. Et devine qui l'accompagne – tu as droit à trois réponses.

Bizarrement, je trouvai tout de suite.

— Je peux te la présenter au cours de la soirée, et après cela, elle acceptera peut-être de venir faire une séance de signature dans ta librairie...

Je ne savais plus que dire. Un tel événement ferait connaître ma boutique dans toute la ville ! A cet instant, j'eus envie de me jeter au cou de Lena, même en sachant parfaitement qu'elle ne m'invitait que pour me faire bien prendre conscience de sa carrière de rêve.

— Ce lancement sera un événement considérable, m'expliqua Lena avec enthousiasme. Il y aura un buffet sublime. Et des costumes de monstres tout à fait géniaux. Tu sais quoi, tu n'as qu'à amener ta famille ! Cela me permettra de faire leur connaissance.

— D'accord ! fis-je en riant.

D'abord parce que je me réjouissais de cette occasion extra-ordinaire. Ensuite parce que je me disais qu'en fin de compte Lena serait peut-être jalouse en voyant ma famille. Après tout, c'était la seule chose que j'avais et pas elle ! Et si Lena pouvait m'envier quelque chose… eh bien, je n'aurais plus besoin de l'envier autant.

Lena prit congé en m'embrassant distraitement sur les deux joues et s'en alla en coup de vent. A peine était-elle partie que j'entendis la chasse d'eau se déclencher. En sortant des toilettes, Cheyenne déclara :

— Laisse tomber. Cette fille est plus heureuse que toi.

— C'est ce que nous allons voir ! répliquai-je d'une voix décidée.

FÉE

J'aurais tellement préféré être une méduse !

Depuis plusieurs semaines, notre prof de biologie nous bassinait avec les anémones de mer et autres polypes marins en cherchant désespérément à nous faire croire qu'il était essentiel de bien connaître ces formes de vie. Quel temps perdu pour nous tous ! Parce que, même au cas improbable où, une fois adulte et dans un avenir lointain, on se dirait tout à coup dans son fauteuil : « Mince, j'ai trop envie de savoir – là, tout de suite – comment se reproduisent ces sacrées méduses ! », on pourrait toujours chercher sur Wikipédia ou sur n'importe quel site cent fois plus performant que les gens auront sûrement créé d'ici là.

Mais aujourd'hui, pour la première fois, ces méduses me donnaient sérieusement à réfléchir. A côté de nous, elles se la coulaient douce ! Elles n'avaient pas de mère constamment sur leur dos, pas de père stressé, pas de frère énervant, pas de cours où on les embêtait avec des histoires de méduses et d'anémones de mer.

Et surtout, une méduse ne pouvait pas redoubler pour la seule raison qu'elle ne connaissait rien aux méduses.

Papa ne manifesterait sans doute qu'un intérêt limité pour mon tour d'honneur : il était tellement surmené par son travail à la banque qu'il ne devait même pas savoir dans quelle classe j'étais. Mais à tous les coups, maman allait virer à la mère psychopathe, elle qui me répétait toujours que je devais penser à mon avenir. Evidemment, je me rendais compte qu'elle croyait bien faire, je n'étais pas totalement idiote. Mais plus elle prenait sa voix de harceleuse pour me l'expliquer, moins j'avais envie de l'écouter. Si on tapait le mot « contre-productif » sur Internet, on trouverait sûrement une photo de ma mère dans les résultats. Et puis d'abord, comment pouvais-je penser à mon avenir, alors que je n'étais même pas capable de gérer mon présent ?

Mon présent était assis deux rangs devant moi et s'appelait Yannis. Il jouait pas mal de la guitare et ressemblait à Pete Doherty, mais en nettement moins malade. Hier, avec Yannis, non seulement j'avais fumé du hasch, mais on s'était pelotés sur le canapé de sa salle de travail. C'est vrai que je n'étais pas allée jusqu'au bout avec lui. Parce que je n'avais encore jamais couché avec un type, et d'une. Ensuite, parce que je ne savais pas trop si c'était sérieux de son côté.

Pourtant, ça aurait pu être assez chouette s'il avait attendu quelque chose de moi, parce qu'il était vraiment tendre, surtout quand il a doucement embrassé les deux tatouages de papillons sur mon épaule. (Les garçons que j'ai connus avant étaient loin d'être aussi doués que Yannis. Certains n'osaient même pas me toucher, et avec d'autres, c'était le contraire, ils prenaient mes seins pour du chewing-gum.)

Malheureusement, Yannis était connu pour être aussi peu sérieux avec les femmes que Dracula. D'ailleurs, si jamais il devait aimer quelqu'un, ce ne serait sûrement pas moi. Les types dont je tombais amoureuse avaient tendance à me laisser tomber.

Dans cette histoire avec Yannis, j'étais donc pratiquement certaine d'être malheureuse. Mais j'avais beau le savoir, pas moyen de lutter contre mes sentiments. Encore un avantage des méduses sur nous : elles n'ont pas d'hormones.

Les hormones, c'est con.

Il faudrait les supprimer.

Ou les mettre en prison.

C'est là qu'elles devraient être, ces foutues hormones. Derrière les barreaux. Comme ça, je ne passerais pas mon temps à me débattre avec mon présent et je pourrais enfin penser un peu à mon avenir, comme dirait maman.

Ma meilleure amie, Jenny (qui est très grosse), s'aperçut que je regardais fixement Yannis et murmura :

— Tu es amoureuse de lui, Fée ?

— Dis pas de bêtises ! chuchotai-je.

— Ça veut dire : « Oui. »

— Non, ça veut dire : « Dis pas de bêtises ! »

— Et ça, ça veut dire : « Zut, je croyais que personne n'avait remarqué ! », répliqua Jenny avec un grand sourire.

Elle était toujours très sûre d'elle. Pourtant, elle était tellement grosse que dans les feuilletons américains pour ados elle aurait pu jouer le rôle de la fille qui fait partie de l'équipe masculine de lutte du collège. Mais Jenny voyait les choses de cette façon : puisqu'elle n'aurait jamais un corps de rêve, autant faire avec tout de suite plutôt que de passer ses soixante-dix prochaines années sur terre à se traîner comme une pauvre malheureuse.

Moi-même, j'étais mince, et pourtant je n'arrêtais pas de râler à cause de la poitrine plate que j'allais devoir trimballer pendant les soixante-dix prochaines années. Car si le corps de ma mère renseignait bien sur mes propres gènes, il était clair que plus rien ne pousserait désormais chez moi.

Enfin, on sonna la récréation. Le prof de biologie interrompit le monologue sur les polypes marins qui commençait à le faire tartir lui-même, tout le monde se leva, et Jenny me dit :

— Je vais voir ailleurs, Fée.

— Pourquoi ?

— Parce que Yannis approche.

C'était vrai : Yannis venait vers nous !

Mes genoux se mirent à flageoler.

— Salut, Fée, dit-il en s'efforçant de prendre un air décontracté.

Cette fois, ma lèvre inférieure aussi commença à trembler, et je réussis seulement à répondre :

— Sssss.

Mon Dieu, je n'avais encore jamais été dans cet état-là devant un garçon ! J'avais l'impression de sortir de *Hannah Montana*[1].

---

1. Série télévisée américaine sur une jeune fille qui vit une double vie : élève moyenne le jour, chanteuse célèbre la nuit.

— Euh, quoi ? demanda gentiment Yannis.

J'essayai encore, sans grand succès :

— Sssalllyanns.

Il me regarda comme s'il pensait que j'étais encore sous l'effet de la fumette de la veille.

Il y eut alors un silence gêné assez pénible, le temps que la salle de cours finisse de se vider, puis il reprit :

— Ecoute, pour hier...

Je savais très bien ce qui allait suivre : il allait me dire qu'hier soir il planait un peu, que ce n'était pas sérieux avec moi, et qu'il allait maintenant passer à la prochaine. Enfin, bon, pour le dernier truc, il n'allait pas me l'avouer directement. Il me sortirait plutôt une histoire d'emploi du temps chargé, mais au total, ça reviendrait à dire : la suivante, *please* !

Je préférai prendre les devants et débitai à toute vitesse :

— Tu sais, pour hier, c'était une erreur. Si on n'avait pas fumé de l'herbe, je ne serais pas sortie avec toi, parce qu'en fait, tu n'es pas vraiment mon genre, et puis, tu aurais pu mettre un peu plus de déo...

Il resta silencieux, les yeux rivés au sol, l'air d'un chien à qui une voiture vient de passer sur la queue.

— Ça va ? demandai-je avec hésitation.

— Oui, pourquoi ? dit-il en s'efforçant de prendre un air cool.

— Ben, on dirait qu'on vient de te rouler sur la queue.

— QUOI ?

— Je veux dire... si tu étais un chien, précisai-je en hâte.

J'avais de plus en plus l'impression de me conduire comme une malade.

— Euh... fit-il. C'est juste que... hier, avec toi... j'ai trouvé ça bien. Et tu... et tu sentais bon.

Il pensait vraiment ce qu'il disait, ça se voyait. Ma lèvre supérieure se mit à trembler en duo avec l'inférieure et je balbutiai :

— Mmmm…

— Comment ?

— Mmmm… répétai-je.

Et je pestai en moi-même contre les parties de mon corps qui n'étaient pas fichues de se contrôler. Ce fut apparemment efficace, car je me ressaisis. Du moins assez pour réussir à prononcer presque distinctement :

— Moi… moi aussi, j'ai trouvé ça bien.

— Mais alors, pourquoi viens-tu juste de dire que c'était une erreur ? demanda Yannis.

— Parce que je suis parfois une méduse.

— Ah, ça arrive à tout le monde, répondit-il avec un super sourire.

Si je n'avais pas déjà été folle de lui depuis longtemps, je serais tombée amoureuse à ce moment-là.

Puis il me demanda :

— Tu aurais envie qu'on se retrouve ce soir ? Avec de l'herbe, sans, comme tu veux ?

— Oui, répondis-je, folle de joie.

Et je pensai : Rien, rien au monde ne pourra empêcher mon rendez-vous de ce soir avec Yannis !

EMMA

Ma famille ne fut pas particulièrement enthousiasmée par le projet Stephenie Meyer.

— J'ai un rendez-vous, s'insurgea Fée avec encore plus de véhémence que d'habitude.

— J'ai du travail, marmonna Frank, encore plus déprimé que d'habitude.

— Je voudrais lire, murmura Max tout aussi doucement que d'habitude.

Il était un peu petit pour ses douze ans, un peu trop gros aussi. C'était un surdoué, ce qui signifie que sa cote de popularité dans sa classe n'atteignait pas des sommets. Ces dernières années, Max était donc devenu un rat de bibliothèque particulièrement timide, qui aimait se plonger dans des mondes imaginaires. La réalité était nettement trop réaliste pour lui. D'un côté, je pouvais le comprendre, mais d'un autre côté, je ne pouvais pas le laisser comme ça. J'avais d'abord essayé de le pousser à faire de la musique ; sa chef de chœur m'avait prise à part : « Je suis désolée d'avoir à vous dire cela, mais votre fils n'arrive pas à sortir une seule note juste, même les plus évidentes. » Après cela, je l'avais inscrit au football, où les méthodes de l'entraîneur rappelaient un peu trop Saddam Hussein. La dernière fois que Max y était allé, Saddam m'avait apostrophée en ces termes : « Vu la façon de jouer de votre fils, vous devriez peut-être vérifier qu'il n'est pas pédé. » Depuis, je cherchais un nouvel endroit où mon fils puisse apprécier la réalité, mais je n'avais encore rien trouvé.

Je regardai ma famille assise autour de la table de la cuisine et affirmai d'une voix décidée :

— Nous irons là-bas ce soir, en famille !

— Je fais ce que je veux, répliqua Fée.

C'était l'une de ses phrases standard, avec : « Je rangerai plus tard », « J'ai largement le temps de faire mes devoirs » et « Maman, je t'assure que je ne fumerai jamais ! ». (Je n'avais toujours pas compris pourquoi certains adolescents commençaient à fumer de l'herbe à la puberté, alors que c'était plutôt les parents qui en avaient besoin pour surmonter cette étape de l'existence.)

Mais la phrase standard préférée de Fée était : « Maman, tu es pénible. » Quand je chantais, j'étais pénible. Quand je me maquillais, j'étais pénible. Et encore plus pénible quand je ne me maquillais pas. Une seule fois, quand je l'avais accompagnée à la piscine et qu'elle m'avait vue arriver en maillot de bain, je n'avais pas été « pénible ». Mais « carrément affligeante ».

En temps normal, j'essayais bien d'élever mes enfants sans trop user de la menace, mais cette fois, c'était terriblement important pour moi que nous allions à la soirée Stephenie Meyer en famille, afin que je puisse frimer devant Lena. Aussi déclarai-je fermement :

— Si tu ne viens pas avec nous, Fée, tu resteras enfermée dans ta chambre !

Elle me regarda avec colère, plus furieuse encore que d'habitude – de toute évidence, il s'agissait d'un rendez-vous particulièrement important. Sans doute avec un garçon. Mais si j'y faisais allusion, ou pire, si je mentionnais son redoublement, je risquais l'explosion immédiate. Et si elle explosait, j'exploserais moi aussi. Et pendant que nous échangerions des Scud, Frank se replierait sur son ordinateur portable et Max sur le livre qu'il lisait en ce moment. Aussi préférai-je ne pas répondre et laisser le temps à la colère de Fée de s'évacuer.

— C'est toujours formidable de faire des choses en famille, persifla-t-elle finalement. Surtout quand on peut le faire d'aussi bon cœur.

Là-dessus, Frank me prit à part et me demanda à voix basse :

— Mais moi, Emma, tu ne vas pas m'enfermer dans ma chambre si je ne viens pas ? Je dois réfléchir aux moyens de vendre à mes collègues de la banque les compressions de personnel.

Autrefois, Frank avait voulu devenir avocat pour pouvoir défendre les pauvres. Mais, après ses études de droit, il s'était aperçu que ceux qui défendaient les pauvres restaient pauvres eux-mêmes. Comme il avait une famille à nourrir, il avait accepté un poste au service juridique d'une banque, où il était maintenant responsable des restructurations et de la mise en place des organigrammes. Il en souffrait beaucoup : ce n'était pas agréable de dire à des gens qu'ils allaient être licenciés. Comment fallait-il attaquer un tel discours ? Sûrement pas en disant : « Quel est le chef de service qui s'est complètement planté dans ses spéculations ? Vous avez droit à trois réponses », ou : « A partir de maintenant, vous n'aurez plus besoin de vous énerver à cause de votre chef de service », ou encore : « A votre place, je commencerais un jardin pour me nourrir à l'avenir ».

Je m'efforçai de le détendre par une plaisanterie :

— Pour toi, pas de privation de sortie, mais tu peux être privé de sexe.

— Pardon ?

Il n'avait pas tout à fait compris.

— Tu dois choisir : ton travail, ou faire l'amour avec moi ce soir. Alors ?

— Eh bien...

Il réfléchissait ! Il réfléchissait vraiment !

Bon sang, j'avais toujours considéré mes parents comme des gens pas très passionnés. Mais ils avaient beau ne pas se manifester beaucoup de tendresse, j'étais bien placée pour savoir qu'à plus de cinquante ans il leur arrivait encore de faire l'amour – adolescente, j'étais un jour entrée par mégarde dans leur chambre, à mon grand regret : on aurait cru un match de catch entre deux morses.

— Mais ce soir, c'est très important pour moi ! dis-je à Frank d'un ton catégorique.

— Très bien, dans ce cas, je travaillerai sur mon projet à notre retour. Le sommeil, c'est bon pour les amateurs, ajouta-t-il avec un sourire las.

J'étais toujours étonnée de constater à quel point son sourire, même aussi fatigué, pouvait encore me charmer. A chaque fois, mon cerveau se disait qu'il trouverait quand même chouette de pouvoir retourner aux Caraïbes danser le limbo. Cependant, Frank avait beaucoup changé. Ses cheveux se clairsemaient, son visage était pâle et creusé. Il faisait partie des gens qui maigrissaient sous l'effet du stress – ce qui, en tant que stressée boulimique, m'apparaissait comme une qualité enviable.

J'embrassai Frank sur la joue et m'avançai vers le dernier des récalcitrants :

— Si tu ne viens pas avec nous, je te réinscris au football.

Cette fois, je les avais tous les trois de mon côté. Alors, je leur montrai les costumes que j'avais loués à prix d'or dans l'après-midi. Après tout, cette soirée de lancement était une fête costumée sur le thème des monstres, et je tenais à ce que nous fassions impression. J'avais donc choisi les tenues classiques des monstres les plus célèbres de l'histoire du cinéma.

— La créature de Frankenstein, soupira Frank d'un air las quand je lui tendis le costume dans lequel il ressemblerait à Boris Karloff : pantalon gris déchiré, gilet de fourrure fauve et crâne carré, verdâtre et couturé.

— Qu'est-ce que c'est que ces bandages ? demanda Fée, très énervée, en recevant son propre costume. Je suis le monstre de la poubelle d'hôpital, ou quoi ?

— Non, tu es la momie ! fis-je avec enthousiasme. Tu es restée couchée pendant trois mille ans dans un sarcophage, sous une pyramide, jusqu'à ce que des pilleurs de tombes te délivrent.

— Ah, super ! Je suis donc une vieille peau de trois mille ans, ronchonna-t-elle. Ça t'irait mieux qu'à moi, maman.

Charmant. Encore une observation qui confirmait ma thèse selon laquelle les douleurs de l'accouchement n'étaient qu'un avant-goût que la nature nous offrait de la puberté.

— Si tu préfères, nous pourrions parler de tes résultats scolaires, répliquai-je avec colère.

— Oui, ce serait sûrement un sujet de conversation génial, répondit-elle, le regard flamboyant.

— Allons, ne recommencez pas à vous disputer, intervint Frank d'un ton conciliant.

— Occupe-toi de tes affaires ! répondis-je en chœur avec Fée.

Surpris par notre réaction, il secoua simplement la tête, puis prononça la phrase que nous haïssions le plus l'une et l'autre :

— Vous êtes vraiment pareilles…

Nous nous apprêtions à lui sauter toutes deux à la gorge pour cette remarque, quand Max dit d'une petite voix :

— J'aurais bien aimé être un zombie.

— Avec ta façon de vivre, tu en es déjà un, déclara Fée.

Je décidai d'ignorer cette observation, pour commencer, puis je me tournai vers le petit :

— Nous sommes tous déguisés en monstres de grands films classiques, c'est pour cela que tu es un loup-garou.

Je lui tendis son costume poilu. Il avait l'air terriblement déçu. Mais je n'allais pas entrer dans ces considérations.

— Et moi, je suis en vampire ! annonçai-je. Dans le meilleur style de ce bon vieux Dracula.

Je leur montrai avec enthousiasme mes fausses dents pointues et le costume noir avec sa cape de velours rouge.

— Avec ça, tu ressembles plutôt au Comte de *1, rue Sésame*, commenta Fée.

— Tu aimais beaucoup le Comte autrefois !

Je me remémorai avec nostalgie le temps où, petite fille, je la prenais en pyjama sur mes genoux après son bain, ses cheveux sentant bon le shampooing pour bébé, et où nous regardions ensemble *1, rue Sésame* à la télévision. Ah, ils grandissent trop vite ! Et plus on vieillit soi-même, plus on a l'impression que quelqu'un a appuyé sur le bouton « avance rapide » de notre vie.

— Le Comte ne doit même pas savoir compter jusqu'à dix ! répliqua Fée. En plus, il souffre de troubles de l'attention avec hyperactivité.

— Même comme ça, il est plus fort que toi en arithmétique, murmura Max.

Il n'ouvrait pas souvent la bouche, mais quand il le faisait, c'était de préférence pour énerver sa grande sœur.

— Ferme-la, ou je te vends à un cirque pour faire le phoque savant.

— Tu me paieras un jour toutes ces mesquineries, menaça Max, tremblant de rage.

Les allusions de sa sœur à son surpoids l'affectaient toujours beaucoup.

— Mon cœur frémit de terreur, bébé phoque !

Fée adorait elle aussi le piquer au vif avec ses petites phrases. Elle était convaincue que Max était notre chouchou et elle une sorte de Cendrillon incomprise, que seul un prince pourrait délivrer de son sort tragique. Ou alors, la majorité légale.

Pourtant, je les aimais tous les deux, même s'il m'arrivait parfois de me dire que je les échangerais bien contre deux séances de massages de bien-être. Dans les moments – de plus en plus rares – où je me sentais en parfaite harmonie avec eux, je les aimais même tellement que c'en était douloureux. Mais c'était la plus belle douleur que je connaisse au monde.

Je supposais, ou plus exactement j'espérais qu'eux aussi s'aimaient comme frère et sœur, même s'ils le cachaient bien. Et j'espérais que Frank et moi nous aimions tout comme autrefois, malgré le stress du quotidien. Mais si c'était le cas, si nous nous aimions vraiment tous, pourquoi n'était-ce plus comme avant ? Pourquoi fallait-il qu'il y ait presque chaque jour des disputes ? Pourquoi devais-je les forcer pour que nous fassions quelque chose tous ensemble ? D'ailleurs, depuis quand cela ne nous était-il plus arrivé ?

En me posant ces questions, je me rendis compte que ce soir-là il ne s'agissait pas seulement d'impressionner Lena ni de sauver ma boutique : c'était aussi la première fois depuis longtemps que les Wünschmann sortiraient en famille. Finalement, nous faisions quelque chose d'extraordinaire en nous rendant à cette première. Qui sait, avec un peu de chance, peut-être cette soirée nous permettrait-elle de retrouver ce que nous avions perdu ?

Quand nous fûmes tous assis dans la vieille Ford avec nos beaux costumes, je me sentis déjà fière de nous, car nous étions très impressionnants : mon mari en créature de Frankenstein, ma fille en momie, mon fils en loup-garou, et moi en improbable vampire à lunettes. Quatre monstres en route pour conquérir le vaste monde !

Dans la voiture, les trois autres n'étaient pourtant pas d'aussi bonne humeur que moi : Max lisait un de ses bouquins, Frank poussait des jurons parce que sa grosse tête de monstre heurtait le plafond à la moindre secousse, et Fée n'arrêtait pas de taper des SMS. Je ne comprenais d'ailleurs pas pourquoi elle passait son temps à envoyer des SMS ou à chatter sur Internet. Mais il y avait beaucoup de choses que je ne comprenais pas chez elle : pourquoi elle se bouchait constamment les oreilles avec des écouteurs, pourquoi elle défigurait son joli corps de jeune fille par des tatouages, pourquoi c'était apparemment une tâche insurmontable pour elle que de vider de temps en temps la machine à laver.

D'un autre côté, ma propre mère ne comprenait pas non plus tout de moi autrefois : pourquoi je me déguisais en *Material Girl* comme Madonna, pourquoi j'écoutais Duran Duran à plein tube, et surtout pourquoi je m'étais entichée de Don Johnson (quand je regarde une rediffusion de *Miami Vice* aujourd'hui, je reconnais que je me pose la même question devant les costumes pastel et la coupe de cheveux de Don, sans compter qu'il devait mesurer à peu près 1,23 mètre).

Ce que la prof principale de Fée m'avait expliqué devait être vrai : à la puberté, les synapses se réorganisent entièrement dans le cerveau des adolescents. En traduction, cela signifiait qu'on pouvait leur accrocher sur la tête une pancarte portant l'inscription : « Fermé pour travaux ».

Je décidai donc de ne pas me laisser gâcher la soirée par les synapses de Fée. Si je gardais mon calme, la probabilité que nous passions un bon moment tous ensemble n'en serait que plus grande. La radio diffusait justement la chanson de Bob Marley *Rastaman Vibration*, que j'avais beaucoup aimée à une époque. Je montai le son et chantai avec Bob : « *It's a new day, a new time and a new feeling…* »

Penser que cette soirée pourrait réellement signifier pour notre famille un nouveau départ me faisait chaud au cœur. C'était un sentiment formidable.

Je chantai donc à pleine voix jusqu'à ce que Fée gémisse :

— Tu es vraiment obligée de faire ça, maman ?

— Ah bon, je suis peut-être « pénible », une fois de plus ? fis-je, vexée.

— Pas du tout, répondit Fée.

— Non ? demandai-je, agréablement surprise.

— Non, dit-elle en souriant. C'est simplement de la merde.

Cela n'allait pas être très facile de ne pas me laisser gâcher la soirée par ses synapses.

Peu après, tandis que nous longions le magnifique hôtel Ritz-Carlton, j'annonçai :

— Dans un instant, nous allons voir Stephenie Meyer !

Je savais très bien que personne dans la famille n'était fan de cet auteur. A part les SMS, Fée ne lisait pratiquement rien, Frank n'avait pas le temps, et Max trouvait « puérils » les vampires de miss Meyer, il préférait les zombies, les orques et les barbares.

Nous entrâmes dans l'hôtel sur un tapis rouge, et on nous conduisit jusqu'à une salle majestueuse où deux cents invités au moins se pressaient déjà, des flûtes de champagne à la main. Nous aurions sans doute fort apprécié cette belle ambiance de fête si un petit détail concernant les invités ne nous avait fait sursauter tous les quatre. Au bout de quelques instants de silence horrifié, Max formula la terrible évidence :

— Maman... personne n'est déguisé !

— A part les quatre crétins que nous sommes, compléta Fée.

Ce fut l'un de ces moments où on aimerait être capable de dire autre chose que : « Ah, oui oui oui… »

Fée fut la première à réagir. Son visage s'éclaira et elle dit :

— Alors, nous pourrions peut-être ficher le camp ?

C'était un réflexe de fuite parfaitement compréhensible, d'autant que les invités commençaient à regarder vers nous.

— Bonne idée, approuva Frank qui pensait à son travail.

— Non, nous restons, et nous prenons la chose avec humour, décrétai-je d'un ton encourageant.

— Je crains que les seuls à prendre cela avec humour ne soient les autres invités, observa Frank.

Je suivis son regard et constatai qu'effectivement, à notre vue, ils souriaient d'un air béat, voire riaient franchement. Certains nous montraient même du doigt. Sans me laisser le temps de répondre, Frank reprit la parole :

— N'est-ce pas ta Lena qui approche ?

De fait, Lena s'avançait vers nous d'un pas élégant tandis que Frank la contemplait avec des yeux fascinés sous son crâne de créature de Frankenstein. Il n'avait jamais réussi à apprendre à reluquer les jolies femmes sans que cela se voie. J'éprouvais un petit pincement au cœur chaque fois que je m'en apercevais, mais je ne le lui avais encore jamais fait remarquer : ç'aurait été aussi humiliant pour moi que pour lui.

Lena m'accueillit avec surprise :

— Mais… vous êtes déguisés ?

— Pas du tout, ironisa Fée.

J'essayai de me justifier :

— Tu as dit qu'il y aurait de super costumes de monstres...

— Oui ! fit Lena en riant. Mais cela ne concernait pas les invités – seulement l'orchestre qui jouera tout à l'heure.

Ma famille me lança des regards significatifs.

— Tu n'avais pas compris ça ? dit Lena.

— Eh non ! firent en chœur mes deux enfants.

Lena se tourna vers eux et leur demanda :

— Alors, comment trouvez-vous Stephenie Meyer ?

La question s'adressant à Fée, je priai pour que ma fille ne se mette pas à faire de la provocation dans le seul but de me montrer à quel point elle était venue à contrecœur.

— Je la trouve très, très chouette, dit Fée.

Quel soulagement d'entendre cela !

— C'est mon auteur préféré, absolument, appuya Fée.

Je ne pouvais pas le croire : Fée voulait faire bonne impression.

— J'adore Stephenie Meyer !

Elle en rajoutait peut-être un peu, mais je m'en félicitais. Finalement, je n'avais peut-être pas complètement loupé son éducation, si elle était capable de bien se conduire devant les gens.

— J'aime tant Stephenie Meyer, poursuivit Fée, que je voudrais être déflorée par elle.

Je faillis en tomber à la renverse.

Lena aussi.

Et Fée qui me narguait en ricanant ! Je le voyais parfaitement, malgré les bandages de momie qui lui couvraient la bouche.

Pour tenter de dédramatiser la situation, je cherchai frénétiquement une façon d'expliquer à Lena que ma fille était charmante et juste un peu facétieuse. Mais avant que j'aie pu dire quoi que ce soit, une voix flûtée s'éleva :

— *What did this nice girl say about me ?*

C'était Stephenie Meyer.

Vêtue d'un tailleur-pantalon très chic, elle se tenait juste derrière nous et souriait aimablement, sans se douter de rien. Nous en restâmes tous sans voix. Déjà, avec n'importe quel auteur à succès, la déclaration de Fée aurait été extrêmement pénible. Mais pour comble, Mme Meyer était mormone, je m'en souvenais tout à coup avec des sueurs froides.

Elle s'avança vers Fée et lui dit en souriant :

— *Come on, you can tell me.*

L'air effaré de Fée me rassura un peu : elle n'allait pas me ridiculiser davantage. Elle allait parfois trop loin, c'était vrai. Mais aussi loin que ça ? Même elle, elle n'oserait pas.

Malheureusement, elle avait un frère. Qui, à la maison, avait annoncé qu'il se vengerait un jour des bassesses accumulées par sa sœur. Il traduisit donc aimablement à Mme Meyer ce qu'avait dit Fée :

— *She wants to be deflowered by you.*

Cette fois, ce fut le sourire de Stephenie Meyer qui s'évanouit.

Et ce fut l'un de ces moments où on voudrait pouvoir dire : « Je n'ai jamais vu ces enfants. »

Au lieu de cela, j'essayai d'arranger les choses :

— *She said, she wants to give flowers to you.*

Stephenie Meyer voyait très bien que Fée n'avait de *flowers* nulle part. Elle me lança un coup d'œil qui signifiait : « Si c'est pour te foutre de moi, je peux le faire sans aide ! »

Après quoi, l'air profondément offensée, elle s'en alla papoter avec d'autres invités. Je regardai Frank, mais il ne trouva rien pour me consoler. Les hommes ne sont guère plus doués pour cela que les orangs-outans. Au bout d'une minute, il parvint seulement à dire à voix basse :

— Je… je crois que je vais aller faire un tour au buffet.

— Je viens avec toi, approuva Fée avec empressement.

— J'ai une faim de loup-garou ! ajouta aussitôt Max.

Et ma famille mit les voiles. Après quelques instants d'un silence embarrassé, Lena me demanda d'une voix hésitante :

— Tes enfants ne sont pas tout à fait comme tu voudrais, n'est-ce pas ?

Je hochai la tête.

— Et avec ton mari, ça ne marche pas très bien non plus ? ajouta-t-elle avec précaution.

— Comment ça ? fis-je, déconcertée.

Qu'est-ce qui lui permettait d'arriver à cette conclusion ? Frank ne s'était pas trop mal conduit jusque-là.

— Il regarde constamment les fesses de Stephenie Meyer.

Et c'était vrai : sous son crâne vert de monstre, Frank, debout devant le buffet, avait les yeux rivés sur le postérieur de Mme Meyer, occupée à bavarder à quelques mètres de nous. Cela me fit très mal. Encore plus que le petit numéro des enfants, qui avait pourtant déjà été suffisamment douloureux.

— Enfin, nous pourrons peut-être nous rattraper avec la séance de signature, dit Lena d'une voix compatissante.

C'était elle qui me consolait ! Pourtant, elle m'avait bien invitée pour se faire mousser. En tout cas, une chose au moins était claire à présent : je n'allais pas pouvoir démontrer à Lena que j'étais plus heureuse qu'elle. Pour la bonne raison que je n'étais pas plus heureuse qu'elle. A peu près comme le jeune Werther comparé à Gontran Bonheur.

Je détournai les yeux et jetai un regard à Frank. Perdu dans sa contemplation de postérieur, il ne s'apercevait pas que la sauce au radis noir de sa tartine de saumon fumé gouttait sur son gilet en fausse fourrure.

— En plus, cette Meyer a le cul bas, dis-je tristement.

— *What did she say ?* fit soudain la voix de Stephenie Meyer derrière moi.

Si seulement j'avais pu, comme un vampire, me changer en chauve-souris et m'enfuir de cette salle à tire-d'aile !

La Meyer s'approcha de nous et demanda :

— *What exactly is a* cul bas *?*

Je cherchai en hâte une réponse et ne sus que balbutier :

— *Sólo hablo español.*

— *¿ Qué es un* cul bas *?* s'enquit-elle alors.

Mince, cette andouille parlait aussi l'espagnol !

Bien que j'en aie fait une année au lycée, ce que je savais dire en espagnol se résumait à peu près à : « *Hey macarena.* » Mais cette réponse ne me paraissait pas vraiment correspondre à la situation.

En désespoir de cause, je demandai avec un pauvre sourire :

— *Czi mowi polski ?*

Stephenie Meyer laissa tomber avec un geste dédaigneux et alla discuter ailleurs. Une folle déguisée en monstre, et qui par-dessus le marché se moquait d'elle, ne valait pas une telle perte de temps. Lena passa gentiment son bras autour de mes épaules et soupira :

— Pour se rattraper avec la séance de signature, je crois que ça ne va pas être possible.

J'imaginais déjà l'administrateur judiciaire déambulant dans ma boutique, s'amusant comme un petit fou à la lecture de ma comptabilité et s'étonnant à la vue des cafards et des toilettes bouchées.

Je ne pourrais pas remettre à flot ma librairie avec l'aide de Mme Meyer, mais ce n'était pas le pire. Non, le pire, c'était que cette soirée avec ma famille avait été une catastrophe. Aucun d'entre nous n'y avait pris le moindre plaisir. Il était peut-être temps d'admettre enfin que nous n'étions plus une vraie famille.

FÉE

Maman était tellement furax contre nous qu'elle fonçait dans les rues de Berlin comme dans une partie de *Grand Theft Auto*. Mais personne n'osa protester. D'ailleurs, personne ne mouftait dans la voiture. Même papa, qui pourtant continuait à se cogner régulièrement au plafond avec son crâne de Frankenstein. Chacun respirait juste ce qu'il fallait pour ne pas étouffer. C'était un silence comme dans les westerns, quand on attend que ça commence à tirer. Une chose était claire : si un seul d'entre nous disait un mot, les balles siffleraient dans la voiture.

Tout en continuant d'éviter de respirer plus que nécessaire, je regardais mon portable. Où il y avait un SMS de Yannis : « Je te trouve sympa. » J'avais déjà dû le lire 287 fois, et je réfléchissais fébrilement à ce que je devais répondre. « Moi aussi » paraissait approprié. Mais mon cœur bondissait tellement de joie que j'aurais voulu écrire tout de suite : « Je t'aime. » Oui, mais si j'écrivais un truc aussi direct, je serais aussi cinglée que cette femme qui avait forcé toute sa famille à se couvrir de honte en se déguisant en monstres.

Je rêvai quand même à ce qui se passerait si j'envoyais un « Je t'aime » à Yannis et qu'il me réponde la même chose, et que ce jour – malgré mon redoublement et ma soirée d'horreur en momie – devienne le plus beau jour de ma vie… Mes doigts tapèrent les mots, juste pour le plaisir, bien sûr. Je n'avais pas l'intention d'envoyer ça. A cet instant, maman grilla un nouveau feu rouge et vira si brusquement sur les chapeaux de roues que tout le monde faillit passer par la fenêtre. Comme dans un ralenti de cinéma, je vis mon pouce glisser vers la touche « Envoyer ». Mon « Je t'aime » était parti !

C'est vrai que je ne crois pas en Dieu, mais je me mis tout de même à prier : Mon Dieu, mon Dieu, fais qu'il y ait une panne générale du réseau, là, tout de suite !

Ça ne lui aurait rien coûté de me rendre ce petit service ridicule, mais non. Les barres étaient toujours là sur l'écran de mon portable.

Quelques dixièmes de seconde plus tard, la réponse de Yannis arriva : « Quoi ? »

Pas très spirituel. C'était bien une réponse de garçon. Et sûrement pas ce que j'avais espéré dans ma stupide rêverie. J'écrivis donc en hâte : « Je me suis trompée en tapant. »

J'espérais qu'il avalerait ça et qu'on en resterait là avec les SMS. Mais c'était raté.

« Qu'est-ce que tu voulais taper ? » demanda-t-il.

« Je t'anime », répondis-je dans mon affolement.

La réponse ne tarda pas : « Tu m'animes ??? » – et on voyait bien qu'il aurait voulu mettre une ou deux centaines de points d'interrogation supplémentaires.

Encore plus paniquée, je tapai : « Je voulais dire : je te marine. »

« Tu me marines ? »

« Oui. »

« ??? »

« On est vendredi, le jour du poisson », écrivis-je.

« ????? »

Maintenant, c'était certain, il me croyait complètement cinglée.

J'avais bien envie de répondre en lui envoyant le petit bonhomme qui fiche le camp. Mais Yannis me tira d'affaire en cessant de poser des questions : à la place, il m'envoya la plus belle phrase qu'un garçon m'ait jamais dite, écrite ou tapée en SMS : « Je t'anime aussi, Fée. »

Une vague de bonheur me submergea. J'étais si follement heureuse que j'avais envie de serrer tout le monde dans mes bras. Peut-être même maman.

Dans le rétroviseur, elle me vit sourire sous mon costume de momie. Cela la fit tellement enrager de me voir heureuse qu'elle freina à mort... et s'arrêta sur le trottoir.

C'est alors que les balles commencèrent à siffler.

EMMA

Je sortis de la voiture, toutes voiles dehors, pour m'apercevoir que je m'étais arrêtée à quelques mètres à peine d'une vieille mendiante qui tendait la main au bord de la chaussée, un foulard sur la tête. Son visage était gris et, à en juger par le nombre de cernes sous ses yeux, elle devait être terriblement âgée. Apparemment, je ne lui avais pas fait peur en fonçant vers le trottoir. Au contraire : elle me regarda en souriant, comme si elle en avait vu bien d'autres dans sa vie. Puis elle leva sa boîte en fer-blanc et baragouina :

— Toi avoir euro ?

J'étais bien trop enragée pour m'occuper d'elle. J'ordonnai à ma famille de monstres de descendre de la voiture et me mis à gueuler comme jamais une personne habillée en Dracula n'avait dû gueuler jusque-là, y compris Dracula lui-même :

— Fée ! Qu'est-ce que tu as à sourire comme ça ? Tu me fais honte ! Tu redoubles, tu fumes du hasch…

— Je fume pas… protesta-t-elle faiblement.

— Tu me prends pour une idiote ? coupai-je. Et attention, réponds-moi sans mentir !

Elle regarda à terre d'un air coupable. Comme un sourire moqueur apparaissait sur les lèvres de Max, je m'en pris aussitôt à lui :

— Et toi… tu n'ouvres jamais la bouche que pour mettre ta sœur en colère !

Lui aussi se mit à regarder à terre d'un air coupable. Frank s'interposa entre eux et moi, cherchant à apaiser la situation :

— Il ne faut pas crier comme ça devant les enfants…

— En ce moment, si !

— Mais ça n'a pas de sens, répondit-il timidement.

— Ah bon, parce que maintenant tu t'occupes de l'éducation des enfants ? l'engueulai-je tandis que les intéressés se réjouissaient visiblement de ne plus être en ligne de mire. De toute la journée, on doit te voir au maximum vingt minutes éveillé à la maison, et encore, tu n'es là que physiquement.

— Tu as l'intention de t'en prendre à moi aussi ? demanda-t-il, légèrement surpris.

— Crois-tu donc que je ne t'ai pas vu pendant toute la soirée, quand tu reluquais le gros cul de Stephenie Meyer ?

— Le gros cul… gloussa Max.

— Boucle-la ! lui lançai-je, sentant les larmes me monter aux yeux.

Si je houspillais aussi brutalement ma famille, c'était surtout parce que j'étais tellement triste que, sans cela, je me serais mise à sangloter. Et si je commençais, je ne pourrais plus m'arrêter.

— Tu crois que ça ne me fait rien, à moi ? demandai-je à Frank. Que tu ne me trouves plus aussi séduisante qu'avant ?

Ne sachant que répondre, il se contenta de me fixer d'un air désemparé. Ç'aurait pourtant été le moment de dire : « Mais, ma chérie, pour moi tu es aussi séduisante qu'au premier jour. »

Or, il restait là, silencieux. Alors, je me déchaînai :

— Il faut dire que, de ton côté, tu n'es pas précisément un Adonis !

— Quoi… ? fit-il, surpris.

— Tu as une mine de déterré. Et tes poils ne poussent plus qu'aux mauvais endroits !

— Je croyais que tu aimais bien ceux de mon dos… balbutia-t-il, bouleversé. Tu m'appelles tout le temps « nounours »…

— Quelle femme au monde a envie d'avoir un nounours ?!

— Vous savez, intervint Fée, les enfants ne tiennent pas spécialement à savoir à quel point leurs parents se détestent.

Cette remarque me fit définitivement péter les plombs :

— Ma fille ne cesse de me provoquer. Mon fils reste enfermé dans sa chambre et ne parle à personne. Encore mieux, je n'ai pratiquement plus aucune relation avec mon mari. C'est la merde. Mais vous savez ce qui est vraiment la merde ? C'est que nous ne sommes plus une vraie famille, et ça, oui, c'est la mère de toutes les merdes… et oui, je sais que ça ne se dit pas, mais ça devrait pouvoir se dire pour une famille aussi merdique que la nôtre !

Ils me regardaient tous d'un air atterré, tandis que les premières larmes jaillissaient de mes yeux.

— Je… je ne peux plus continuer comme ça, les suppliai-je d'une voix brisée.

Tout au fond de moi, je pensais que c'était vraiment le moment idéal pour Frank de me dire : « Ça va s'arranger. »

Mais dans ses yeux, il n'y avait pas la moindre lueur de « ça va s'arranger ». Il me regardait seulement d'un air absent et fatigué. Je jetai un coup d'œil à Max, qui n'avait visiblement qu'une envie : se replonger dans son roman de zombies. Quant à Fée, elle continuait à bouillonner. Je compris tout à coup qu'il n'y avait plus rien à sauver dans tout ça. Vraiment plus rien.

A bout de nerfs, je balbutiai encore :

— J'aurais pu être à l'île Maurice avec Hugh Grant…

Et là, je me mis enfin à pleurer comme un veau.

FRANK

Fatigué.

J'étais fatigué.

Si incroyablement fatigué.

Les enfants ne l'étaient pas, eux. Ils regardaient à terre, ne pouvant supporter de voir leur mère pleurer. Mais moi, j'étais seulement beaucoup trop crevé pour réagir. D'abord, je me demandai avec perplexité : « Hugh Grant… comment ça, Hugh Grant ? »

Qu'est-ce qu'Emma voulait faire avec lui à Maurice ? Bon, ça, à la rigueur, je pouvais l'imaginer. Mais qu'est-ce que ça venait faire là ? Je n'y comprenais plus rien.

Depuis quelque temps, j'avais cette drôle d'impression d'avoir le cerveau enveloppé dans du coton. « Depuis quelque temps » veut plutôt dire en l'occurrence : « depuis des années ». A la banque, je me sentais comme un coureur de marathon. A qui on dirait à l'arrivée de la course : « En fait, il s'agit d'un triathlon. » A la fin du triathlon, on lui annoncerait : « C'était très chouette, et si on en faisait un autre ? » Et quand celui-là serait fini, on lui dirait : « Ecoute, tu as laissé tomber quelque chose au début de la toute première course, tu veux bien aller le rechercher ? »

Dans notre service, nous étions tous aussi vidés les uns que les autres. Un de mes collègues qui avait un certain talent pour la musique avait même composé une chanson là-dessus, intitulée *Je n'en peux plus*. Voyant que sa chanson avait beaucoup de succès chez nous, il avait aussitôt composé une suite : *Et j'veux plus non plus*. Des titres qui avaient le potentiel pour devenir des rengaines dans notre monde moderne. D'autres chansons avaient suivi. Pour le moment, on en était à cette liste :

J'ai besoin de cinq cafés
Acouphènes
I am looking for freedom
J'crois que j'deviens fou
J'entends déjà des voix
Je vais m'acheter un Uzi[1] (très bon pour l'ambiance : au refrain, tout le monde reprend en chœur : « Uzi ! Uzi ! Uzi ! »)

Sa dernière composition était un reggae : *I shot the président, but I did not shoot the chef cuistot.*

Alors qu'en fait nous étions tous d'accord pour dire que le cuistot de la cantine méritait largement le *shooting* lui aussi.

---

1. Pistolet-mitrailleur israélien.

Si je n'avais pas été aussi à plat, crevé, vanné, je ne me serais sûrement pas comporté comme un idiot pendant toute la soirée et je n'aurais pas commis toutes ces erreurs : j'aurais davantage soutenu Emma pour que nous allions à ce lancement, j'aurais accepté sans hésiter sa proposition de faire l'amour ce soir, et surtout, je n'aurais pas regardé les fesses de Stephenie Meyer (ou en tout cas, je l'aurais fait sans qu'Emma s'en aperçoive). Et si j'avais été un peu plus réveillé, j'aurais trouvé les mots pour la consoler maintenant. Mais tout ce qui me venait à l'esprit, c'étaient des phrases du genre : « Ça va s'arranger. » Je préférai donc me taire, parce qu'Emma ne tenait certainement pas à entendre de telles inepties. Et puis, qu'aurais-je répondu si elle m'avait demandé alors : « Et comment veux-tu que ça s'arrange ? »

Elle était malheureuse, et nous avions tous notre part de responsabilité là-dedans. Elle nous l'avait dit clairement avec sa « tirade des merdes ». Mais j'étais quand même vaguement en colère : après tout, c'était aussi un peu de sa faute si elle était malheureuse. Emma n'avait jamais été tout à fait satisfaite de notre petite vie. Elle avait toujours eu davantage d'envies que moi. Elle voulait voir le monde, le conquérir, toutes ces choses-là. Mais chaque fois que j'avais fait mine de suggérer que cela pouvait aussi venir d'elle si elle était malheureuse, elle s'était fâchée et on en était très vite arrivé aux insultes. Cela faisait donc déjà une paire d'années que je m'abstenais de mentionner le sujet. Pour les mêmes raisons, je n'intervenais plus quand j'avais l'impression qu'elle cherchait trop à contrôler la vie des enfants. Et maintenant qu'elle était en pleine crise de larmes, si je disais franchement ce que je pensais, à savoir qu'elle s'énervait toujours beaucoup trop à propos des enfants, elle allait à tous les coups m'arracher ma tête de monstre.

Emma ne pouvait plus s'arrêter de pleurer. Elle n'essayait même pas. De toute évidence, elle souffrait vraiment, et cela me devenait insupportable. Sa douleur m'avait toujours beaucoup plus affecté que la mienne. Oui, j'aimais encore cette femme, du moins quand je n'étais pas trop crevé, ce qui, comme je crois l'avoir déjà dit, ne m'était pas arrivé depuis des années.

Ah, si seulement je n'avais pas été aussi fatigué !

Pourtant, en y réfléchissant bien, je n'étais même plus très sûr de l'aimer encore, dans l'état où j'étais. Si jamais je me réveillais un jour, allais-je m'apercevoir que, tout compte fait, je ne voulais plus d'elle ?

Cette idée me fatigua encore plus que tout le reste.

Je la chassai donc et décidai de tenter quand même le « Ça va s'arranger ». Si Emma me posait alors la question du comment, je répondrais simplement : « Crois-moi », et je balaierais d'un : « Chchchut… ne dis rien » toute nouvelle tentative de sa part d'entrer dans les détails. Mais, à l'instant même où j'allais mettre ce plan en pratique et m'approcher de ma femme pour la prendre dans mes bras, je vis que la mendiante s'avançait elle aussi vers Emma.

BABA YAGA

Cette femme avec costume de vampire ! Cette femme ridicule qui pleure, elle quoi se croire ? Elle dernière chance pour moi. Peut-être cette femme ramener moi à la maison !

Je pas été dans pays de moi depuis plus deux cent cinquante ans. Parce que moi bannie. Et je plus avoir beaucoup de temps.

Parce que moi dans trois jours mourir. Aucune médecine guérir cette maladie. Aucune prière. Aucune magie noire. Même pas magie de moi.

Je aller avec boîte en fer vers femme qui pleure comme chien qui sait que vétérinaire va castrer.

Rien à perdre dans projet de moi avec cette femme. Juste vie ridicule de cette famille de elle.

EMMA

La vieille me fit soudain face. Elle était étonnamment leste pour son âge. Et même pour n'importe quel âge. Quand elle ouvrit la bouche, je constatai que des moineaux auraient pu faire leur nid dans les lacunes de sa dentition. Elle demanda pour la deuxième fois :

— Toi avoir euro ?

— Vous ne voyez pas que je suis occupée à avoir une crise de nerfs ? aboyai-je.

— Toi avoir euro ?

Elle ne lâchait pas le morceau. De plus, elle paraissait de très mauvaise humeur. Pas seulement parce que je ne lui donnais pas son euro. On aurait dit qu'elle me méprisait profondément. Etait-ce parce que je pleurais ?

La mendiante tendit la main vers moi. Même si j'avais voulu lui donner un euro, je n'aurais pas pu : mon costume de Dracula avait certes une très jolie cape, mais pas de poches. Et je n'avais pas emporté mon sac à main, parce qu'un vampire avec un sac à main fait tout de même un petit peu moins authentique.

— Toi être malheureuse avec famille, remarqua-t-elle.

— Toi être bonne observatrice, rétorquai-je.

Le seul point positif de cette vieille, c'était que j'avais dû cesser de pleurer pour lui répondre. Tandis que je me mouchais, elle interpella le reste de la famille d'un air dégoûté :

— Vous tous malheureux pareil.

A en juger par leurs mines coupables, ils se sentaient pris en flagrant délit. Mon Dieu, cette femme édentée avait-elle raison ? Se pouvait-il que mes enfants et mon mari soient aussi malheureux que moi ? Je faillis me remettre à pleurer. Encore plus fort que la première fois.

Mais, sans laisser le temps à mes glandes lacrymales de reprendre du service, la mendiante déclara avec emphase :

— Toutes les familles heureuses se ressembler. Chaque famille malheureuse être malheureuse à sa façon.

— Tu as avalé un exemplaire d'*Anna Karenine* ? demandai-je avec agacement.

Je savais pertinemment que c'était une citation de Tolstoï, même si ma famille ne comprenait pas de quoi je parlais : aucun d'eux ne connaissait Tolstoï, et chacun serait sans doute tombé dans un profond sommeil dès la page trois d'*Anna Karenine*.

— Je avoir aidé Tolstoï à écrire, décréta la vieille.

Je savais fort bien que Tolstoï avait écrit ce livre avant le siècle passé. Elle était certes très vieille, mais aucun être humain n'aurait pu vivre assez longtemps pour avoir été présent alors.

— C'est impossible, dis-je.

En guise de réponse, elle arbora un fin sourire entendu. Supérieur. Un peu cinglé. Non, barrons le « un peu » et remplaçons-le par « complètement ». Je me sentis tout à coup très mal.

— Disparais ! lui dis-je.

Elle se contenta de sourire un peu plus largement. En outre, elle se mit à me fixer d'un regard pénétrant, et j'eus la pénible impression qu'elle voyait au tréfonds de mon âme. Je voulus me détourner, mais j'étais prisonnière de son regard. Je ne pouvais tout simplement pas la quitter des yeux.

— Disparais… répétai-je faiblement.

— Toi pas apprécier ta vie, m'annonça-t-elle avec dédain.

— Et toi avoir la tête dure, rétorquai-je courageusement.

Mais je commençais à prendre peur pour de bon : avait-elle réellement, comme je l'avais senti, vu tout au fond de mon âme ?

Elle cessa enfin de me regarder, sans que je respire mieux pour autant. Car, au lieu de déguerpir enfin pour aller terroriser d'autres gens, elle se tourna alors vers Max. A son tour, elle le regarda dans les yeux sans qu'il puisse résister, et il eut très peur. Au bout de quelques secondes d'un silence inquiétant, elle lui déclara :

— Toi fuir la vie !

Là, je fus presque tentée de lui donner raison, car s'il y avait quelqu'un qui refusait d'affronter la vie, c'était bien Max.

Puis, laissant Max chancelant, elle se planta devant Fée, qui elle aussi aurait bien voulu pouvoir regarder ailleurs. Mais elle n'y parvint pas davantage que Max et moi.

— Toi avoir aucune idée pour ta vie, dit la vieille.

— Moi, en tout cas, répliqua Fée, je ne parle pas comme si j'avais fréquenté les cours d'expression libre de maître Yoda à l'école des Jedi.

La vieille lui faisait une peur bleue, mais elle s'efforçait de ne pas le montrer. Sans grand succès, d'ailleurs : comme chaque fois qu'elle était nerveuse, Fée se rongeait les ongles. Quant à Max, il se croisait les genoux comme s'il allait faire pipi dans son pantalon d'une minute à l'autre. Il avait toujours été un garçon très peureux. Petit déjà, il était effrayé par toutes sortes de choses : les clowns, les méduses sur la plage, les chansons de marins…

— Laissez nos enfants tranquilles, s'interposa Frank.

Grave erreur, car ce fut lui qui dut alors soutenir le regard hypnotique de la vieille. Et voici ce qu'elle trouva dans son âme – car j'étais désormais convaincue qu'elle lisait dans l'âme des gens :

— Toi avoir pas d'émotion dans la vie.

A ces mots, Frank ne put s'empêcher de trembler. Comme nous tremblions tous. Ce n'était vraiment pas ce que j'avais imaginé quand j'avais parlé de « faire enfin quelque chose ensemble ».

De la poche de son manteau déchiré, la vieille tira une sorte d'amulette en argent. Avec un pommeau en forme de tête de chat sur lequel on pouvait lire les mots : Baba Yaga.

— Je bientôt mourir ! s'écria-t-elle.

J'essayai de détendre l'atmosphère en montrant un peu de compassion :

— Oh, je suis désolée.

— Je pas croire toi, répliqua-t-elle en brandissant agressivement l'amulette sous mon nez.

J'eus l'impression qu'elle voulait me tuer sur-le-champ. Soit en m'assommant avec l'amulette, soit en me soufflant son haleine dans la figure.

A cet instant, elle ne me faisait plus du tout pitié. Au contraire, je me surpris à penser que ce serait encore mieux si le « bientôt mourir » pouvait arriver très très vite.

— Je mourir dans trois jours, et vous pleurnicher !

C'était donc pour cela qu'elle me regardait si méchamment depuis le début ! Elle me prenait pour une égoïste qui se plaignait pour un rien.

— Vous pas vivre votre vie. Vous pas mériter vie ! aboya-t-elle.

Son souffle suffisait déjà presque à me tuer. Je m'efforçai de minimiser ses propos :

— Euh… vous ne croyez pas que vous exagérez un peu… ?

Elle nous foudroya du regard et cria :

— Je maudis vous !

— Euh… pardon ?… comment ? fis-je, effrayée.

— Je maudis vous ! répéta-t-elle.

On avait maintenant l'impression que ses yeux lançaient véritablement des éclairs. Fée répliqua avec courage :

— Non, toi, énerve-nous.

Au lieu de répondre, la vieille tendit son amulette vers le ciel et s'écria, près d'une octave plus bas et trois degrés d'effroi plus haut :

— *Este tranaris, este pranduce…*

— Qu'est-ce qu'elle raconte ? demandai-je avec inquiétude.

— *Nici mort…* poursuivit-elle. *Niki al franci…*

— Vous ne parlez pas sérieusement…

— Je… je crois que si, dit Frank d'une voix angoissée en levant le doigt vers le ciel.

Je regardai en l'air, et je vis. Il n'y avait pas un nuage. Pourtant, des éclairs commençaient à se former au firmament.

— Cette fois, je crois vraiment que votre réaction est un peu excessive, balbutiai-je.

Max fixait le ciel, bouche bée. De même que Frank, et moi aussi à présent. Seule Fée cherchait encore une explication, si invraisemblable soit-elle, à cette démonstration. S'avançant vers la vieille, elle déclara courageusement :

— Oui, c'est génial… Super spectacle… Je ne savais pas que les mendiantes travaillaient maintenant avec des pyrotechniciens… Mais je ne suis pas fan d'effets spéciaux…

En guise de réponse, les yeux de la vieille s'illuminèrent subitement d'une lueur verte. Ils étaient devenus tout entiers pareils à des émeraudes. Les pupilles avaient disparu.

— Je ne suis pas fan non plus des yeux verts, murmura Fée, visiblement intimidée.

Retrouvant la parole, Max balbutia avec angoisse :

— Mais, pauvre cucurbitacée, ce n'est pas de la pyrotechnie. C'est de la magie occulte !

A l'appui de la thèse de Max, la vieille mendiante se mit à proférer de nouvelles incantations d'une voix toujours plus forte, plus grave et plus inquiétante :

— *Re spirit, re brut...*

Les éclairs se rejoignirent dans le ciel, formant une immense boule de feu palpitante. En tant que citoyenne éclairée de l'Europe occidentale, je n'étais pas censée croire à la magie, mais tout convergeait pour indiquer qu'il devait bien s'agir de quelque chose de ce genre. La femme était-elle, comme le disait Max, une magicienne ? Ou plutôt une sorcière ? Ces distinctions subtiles avaient-elles encore une importance, eu égard aux éclairs suspendus au-dessus de nos têtes ? Et qui semblaient devoir s'abattre sur nous d'un instant à l'autre ?

— *Rece brut tre animal !*

La boule de feu était maintenant juste au-dessus de nous dans le ciel, et une terreur sans nom s'empara de moi. La peur de la mort. En réalité, j'avais moins peur pour moi que pour mes enfants. La femme avait dit que nous étions tous indignes de vivre. Donc Fée et Max aussi !

— Epargnez les enfants, suppliai-je. S'il vous plaît !

— S'il vous plaît... répéta doucement Frank.

La vieille nous regarda et sourit. D'un sourire terrifiant, mais tout de même : ma demande la faisait sourire. Un peu d'espoir renaquit en moi. La sorcière – car ce ne pouvait être qu'une sorcière, sinon quoi ? – allait peut-être épargner les enfants ?

Elle cessa de sourire.

J'eus si peur pour les enfants que mon cœur se contracta brusquement. Ce fut comme si quelqu'un essayait de le déchirer en morceaux. Sans doute la pire sensation qu'un être humain puisse éprouver – en tout cas, je n'avais jamais rien connu de pareil.

Les yeux verts brillaient d'un éclat toujours plus violent, comme si une réaction nucléaire allait se déclencher derrière eux. La sorcière ouvrit sa bouche édentée et cria :

« SEMPER MONSTER ! »

Cette fois, ses yeux explosèrent littéralement. Des rayons vert émeraude en jaillirent comme des lasers dirigés vers le ciel.

— Alors ça, je suis encore moins fan, balbutia Fée, terrifiée.

— On ne peut qu'être de ton avis, dit Frank d'une voix tremblante.

Les rayons verts lancés par les yeux de la mendiante avaient atteint la boule de feu qui palpitait au-dessus de nous. Lentement, comme au ralenti, celle-ci commença à se dissocier. En éclairs vert émeraude pointés vers la terre. Quatre en tout. Qui fonçaient droit sur nous. Un pour chacun.

Juste avant que nous soyons frappés, Fée – rebelle jusque dans ce moment de terreur mortelle – marmonna ces dernières paroles :

— Ça me ferait vraiment trop rager de mourir justement aujourd'hui.

Si j'avais eu un minimum de temps pour me demander quelle impression cela pouvait faire d'être frappé par un éclair – vert émeraude ou de quelque couleur que ce soit –, j'aurais probablement imaginé que cela ressemblait à une énorme décharge électrique. Du genre de celles après lesquelles on se retrouve sous la forme d'un petit tas de cendres balayé par le vent, et dont l'émission de CO_2 contribue au réchauffement climatique.

En fait, l'impression ne fut pas du tout celle-là. Ce fut plutôt comme si on m'avait éparpillée en mille morceaux… Non, pas « comme si » : c'était exactement le cas !

Avais-je crié en me dispersant ? Je n'en sais rien. Un court instant, ma bouche n'avait d'ailleurs plus été qu'une pièce détachée, de même que les autres parties de mon corps. Peut-être avait-elle dit : « J'aurais mieux fait de donner un euro à la vieille. »

Puis je fus à nouveau réunie en un seul morceau. Avec de nouvelles pièces. Entre autres, comme j'allais bientôt m'en apercevoir, deux belles canines pointues.

Quand je rouvris les yeux, j'étais allongée sur le sol et je voyais tout flou, comme à travers une vitre dépolie. Je ne percevais qu'une seule chose : le verre gauche de mes lunettes était fêlé. Je les ôtai… et constatai que j'y voyais très bien ! Comment était-ce possible ? Sans lunettes, je n'étais pas franchement aveugle, mais assez myope tout de même. Et à présent, je distinguais parfaitement – pour ainsi dire en haute définition – la folle aux dents pourries qui se moquait de moi. J'eus aussitôt envie de remettre mes lunettes.

J'allais m'avancer vers la vieille pour lui demander des comptes, exiger de savoir ce qu'elle nous avait fait, quand Fée s'écria avec terreur :

— Je peux plus enlever les bandages !

Mon cœur de mère ne pouvait supporter la panique qui emplissait sa voix. Laissant là les sorcières au rire fou, je me précipitai vers ma fille. Assise sur le bord du trottoir, elle tirait sur ses bandelettes, qui ne ressemblaient plus du tout maintenant aux bandes de gaze qu'on achète à la pharmacie. Elles avaient pris un aspect sale et grisâtre. Comme si elles avaient séjourné très longtemps sous la terre…

Je m'assis à côté de ma fille et lui dis :

— C'est pas grave, mon lapin, maman va t'aider.

Quand elle était petite, je l'appelais toujours « mon lapin ». Depuis sa puberté, je devais éviter cela soigneusement si je ne voulais pas qu'elle me regarde comme si elle allait déclencher les missiles sol-air. Mais elle était si angoissée en cet instant que ce mot parvint même à lui insuffler un peu de confiance enfantine.

J'essayai de détacher les bandelettes de son costume. En vain. On aurait dit qu'il fallait lui arracher la peau avec.

— Toi non plus tu n'y arriveras pas… tu n'y arriveras pas…

Fée paraissait sur le point de craquer complètement. Et je n'étais pas loin de craquer avec elle. Mais je n'en avais pas le droit. Pour l'apaiser, je la pris dans mes bras et décidai de mentir :

— Tout cela n'est qu'un très, très mauvais rêve, mon lapin.

C'est ce que je lui disais toujours quand elle était petite et qu'un cauchemar la réveillait la nuit. Nous la laissions grimper dans notre lit, et parfois, elle se plaignait alors des flatulences que le stress causait à Frank : « Oh, papa ! Là, j'aurais vraiment préféré être enrhumée ! »

Dans mes bras, Fée demanda, incrédule :

— C'est… un rêve ?

— Oui, tout cela n'est qu'un fantasme de ton imagination.

— Je ne sais pas ce que c'est qu'un « fantasme », mais ça sonne bien…

— Je… commençai-je à expliquer.

— … m'en fous, acheva-t-elle à ma place en se serrant contre moi.

Cela devait faire des années qu'elle ne s'était pas blottie contre moi. Je regardai ses yeux – la seule chose que l'on aper-cevait encore de son visage au milieu des bandages inquiétants qui l'enveloppaient. Ces yeux paraissaient terriblement vieux. Et très noirs. Je m'efforçai de ne pas lui montrer la terreur sans nom qui m'avait saisie.

— La vieille qui rit, c'est aussi un « fantasme » ? demanda Fée.

— Oui… murmurai-je.

— Et aussi les gens qui ont si peur qu'ils ferment les rideaux ?

Je levai les yeux vers les immeubles qui nous entouraient. Visiblement, les gens étaient terrorisés. Par les éclairs. Par la vieille. Et par nous?

— Oui, ça aussi, c'est un fantasme, confirmai-je.

— J'aime mieux ça, déclara Fée. Même si le mot est moche.

Je n'allais pas engager la conversation là-dessus.

— J'aurais pas dû fumer de l'herbe hier soir, marmonna Fée dans mes bras.

— Tu as fumé de l'herbe ? m'indignai-je avant de me rendre compte aussitôt après que j'avais des soucis plus urgents.

— Je suis sûre qu'elle était pas pure… Ils ont dû l'allonger avec du plastique liquide.

On mélangeait le hasch avec ça, maintenant ? Le monde des adolescents semblait être devenu encore plus dangereux que je ne le craignais déjà. Peut-être pas aussi dangereux, cependant, que ce que nous étions en train de vivre.

— Alors, c'est moi qui imagine tout ça ? demanda Fée.

Il fallait maintenant la rassurer toutes les cinq secondes sans faute.

— Oui, dis-je.

— Aussi que Max est en train de lever la patte contre un réverbère ?

— EN TRAIN DE QUOI ?

Je tournai la tête vers Max. Il ressemblait tout à fait à un vrai loup. Qui levait la patte pour pisser contre un réverbère.

Qui levait la patte ?

— Si tu vois la même chose que moi, c'est que ce n'est pas un rêve, conclut Fée en se remettant à trembler.

— Je ne vois pas la même chose que toi, mentis-je.

— Alors, papa ne mesure pas à peu près deux mètres trente et il n'est pas occupé à arracher la porte de la voiture ?

Je regardai Frank. Il était devenu un géant. Au crâne carré. Boris Karloff n'avait jamais ressemblé aussi bien que lui à cette satanée créature de Frankenstein. Il tenait à la main la porte qu'il venait d'arracher à la voiture et la contemplait avec de grands yeux qui ne rayonnaient que d'une intelligence très limitée.

— Ça non plus, tu ne le vois pas ? demanda Fée.

— Non… et maintenant, s'il te plaît, arrête de me poser des questions tout le temps !

Je commençais à avoir du mal à me concentrer pour l'empêcher de péter les plombs. J'étais bien trop occupée à ne pas péter les plombs moi-même.

— Tout va s'arranger, murmurai-je.

Lâchant ma fille, je m'avançai vers la sorcière, qui entretemps avait remballé les effets spéciaux, et lui demandai :

— Qu'est-ce que tu nous as fait ?

— Ce que vous avoir mérité.

— C'est-à-dire ?

— Heureux peut vivre seulement celui qui chance apprécie dans sa vie.

— Si je veux discuter avec un biscuit porte-bonheur, j'irai m'en acheter moi-même, répliquai-je avec colère.

— Je changer vous tous.

— Changer ?

— Je montrer toi, proposa-t-elle.

— Ça vaudra mieux, sans quoi moi t'en coller une, dis-je.

Ouvrant son manteau, elle rangea l'amulette dans sa poche intérieure droite et tira de la gauche un simple petit miroir hexagonal dans un cadre en bois.

— Ça seul miroir au monde où toi pourras te voir.

Je regardai, et vis que la peau de mon visage était blême. Presque comme du fin parchemin. Et tout à fait lisse. Sans un seul bouton. Ni le moindre comédon. Même ma petite verrue au menton avait disparu. En revanche, mes yeux étaient rouges. Injectés de sang. Mais je rayonnais d'une vitalité extraordinaire. J'étais superbe. Renversante. Absolument torride.

Si c'était ce miroir qui me donnait cette allure incroyable, je voulais bien en commander un pour notre salle de bains.

Mais cela ne venait pas du miroir, bien sûr.

Je n'en doutai plus lorsque je remarquai sur mon reflet un dernier petit détail assez terrifiant : j'avais réellement deux longues canines pointues d'une blancheur éclatante.

— Je... je suis un vampire ? demandai-je à la sorcière.

— Qui comprend très, très lentement, répondit-elle avant de disparaître.

MAX

Quand on est aussi intelligent que moi, on trouve souvent que les autres n'ont pas plus d'esprit qu'une amibe. Mes parents et ma sœur mettaient du temps à assimiler les données, mais j'avais compris tout de suite ce qui s'était passé : la mendiante nous avait jeté un sort qui nous avait transformés en monstres. Pour toujours. C'était bien le sens du mot « *semper* » en latin (oui, là aussi j'avais les meilleures notes). D'après d'anciens récits, les mendiantes étaient particulièrement compétentes dans le domaine de la malédiction. Un peu moins en hygiène dentaire. En tout cas, je m'estimais heureux de n'avoir pas choisi un costume de zombie.

A présent, j'étais donc un loup-garou, et je ne savais pas encore qu'en penser. Du côté positif, on pouvait supposer que sous cette forme animale, j'allais certainement être fort et rapide. Je n'avais pas encore testé la chose, mais je me sentais capable de courir cent kilomètres, alors qu'en temps normal, au collège, le cent mètres était déjà pour moi une course de fond. Et le mille mètres un chemin de croix.

Côté négatif, j'avais maintenant le corps couvert de poils. Et si je devais garder pour *semper* ce pelage intégral, cela signifiait sans nul doute que je ne pourrais jamais conquérir aucune fille (déjà que maman avait en horreur les poils dans le dos de papa…). D'un autre côté, à en croire la BD *X-Men*, les femmes trouvaient terriblement sexy le héros poilu nommé « Le Fauve ». Oui, mais : qui veut d'une fille qu'un pelage intégral met dans tous ses états ?

Je n'étais pas non plus très sûr de savoir si la nouvelle sensibilité animale de mon odorat était un avantage ou un inconvénient. D'un côté, cela m'ouvrait tout un monde de sensations enivrantes. De l'autre, je percevais avec une grande précision qu'un clochard venait d'uriner contre un immeuble au coin de la rue.

— Va chercher ! me cria maman.

Oui, elle avait bien crié : « Va chercher ! »

Elle était totalement hystérique. Je suppose qu'elle voulait que je ramène la sorcière afin de l'obliger à annuler sa malédiction. Maman avait apparemment fini par comprendre ce qui se passait, et elle n'avait pas envie d'être une suceuse de sang pour le reste de sa vie immortelle. Quant à moi, je n'étais pas encore décidé : voulais-je garder l'apparence d'un loup-garou, ou pas ? En tant que loup-garou, je possédais des super-pouvoirs. Je pourrais combattre les coquins et devenir un superhéros que même les filles qui n'appréciaient pas trop les poils surnuméraires trouveraient génial.

D'un autre côté, il existait des quantités d'histoires sur la propension des mutants supranaturels à être brûlés sur un bûcher par des hordes de villageois. Ou à atterrir dans un laboratoire du gouvernement américain pour y être découpés en petits morceaux sur une table de dissection dans l'espoir qu'il soit possible de développer un sérum revitalisant à base de loup-garou. Un sérum qui, injecté aux soldats, ferait d'eux des loups-garous en uniforme qu'on enverrait aussitôt en Afghanistan par hélicoptère afin de montrer aux talibans qu'on avait repris du poil de la bête.

Si j'avais su qu'on nous jetterait un sort aujourd'hui, je me serais déguisé en autre chose : en Superman, par exemple. Quoique... s'il fallait ensuite se promener tout le temps en pyjama bleu... James Bond, cela aurait été fascinant. Ou, mieux encore : Godzilla. Sous cette forme, j'aurais pu démolir mon collège d'un seul coup de queue. Pulvérisant du même coup les

W-C où mon bourreau me plongeait régulièrement la tête dans l'eau.

Mon bourreau s'appelait Jacqueline.

Oui, mon terroriste à moi était une fille. Une fille de quinze ans abonnée à la classe de cinquième. Jacqueline était très séduisante, du moins si on avait du goût pour les femmes bodybuildées portant des piercings et des tatouages de pitbulls.

Comme les profs avaient aussi peur d'elle que tous les autres, ils la laissaient faire, commentant seulement par des phrases du genre : « Qui aime bien châtie bien. » Et quand je leur demandais : « Oui, mais peut-il aussi vous jeter dans une poubelle ? », ils me répondaient : « Oh, ça fait partie du jeu. »

Jacqueline m'avait pris pour souffre-douleur parce que nos QI étaient les plus éloignés de tout notre collège. Lorsqu'elle m'agressait, je m'efforçais toujours de garder ma dignité. Une fois, je lui avais déclaré : « Un jour, je passerai devant toi dans ma luxueuse Mercedes, et toi, tu feras partie des assistés. »

« Oui, avait-elle admis en riant. Mais dans ta Mercedes, tu te rappelleras toujours que cette assistée n'arrêtait pas de te pourrir la vie. »

— VA CHERCHER ! me cria de nouveau maman.

C'était le moment ou jamais de me décider. Voulais-je rester loup-garou et fort, fût-ce au risque d'être abattu par une balle d'argent ? Ou redevenir un rat de bibliothèque à qui Jacqueline continuerait de plonger la tête dans les W-C ?

Il n'y avait pas à hésiter.

— VA CHERCHER !!! répéta maman.

Je m'assis sur mon arrière-train. Et, bien qu'appartenant à l'espèce loup-garou, capable de parler couramment le langage des humains, je répondis simplement :

— Ouah ! Ouah !

EMMA

Nous étions tous devenus des monstres. Des créatures grotesques... défigurées... Des monstres !

Il n'y avait qu'une solution : obliger la sorcière à nous rendre notre forme première. Pour cela, non seulement je devrais la rattraper, mais j'aurais sans doute besoin d'aide. Je me précipitai vers Frank, qui regardait toujours fixement la porte arrachée de l'auto.

— Hé ! appelai-je.

Il ne bougea pas.

— Hé ! criai-je un peu plus fort.

Cette fois, il me regarda. En penchant la tête de côté. Comme s'il essayait de se rappeler qui j'étais, mais sans y parvenir.

— Nous devons forcer la sorcière à nous retransformer en humains ! expliquai-je.

— Oufta, répondit-il d'une voix grave et saccadée.

Il fallait que je sache très vite ce que signifiait « Oufta ».

— Comment ? dis-je.

— Oufta, répéta-t-il de la même voix métallique.

Cela ne nous avançait guère. Le problème concernait-il seulement son centre du langage, ou la totalité de son intelligence ? La façon dont il me regardait me faisait craindre le pire.

— Sais-tu qui je suis ? demandai-je avec précaution.

— Oufta ? répondit-il.

— Non, Emma.

— Ofta ?

— EMMA !

— Efta ?

L'effet d'apprentissage paraissait faible, mais il existait. Je fis une nouvelle tentative :

— Emma, articulai-je très distinctement.

— Oufta ?

Pour l'apprentissage, c'était raté.

— Arrghh ! m'écriai-je avec désespoir.

— Argghh ? demanda-t-il en me montrant du doigt.

— Non, pas « Arrghh », Emma !

— Efta, fit-il avec satisfaction de sa voix cliquetante.

— Je ne sais pas pourquoi, mais quelque chose me dit que tu ne vas pas beaucoup m'aider, là, tout de suite, constatai-je avec tristesse.

Et je m'aperçus avec encore plus de tristesse que c'était l'une des plus longues conversations que nous ayons eues ces dernières semaines.

Au moins, je savais à quoi m'en tenir : si je voulais épingler la sorcière, je ne pouvais compter que sur moi-même. La vieille courait vite : elle était déjà presque au bout de la rue. Je fonçai.

— Efma ! appela Frank d'une voix presque joyeuse.

Dans sa satisfaction d'avoir encore fait des progrès, il agitait la porte arrachée à la voiture. Un instant, je me demandai comment nous allions pouvoir déclarer les dégâts à l'assurance tous risques. Mais cette pensée fut bientôt chassée par une autre. En courant, je remarquai que j'avançais à une allure extraordinaire. Un vampire pouvait apparemment suivre sans peine le Tour de France. Et sans vélo.

La sorcière tourna dans une impasse – du genre qu'on peut voir dans les séries américaines. Celle au fond de laquelle le dealer hispanique tente désespérément d'escalader un très haut mur, et là, le flic le tire en arrière avant de lui faire des choses que j'avais bien envie d'infliger à la sorcière moi aussi. Elle courut en direction du mur, mais, au lieu de me faire le plaisir d'aller s'y suspendre, elle s'arrêta au milieu de la rue et me sourit avec arrogance. Puis elle obliqua à droite et se mit à monter le long du mur d'un vieil immeuble locatif berlinois.

Elle grimpait le long du mur en marchant !

Elle avançait lentement, d'un pas assuré. Perpendiculairement au mur. Parallèle au sol. Comme si elle avait des superventouses à ses chaussures. Et une musculature dorsale impossible à obtenir dans aucun club de fitness. Elle me regarda et sourit à nouveau d'un air supérieur. Elle était décidément d'humeur fanfaronne.

— Et merde ! jurai-je en constatant qu'elle allait m'échapper.

En même temps, je brandis le poing et bondis avec rage. A trois mètres de hauteur ! Apparemment, mes dons de vampire incluaient des capacités de sauteuse impressionnantes. Mais m'envoler ainsi dans les airs me fit si peur que je ne songeai pas à m'en réjouir. Prise de panique, j'attrapai d'une main la conduite de descente des eaux de pluie et me cramponnai de l'autre main à un rebord de fenêtre. J'étais collée au mur comme si King Kong m'avait crachée là. Je me hissai sur le rebord et m'y tins debout, juste sous la sorcière, ce qui m'offrit une vue privilégiée sous ses jupes qui pendaient vers le bas à angle droit. Un degré de plus dans l'horreur d'une soirée déjà fertile en spectacles éprouvants.

Au-dessus de moi, il y avait un autre rebord de fenêtre sur lequel je bondis depuis l'étage inférieur. Le sourire crénelé disparut du visage de la sorcière, et elle accéléra la cadence.

— Toi jamais rattraper moi ! cria-t-elle.

— Toi toujours causer, rétorquai-je avec assurance.

Et je sautai encore un étage. Là, par la fenêtre entrouverte, j'aperçus un couple d'une trentaine d'années occupé à faire l'amour. En me voyant, la femme cria ce que j'aurais sans doute crié moi-même à sa place, à savoir :

— AHHHHHHH !

L'homme, qui ne m'avait pas encore vue, manifesta sa déception :

— Cette fois, ta critique de ma performance érotique est tout de même un peu exagérée ! grogna-t-il.

La femme tendit le doigt vers la fenêtre. Il se retourna et se mit à crier à l'unisson :

— AHHHHHHH !

Embarrassée, je ne trouvai rien de mieux à bafouiller que cette phrase stupide :

— Ne vous dérangez surtout pas pour moi. Vous pouvez continuer tranquillement.

Ils me regardèrent, virent avec terreur mes longues canines et ne continuèrent pas.

Je levai les yeux. La vieille était déjà au quatrième étage. Encore un et elle atteindrait le toit. Laissant là le couple qui, s'il n'avait jamais fait appel à un sexologue, allait maintenant en avoir besoin très vite, je sautai à l'étage supérieur.

Tandis que la sorcière grimpait sur le toit, j'atterrissais au quatrième, juste devant un vieil alcoolique debout à sa fenêtre, une bouteille de rouge à la main. Il portait un caleçon blanc et un de ces tricots de peau à fines côtes dont je croyais qu'on n'en fabriquait plus depuis les années 1980. Chose surprenante, il n'eut pas peur en me voyant, mais constata avec plaisir :

— Ah, voilà tout de même autre chose.

— Autre chose que quoi ? demandai-je en plaçant ma cape devant ma bouche afin de ne pas l'effrayer inutilement avec mes canines.

— D'habitude, quand je me soûle, je ne vois que ma fille morte.

Cet ivrogne me fit pitié. C'était donc la douleur d'avoir perdu sa fille qui l'avait poussé à l'alcoolisme. J'en aurais sans doute fait autant si la sorcière avait tué mes enfants. Oui, je me serais mise à boire comme lui. Ou même, je me serais tuée aussitôt.

— Je viens vous saluer de la part de votre fille, lui répondis-je avec douceur. Tout va très bien pour elle là-haut, au paradis.

L'homme sourit avec émotion. Et je souris un peu moi aussi sous ma cape. Dans tout ce chaos, j'avais trouvé un moment d'humanité. De triste humanité, mais quand même.

Puis je me rappelai que j'avais encore à faire et, en deux bonds, atterris avec élégance sur le gravier du toit en terrasse. Dans des circonstances ordinaires, j'aurais pu profiter de la vue merveilleuse sur les lumières de Berlin – il ne m'aurait plus manqué qu'une chaise longue et une margarita –, mais je devais suivre la sorcière. Elle courait vers le bord du toit. J'allais la rejoindre d'une seconde à l'autre. Même si elle redescendait de l'autre côté, je sauterais plus vite qu'elle ne pourrait marcher. Sauf qu'une fois arrivée au bord, elle ne redescendit pas. Elle ne s'arrêta même pas. Non : elle sauta sur le toit de l'immeuble voisin et se remit à courir. Affolée, je me précipitai vers le rebord, me demandant si je devais sauter moi aussi. Mon nouveau corps en paraissait capable. Mais la distance me terrifiait. Je ne survivrais probablement pas à une chute de cette hauteur. Dans un moment pareil, mon cœur aurait dû battre à se rompre. Je portai la main à ma poitrine… et ne sentis pas la moindre palpitation.

Mon Dieu, je n'avais plus de cœur !

Mais il y avait encore plus terrifiant. Il fallait à tout prix rejoindre la sorcière, et pour cela, je n'avais pas le choix : je devais l'imiter. Je reculai de deux pas, pris mon élan et sautai de toutes mes forces. Très haut. Très loin. Quelle sensation extraordinaire ! C'était comme de voler !

Au bout de quelques secondes enivrantes, j'atterris sur l'autre maison, ce qui n'enchanta pas la sorcière. Elle bondit sur un nouvel immeuble. Je la suivis. Cette course-poursuite sur les toits de Berlin risquait de durer un moment, parce qu'il y avait tout de même pas mal de toits à Berlin. Mais je ne pouvais pas laisser tomber si je voulais que ma famille redevienne telle qu'elle était il n'y avait encore que quelques minutes, même si elle ne me paraissait guère attirante à ce moment-là. Je n'avais d'ailleurs pas changé d'avis à ce sujet, mais cela valait toujours mieux que de ressembler définitivement à la famille Addams. De plus, la famille Addams était heureuse, contrairement à nous, les Wünschmann… Dire que j'en étais réduite à envier une famille de monstres !

J'aurais mieux fait de me concentrer sur ce que je faisais au lieu de ruminer ce genre de pensée. En passant d'un immeuble à un autre, je m'aperçus que j'avais mal calculé la distance : j'aurais dû sauter plus loin. Beaucoup plus loin. Je tombai comme une pierre, sans même avoir le temps de pédaler frénétiquement en l'air comme un personnage de dessin animé. Je m'écrasai brutalement sur une Ford Transit en marche, dont le toit grinça et se gondola sous l'impact. Je roulai à bas de la voiture et tombai sans douceur sur la chaussée, atterrissant sur une épaule. Ça me fit un mal de chien. A l'évidence, mon corps athlétique de vampire n'était donc pas invulnérable. Je me relevai en me tenant l'épaule – par bonheur, je pouvais encore la bouger. La Ford Transit ne s'était pas arrêtée. Le conducteur jeta un coup d'œil dans son rétroviseur. Sans me voir… puisque les vampires n'ont pas de reflet. Ce qui m'amena à me poser une question : dans ce cas, comment faisaient les femmes vampires pour se maquiller ? Sans ressembler ensuite à Donald ?

J'entendis alors le rire de la sorcière au-dessus de moi. Perchée sur un toit, elle m'observait d'un air moqueur. Mais, au lieu d'en profiter pour s'esquiver définitivement, elle se mit à descendre le long de l'immeuble pour venir me rejoindre, causant une peur bleue à quelques noctambules. Quand elle eut retrouvé la position verticale sur le trottoir, la sorcière se posta devant les passants stupéfaits et leur ordonna :

— Vous courir à la maison et oublier quoi vous avoir vu.

Je n'avais jamais vu des gens hocher la tête de façon aussi synchrone. Ni disparaître avec une telle rapidité. La vieille se tourna vers moi.

— Toi avoir force d'un vampire, observa-t-elle avec satisfaction. Et toi savoir utiliser. Pas bien. Mais quand même.

— Qu'est-ce que tu racontes ?

— Je mettre toi à l'épreuve.

— Quoi ?... Comment ?... Toute cette course-poursuite n'était qu'un test ?

— Je déjà dire à toi, oui, fit la vieille en souriant. Toi pas comprendre vite.

Elle pouvait même dire que je n'y comprenais plus rien. Dans quel but m'avait-elle testée ?

— Tu vas plaire à lui, dit-elle en hochant la tête d'un air satisfait.

— A qui ? A qui vais-je plaire ?

— A lui.

— « Lui », ce n'est pas un nom. De qui parles-tu ?

— Du Prince des damnés.

— Tu n'as rien à dire d'encore plus sibyllin ? demandai-je avec colère.

— Non, rien.

Elle était donc capable de prononcer une phrase correcte. Dommage que je n'en sois pas plus avancée.

— Je rentrer enfin dans pays natal. Grâce à toi, je pouvoir mourir maintenant.

Puis elle se retourna et s'en alla. Lentement. L'âme en paix. En direction d'une boutique de kebab dont l'enseigne indiquait : « Super Döner Don Osman ». Qu'allait-elle faire là-dedans ? Goûter l'assiette spéciale de köfte ? Finalement, ça m'était égal. Elle était coincée dans la boutique, et cette fois, je l'aurais. Par la force. Avec mes canines. Par n'importe quel moyen !

J'entrai d'un pas décidé. Mais à peine avais-je franchi la porte du restaurant que je me sentis aussitôt très mal. Ce n'était pas le malaise ordinaire qui vous fait dire : « Je viens d'entrer dans une boutique où une viande grasse tourne sur son axe vingt-quatre heures sur vingt-quatre depuis la première vague d'immigration turque en République fédérale, avec une odeur à l'avenant. » Non, c'était plutôt un malaise du genre : « Mon Dieu, c'est comme si on trifouillait dans mes intestins avec un tisonnier brûlant. » Je ne fis pas même un pas avant de m'écrouler en entraînant avec moi un tabouret en aluminium, et je restai étalée sur le sol, submergée par la douleur. Je voulus demander ce qui m'arrivait, mais seul un râle sortit de ma bouche. La sorcière, elle, comprenait parfaitement. Elle se pencha vers moi et murmura à mon oreille un unique mot :

— Ail.

Quand je repris mes esprits, j'étais allongée sur le trottoir, à l'air libre, et Don Osman, le patron du restaurant, me faisait le bouche-à-bouche. Par bonheur, il ne mangeait pas de son propre döner et n'avait donc pas une haleine aillée. Etant probablement au courant de ce que lui livrait son fournisseur de viande à bon marché, il préférait se nourrir exclusivement de légumes d'Anatolie.

Les lèvres d'Osman étaient donc pressées contre les miennes, ce qui fut, hélas – comme je dus l'admettre en moi-même –, le moment de plus grande intimité que j'aie eu avec un homme depuis des semaines.

A côté de nous, un type en costard à fines rayures, style banquier tiré à quatre épingles, s'empiffrait tranquillement de döner. Il possédait à l'évidence – contrairement à Frank – l'estomac d'acier indispensable pour faire une vraie carrière dans la banque.

Au bout d'un moment, Don Osman s'écarta de moi et déclara dans un allemand sans accent qui récusait tous les discours négatifs sur l'intégration :

— Cette femme ne respire plus.

Quelques minutes plus tôt, ce fait aurait encore pu me troubler. Mais je savais déjà que je n'avais pas de cœur. Cela devait donc faire partie de la conception d'ensemble de mon métabolisme.

— Elle… elle est froide comme un poisson, balbutia Don Osman, épuisé.

Cela me fit tout de même réagir :

— Et vous, vous n'êtes pas très aimable.

De frayeur, le banquier s'arrêta de manger, manifestant ainsi un reste d'humanité. Quant à Don Osman, il s'écria :

— Allah !

— Je crains qu'il n'ait pas grand-chose à voir dans l'affaire, déclarai-je.

— Qu'es… qu'es-tu donc ? demanda Don Osman.

Je levai les yeux et, voyant que la mendiante avait disparu, répondis :

— Je suis refaite.

Encore sous le choc, je remerciai le patron de m'avoir sortie de sa boutique, puis, reprenant le dessus, décidai de rejoindre ma famille. Au lieu de sauter par-dessus les toits, je préférai la voie traditionnelle : le tramway. Bien sûr, je n'avais sur moi ni argent, ni ticket, mais j'avais envie de réintroduire un peu de normalité dans ma vie. Au moins pour un moment. De fait, ce ne fut qu'un moment très court, car à peine étais-je montée que les autres passagers se mirent à m'observer avec méfiance, puis avec une angoisse croissante. Leur raison s'efforçait de les persuader que j'étais seulement déguisée. Mais leur instinct leur disait autre chose. Sentant bien que je ne pouvais pas être tout à fait humaine, ils furent bientôt tous réfugiés dans la seconde moitié de la rame. Les vampires avaient donc une autre faculté, celle de pouvoir toujours trouver une place assise dans les transports en commun, même aux heures de pointe.

Tandis que le tramway cahotait sur les rails, j'entendais les phrases échangées entre les passagers :

— Oh ! Mon Dieu ! Cette… cette femme n'a pas de reflet dans la vitre…

— Ah merde ! C'est vrai !

— C'est… il y a sûrement un truc.

— Et de quel truc pourrait-il s'agir, s'il vous plaît ?

— Je ne sais pas, comme à Hollywood…

— A Hollywood ? Tu vois Tom Cruise ici ?

— Oh non, j'aurais encore plus peur.

— Moi, je crois qu'il n'y a pas de trucage.

— Je commence à le craindre aussi.

— Et moi, je crois bien que je viens de faire dans mon pantalon.

Tandis que les autres passagers caressaient probablement l'idée de tirer le signal d'alarme, de mon côté, je me demandais qui pouvait bien être ce « Prince des damnés » dont avait parlé la sorcière. Pourquoi n'était-il que « prince » ? Si j'avais été le chef des damnés, je me serais plutôt fait appeler empereur, roi, ou président du conseil de surveillance. Et puis, pour quelle raison étais-je censée plaire à ce prince ? Dans mon état présent ? Ou même dans mon état d'origine ? Ce petit noble avait des goûts bien excentriques.

Le tramway s'arrêta enfin, et je descendis. Oubliant le Prince des damnés, je courus vers la rue où j'avais laissé ma famille, la voiture et la porte de la voiture. Fée était toujours assise sur le rebord du trottoir, contemplant ses mains bandées comme deux corps étrangers. A l'inverse, Max poussait des grondements en direction des gens cachés derrière leurs rideaux et paraissait très content quand, terrifiés, ils se réfugiaient tout au fond de leur appartement. Et Frank, que faisait-il ? Il regardait fixement deux agents qui venaient de descendre d'une voiture de police et qui avançaient avec la prudence de rigueur lorsqu'on s'approche d'un homme de deux mètres trente qui a des boulons dans la tête.

L'un était grand, l'autre petit. Ils avaient beau être baraqués, ils ne paraissaient pas très sûrs d'eux. Un manque d'assurance peut-être aggravé par le fait que Frank était en train de plier un réverbère. Il ne faisait pas ça méchamment. Plutôt comme un enfant curieux. Curieux et doué d'une force surhumaine. Un peu comme le petit Obélix, dont on n'aurait pas aimé être les parents.

— Lâchez ça ! ordonna à Frank le grand policier.

— Oufta ? répondit-il exactement comme je m'y attendais.

— Vous êtes étranger ?

— Oufta ?

— Alors, toi étranger. Toi avoir permis de séjour ? demanda le grand.

J'avais toujours été fascinée de voir les Allemands s'obstiner à mal parler leur propre langue devant un étranger, comme si cela allait l'aider à comprendre.

— Ouftata ? dit Frank, introduisant une légère variation.

— Montre-nous tes papiers, et tout de suite ! fit le grand flic.

Il s'avança vers Frank, suivi du petit, à qui la sueur commençait à perler au front et qui se demandait visiblement si c'était une si bonne idée de vouloir vérifier ces papiers.

Quand le grand fut tout près de lui, Frank, se sentant agressé, gronda très fort :

— Uhrghh !

Les policiers s'arrêtèrent net. J'étais à peu près convaincue que ce « Uhrghh » signifiait qu'il allait bientôt se passer ici ce que les présentateurs de journaux télévisés adorent désigner par l'expression « bain de sang ». Il était temps que j'intervienne.

— Efma ! s'écria joyeusement Frank de sa voix de tonnerre en me voyant approcher.

Je fus très contente qu'il m'ait reconnue, et encore davantage d'avoir réussi à détourner son attention des policiers.

— Bonsoir, fis-je poliment.

Les deux flics me regardèrent avec frayeur. S'ils avaient été assis dans un tramway, ils m'auraient certainement cédé leur place sur-le-champ.

— Vous connaissez ce type ? demanda le grand policier en s'efforçant de ne pas trop laisser trembler sa voix.

— Oui, c'est mon cousin du Pérou, mentis-je.

— Il n'a pourtant pas l'air d'un Péruvien.

— Eh bien… il ne l'est qu'à moitié, fis-je en hâte. Il est péruvien de père.

— Et qu'est donc sa mère ? demanda le grand flic, dubitatif.

Je réfléchis à toute vitesse et répondis – hélas – la première chose qui me vint à l'esprit :

— Norvégienne.

Ils ne me crurent pas vraiment. Mais ils n'eurent pas le temps de formuler leurs doutes, car Fée s'avançait vers eux. Elle les regarda de près et déclara :

— Les mecs, si vous êtes des fantasmes de mon imagination, cette fois c'est officiel : mon imagination a un problème.

— Que veut dire « fantasmes » ? demanda le grand.

— Que veut dire « imagination » ? demanda le petit.

Puis le grand revint à la charge :

— Tout cela me paraît bien bizarre ! Qui êtes-vous ?

— Nous venons d'une fête costumée, tentai-je de minimiser.

Ils auraient préféré croire à ce mensonge, mais nous étions beaucoup trop inquiétants pour qu'ils y parviennent. Là-dessus, Max se mit à gronder après une femme élégamment attifée qui venait de tourner le coin de la rue. A sa vue, elle se ravisa, songeant que même ici, à Berlin, tous les chemins menaient à Rome, et s'enfuit en courant sur ses talons hauts, pour la plus grande joie de Max, visiblement enchanté de la frayeur qu'il lui avait causée. Je commençais à soupçonner qu'il savait très bien ce qu'il faisait.

— Ce… chien… ou ce je ne sais quoi… est-il à vous ? demanda le grand policier.

— Oui, acquiesçai-je, sans pousser la démonstration jusqu'à flatter Max de la main, car je n'avais aucune idée de ce qu'il pouvait faire à une main de vampire.

— Où sont ses tatouages ?

— Ah… oui… excellente question, bafouillai-je.

— Je trouve aussi.

— Une question à laquelle on ne peut pas se contenter de répondre par « Oui », ajoutai-je en essayant de gagner du temps.

— D'autant que cette question commençait par « Où », confirma le policier agacé.

— Il y a donc une raison grammaticale à cela, convins-je.

Le grand flic commençait à sentir sa patience s'effilocher :

— S'il n'a pas ses tatouages, nous devons l'emmener au poste !

— Vous devez vraiment ? dis-je.

— Devons-nous vraiment ? demanda le petit flic avec inquiétude.

Même sans connaître le sens du mot « imagination », il en possédait suffisamment pour avoir une idée de ce que pouvait signifier la présence d'un loup comme Max sur le siège arrière d'une voiture. En clair : Policier, ton nom est charpie !

— Et si nous rentrions tous à la maison en oubliant cette histoire de tatouages ? proposai-je en lançant un coup d'œil au petit flic anxieux.

— Je trouve l'idée tout à fait excellente, déclara aussitôt celui-ci en se tournant vers son collègue. Nous pourrions très bien fermer les yeux sur ce problème de tatouages. Et aussi sur celui des feux…

— Vous comptez rouler avec ce véhicule ? l'interrompit le grand qui, à l'évidence, ne voulait pas entendre parler de « fermer les yeux » et commençait à examiner notre Ford Transit avec sa porte manquante.

— Oui, fis-je timidement.

— Vous êtes tous en état d'arrestation ! s'écria-t-il en tirant son pistolet, les fils de sa patience définitivement rompus.

— URGHH, répliqua Frank, identifiant aussitôt la menace.

Cette fois, le grand flic prit peur à son tour.

J'en avais assez de toutes ces chamailleries. Je n'hésitai donc pas à en rajouter pour mieux effrayer ces aimables représentants de l'ordre :

— Vous avez entendu ce que vous a dit le Péruviano-Norvégien.

Sur quoi le grand flic pointa son pistolet directement sur moi.

— Vous n'êtes pas vraiment sérieux avec ce pistolet ? lui demandai-je en souriant, mais avec une nuance de menace dans la voix.

— Grghh, tonna Frank pour manifester son soutien.

Max, arrivé en renfort, leva la patte contre la jambe du petit flic et pissa dessus. Puis il poussa un grondement. Affolé, le petit flic dit très vite :

— Non, non, ce n'est pas ce que nous voulions dire. C'était une blague. Nous sommes de vrais comiques. Au commissariat, on nous appelle « Siegfried et Roy le luron[1] ». Sauf que nous ne faisons pas de tours de magie et que nous ne sommes pas aussi pédés que... enfin, nous ne le sommes pas du tout, et nous n'avons pas de tigre non plus, mais sinon...

---

1. Siegfried et Roy, duo de magiciens américains d'origine allemande, célèbre à Las Vegas dans les années 1960-70 pour ses numéros avec des animaux. Leur carrière s'est brutalement interrompue en 2003 lorsque Roy a été attaqué par un tigre blanc au cours d'un spectacle.

— J'ai bien compris, Siegfried, fis-je d'une voix apaisante.

Puis, me tournant vers son collègue, je lui demandai en souriant :

— Toi aussi, Roy ?

En même temps, j'ouvris bien la bouche pour faire luire mes belles canines au clair de lune.

— Moi aussi, répondit-il aussitôt en abaissant son pistolet, à mon grand soulagement.

Tout danger immédiat était écarté. Nous allions pouvoir rentrer à la maison, reprendre des forces. Réfléchir aux moyens de sortir de cette mélasse. En espérant que ce soit possible.

Pendant le trajet, nous étions bien un peu à l'étroit, à cause de Frank, et un peu dans les courants d'air, à cause de la porte arrachée – mais là, ce n'était pas plus mal, parce que Max sentait très fort le fauve et que Fée dégageait une petite odeur de linceul. Je garai la voiture fichue devant l'immeuble, et nous montâmes l'escalier jusqu'à notre étage. Au moment d'entrer, j'avertis Frank :

— Attention, il faut te bais…

Je n'eus pas le temps de prononcer le « ser » qu'il s'était déjà fracassé le front contre l'encadrement de la porte.

— Oufta, grogna-t-il.

Je remarquai que la collision avait fait sauter un morceau de bois du cadre. Quand j'eus montré à Frank comment il devait se pencher, nous pénétrâmes dans l'appartement – Dieu merci, c'était de l'ancien et, une fois à l'intérieur d'une pièce, il pouvait se tenir droit.

Ce qui ne l'empêcha pas de se cogner la tête dans le lustre Ikea qui, en se balançant, revint lui heurter le front. Furieux, Frank arracha le lustre du plafond avec un « Irggh » qui était probablement un équivalent de : « Saloperie d'Ikea ! » L'objet s'écrasa au sol à grand fracas. Hélas, cela ne changeait de toute façon pas grand-chose au désordre qui régnait déjà chez nous en permanence.

Tandis que Max, effrayé, mettait sa queue entre ses jambes, Fée, à l'inverse, continuait à traverser l'appartement comme une somnambule. Je commençais vraiment à me faire du souci pour elle. Si jamais les Wünschmann parvenaient à retrouver leur forme première, nous n'échapperions sans doute pas aux séances de psychothérapie.

Dans la salle de séjour, je m'affalai sur le canapé. Quand je faisais cela le soir en temps normal, je risquais toujours de m'endormir sur-le-champ. Cette fois, il était plus d'une heure du matin et je me sentais aussi en forme que s'il était une heure de l'après-midi. Et que si j'avais bu deux doubles expressos. Comme dans ce tube idiot des années 1980, j'étais vraiment une *Creature of the night*. Avec l'accent sur le mot « créature ».

Fée se laissa tomber à côté de moi et me demanda tout bas :

— Maman, c'est moi qui imagine tout ça... ou... ?

Je l'observai avec attention. Elle n'avait pas l'air de quelqu'un qui risque de s'affoler en apprenant la vérité. A la rigueur, elle serait encore un peu plus démoralisée. Le moment me parut donc relativement favorable pour lui expliquer la situation, d'autant que tout semblait indiquer qu'elle était partie pour durer. Je n'avais pas la moindre idée de l'endroit où se trouvait la sorcière.

— Nous sommes réellement victimes d'une malédiction, mon lapin.

Effectivement, Fée s'affaissa encore un peu plus :

— Tout ça n'est donc pas un fantasme... mais plutôt un fou-tasme.

Avant que des paroles consolatrices aient pu me venir à l'esprit, Frank brisa le lampadaire entre ses doigts. La perte n'était d'ailleurs pas grande, car c'était un cadeau de sa mère, dont le goût, dans un monde meilleur, aurait certainement été passible de la peine de mort.

Je préférai cependant attirer Frank vers le canapé sans attendre que notre appartement soit transformé en décharge sauvage. Je posai les mains sur ses hanches et appuyai doucement jusqu'à ce qu'il s'assoie. Le canapé ploya dangereusement sous son poids – Frank devait peser dans les deux cent cinquante kilos ? –, mais resta entier. Il fallait trouver quelque chose pour le faire tenir tranquille. Peut-être allumer la télévision ? Oui, mais si jamais il pétait les plombs devant un spectacle effrayant – une fusillade, des fauves dévorant une antilope, un groupe folklorique bavarois ?

Je pris donc une boule en verre que sa mère (encore elle) nous avait rapportée comme souvenir d'une excursion à Cologne. Je lui montrai comment faire descendre la neige sur la cathédrale, et cela le fascina complètement. Il prit la boule aussi délicatement qu'il put pour essayer de ne pas la casser, et se mit à la secouer doucement en riant à chaque fois que la neige tombait :

— Hohoho !

J'avais l'impression d'être assise à côté du père Noël. Un père Noël dont la voix serait passée par une tréfileuse.

Le rire grave de Frank envoyait des vibrations à travers tout mon corps. Je pus ainsi constater que si je n'avais ni cœur, ni poumons – puisque je ne respirais pas –, j'avais tout de même un estomac. Qui avait bien pu inventer cette anatomie du vampire ? Le même farceur qui avait conçu les parties sexuelles masculines ?

Et qui avait mis l'amour et la colère si près l'un de l'autre ?

Le rire de Frank était enfantin. Naïf. Innocent. Presque attendrissant. Pour autant que l'on puisse s'attendrir sur quelqu'un dont les dents ressemblent à des dolmens mal taillés. La dernière fois que j'avais vu Frank aussi heureux, c'était au printemps, quand il était parti une semaine en Egypte avec ses deux vieux copains d'école.

Puis je vis Max sortir du salon sur ses grosses pattes, et je le suivis dans sa chambre. Celle-ci était essentiellement constituée de piles de livres adossées les unes aux autres – je me disais toujours que si on en retirait un seul livre, cela déclencherait une réaction en chaîne incontrôlable.

Max se mit à contempler un livre intitulé *Les Morts-Vivants*. S'il n'y avait pas eu sur la couverture un dessin de zombies rappelant vaguement Keith Richard des Stones, j'aurais pu me sentir interpellée par ce titre[1].

Max regardait le livre avec l'air de se dire qu'il en ferait bien sa prochaine lecture… Quelque chose ne collait pas. Ce n'était pas un loup ordinaire, ou plutôt, pas un garçon transformé en loup ordinaire. Ce loup paraissait doué de raison !

Je m'étais avancée très doucement et sans respirer – n'ayant pas de poumons, je le faisais seulement quand je voulais bien –, mais ses oreilles de loup détectèrent ma présence. Surpris, il se détourna en hâte du livre et s'éloigna en prenant un air innocent. Il ne lui manquait plus que de se mettre à chantonner : « Doumdidoumdidoum. »

— Comprends-tu ce que je dis ? demandai-je.

Aucune réaction, excepté un coup d'œil qui, lui aussi, semblait dire : « Doumdidoumdidoum. »

---

1. *Die Untoten*, « les non-morts », est un mot courant en allemand pour désigner les vampires (*Vampiren*), de même que *Blutsäuger* (suceurs de sang).

— Si tu me comprends, agite ta queue. (Une phrase qu'aucune mère n'aurait pu dire de bon cœur à son fils.)

Il n'agita rien du tout.

— Je sais parfaitement que tu me comprends.

Toujours pas de réaction.

— Eh bien, fis-je en prenant mon air le plus détaché, si nous ne réussissons pas à annuler la malédiction, nous serons obligés de te faire castrer. (Là non plus, aucune mère n'aurait pu proférer de bon cœur pareille menace.)

— Tu ne ferais pas ça !

La phrase était partie comme un coup de pistolet. Je fus tout de même surprise : non seulement il me comprenait, mais il pouvait parler. Et pas seulement aboyer !

Voyant qu'il s'était trahi, il mit aussitôt les pattes sur son museau. Trop tard !

— Pourquoi as-tu fait semblant de ne plus savoir parler ?

J'étais très en colère. Comment pouvait-il jouer stupidement à cache-cache alors que la famille était dans une situation aussi grave ?

— Je... je...

Il s'arrêta net.

— Tu... ? insistai-je.

— Je ne veux pas que le sort soit annulé.

— Qu... quoi ?

— Je ne veux pas qu...

— J'ai entendu, le coupai-je. C'est juste que je n'ai pas compris. Comment ça, tu ne veux pas ?

— Je préférerais rester un loup-garou. Je trouve ça super.

— Mais pourquoi ? Ce n'est pas possible !

— Je... je suis quelqu'un de spécial maintenant... quelqu'un d'exceptionnel, murmura-t-il.

— Mais tu as toujours été quelqu'un de spécial !

Il secoua tristement sa tête de loup.

J'étais sous le choc : mon petit garçon ne s'était jamais senti quelqu'un de spécial ? Seulement maintenant qu'il était devenu un loup-garou ? Comment avais-je pu ne pas m'apercevoir qu'il avait une aussi mauvaise opinion de lui-même ?

— Toi aussi, tu es devenue quelqu'un d'exceptionnel par cette transformation, m'expliqua Max. Tu es forte, tu es rapide. Mais surtout : tu es immortelle.

Immortelle ? J'essayai d'assimiler cette idée, sans parvenir à imaginer la chose : je vivrais éternellement sur cette terre ? La caisse de retraite n'en reviendrait pas, elle non plus. Et puis, comment tiendrais-je toute l'éternité, moi qui ne réussissais même pas à me sentir heureuse deux jours d'affilée dans la vie normale ?

Je n'eus pas le temps d'approfondir, car Frank venait de pousser un hurlement. Alarmée, je courus au salon, suivie de Max trottinant sur ses quatre pattes. Frank regardait fixement la boule à neige, qui avait fini par éclater entre ses doigts. A présent, il ne tenait plus que la cathédrale de Cologne. Mais j'oubliai son malheur en constatant un problème bien plus grave : Fée avait disparu ! A la place où elle avait été assise sur le canapé, il ne restait plus que son portable !

FÉE

Yannis, Yannis, Yannis… Il fallait que je voie quelqu'un de normal. C'est vrai que Yannis n'était pas franchement normal. Un type capable de m'« animer » devait forcément fuir un peu de la cafetière. Jusqu'ici, en tout cas, les deux seuls à m'avoir juré un amour éternel étaient comme ça. Le premier mangeait ses crottes de nez. Et le deuxième cherchait un camouflage – en fait, il n'aimait que les types qui dansaient le premier rôle masculin dans *Casse-Noisettes*.

Mais, comparé à ma famille, pratiquement n'importe qui avait l'air normal. Et pas seulement depuis qu'on nous avait changés en monstres. C'était déjà typique qu'un truc pareil doive tomber pile sur la famille Wünschmann. En plus, il avait fallu que je sois transformée en momie, alors que ma mère, qui était responsable de toute cette merde, avait au moins eu le droit de devenir un vampire. C'était dingue !

Pourquoi ne m'arrivait-il jamais des choses comme à Harry Potter ? Pourquoi un géant barbu ne venait-il pas me dire : « Ma petite, les gens avec qui tu as été forcée jusqu'ici de mener cette vie cruelle ne sont pas ta vraie famille. Ce sont des imposteurs qui vont passer les sept prochains volumes à regretter tout le mal qu'ils t'ont fait. »

Je sonnai à la porte de chez Yannis. Je savais très bien qu'il était seul à la maison. Il vivait avec sa mère, qui était la plus grande fêtarde depuis Lady Gaga – même si les tresses qu'elle persistait à porter manquaient un peu de dignité pour une quadragénaire. En tout cas, elle laissait Yannis faire tout ce qu'il voulait, ce qui la mettait à l'exact opposé de la mienne sur le spectre des mères.

Yannis sortit sur le pas de la porte. Aussitôt, je lui sautai au cou, et il eut très peur. Les garçons ont toujours peur quand une fille manifeste trop de sentiments (pour être honnête, les filles aussi ont peur quand les garçons le font, mais c'est plus rare). Oui, mais qu'est-ce que je pouvais faire d'autre ? Si on ne peut pas montrer ses sentiments quand on est transformée en momie moisie, autant s'allonger tout de suite dans un sarcophage.

— Tu... tu me serres trop fort, balbutia Yannis, surpris. Tu vas m'asphyxier !

Je le lâchai, et il me considéra d'un air étonné. Il n'avait pas encore eu le temps de vraiment voir à quoi je ressemblais.

— C'est cool comme déguisement. Qu'est-ce que c'est ? dit-il avec hésitation.

Il ne trouvait pas mon « déguisement » si cool que ça. Mais plutôt repoussant.

— Ce n'est pas un déguisement... commençai-je.

— Un costume de cinéma ?

— Non !

— Alors, c'est bien un déguisement, persista-t-il. Quand même, il est un peu crasseux, et l'odeur n'est pas terrible... Tu devrais dire quelque chose au magasin qui te l'a loué.

— Putain, c'est PAS un déguisement ! criai-je.

— Mais alors, c'est quoi ? demanda-t-il, intimidé par mon éclat.

— On a jeté un sort à ma famille.

— Ah ouais, d'accord... fit-il avec un sourire vachement crispé.

— Mais regarde, touche ! Tiens, touche ce putain de bras ! dis-je en lui prenant la main pour la poser dessus.

— Ouah, tu es vraiment de mauvais poil, observa-t-il.

Je priai pour qu'il n'ait pas la bêtise de me sortir un truc du genre : « Tu as tes règles ? »

— Tu as tes règles ? demanda-t-il.

— MAIS TOUCHE, JE TE DIS !

— C'est la première fois qu'une fille me demande ça d'une façon aussi peu romantique, fit-il, intimidé.

Puis il toucha mon bras, constata que les bandages faisaient bien partie de ma peau et se mit à trembler.

— Je… je crois que j'ai besoin d'urgence que quelqu'un me prenne dans ses bras, dis-je d'une voix douce.

Yannis n'avait pas du tout l'air de vouloir être ce quelqu'un. Plutôt d'avoir lui-même besoin que quelqu'un le prenne dans ses bras. A condition que ce ne soit pas la momie hystérique qu'il avait devant lui.

— Yannis… je t'en prie ! implorai-je.

— C'est… c'est une blague ?

— Non, je suis un monstre ! criai-je.

— Soit ça, soit tu es complètement malade de me faire un numéro pareil. Mais franchement, dans les deux cas, ça fait peur…

Tout en disant cela, il jeta un coup d'œil vers la porte. A l'évidence, il se demandait s'il n'allait pas rentrer en courant et me la claquer au nez. Puis il me considéra à nouveau avec un mélange de crainte et de dégoût. Comme si j'étais un monstre. Ce que j'étais d'ailleurs, vue de l'extérieur. Mais à l'intérieur ?

— Je croyais que… que tu m'« animais » aussi, dis-je avec précaution.

Il réfléchit un moment, se balançant d'un pied sur l'autre, puis se décida à répondre :

— Je me suis trompé en tapant le message.

J'en eus le cœur déchiré. J'aurais peut-être pu supporter tout le reste – le mauvais sort, les bandages, la sorcière – si seulement il m'avait « animée ».

— Qu'est-ce que tu voulais taper, alors ? demandai-je avec une dernière petite lueur d'espoir.

— Je te… mime, murmura-t-il.

— Et qu'est-ce que ça veut dire ? fis-je avec colère. Que tu ne veux plus me voir, c'est ça ?

— Ça n'a plus beaucoup d'importance maintenant…

Il avait raison. Une seule chose comptait : il ne m'aimait pas.

A cet instant, je regrettai que la malédiction de la sorcière ne nous ait pas tués.

— Et puis, je suis avec Noémi, ajouta Yannis.

Il m'avait pelotée alors qu'il était avec une autre ? Avec Noémi, en plus ? Celle-là, c'était une vraie méduse ! Elle n'avait que deux qualités apparentes. Qui tenaient toutes les deux dans son soutien-gorge. Que Yannis me préfère une fille aux nibards d'enfer était pire que tout. Cette fois, je regrettais que les éclairs ne l'aient pas tué en même temps que moi. Et les nichons de Noémi avec.

Yannis s'apprêtait réellement à me fermer la porte au nez. Je l'agrippai par le bras et lui dis avec désespoir, en le regardant dans les yeux :

— Je voudrais tant que tu m'aimes !

A peine avais-je prononcé ces mots que son visage changea totalement d'expression. Il déclara d'une voix langoureuse :

— Je t'aime.

— C... comment ? fis-je, stupéfaite.

— Je t'aime, répéta-t-il avec ferveur.

Je lui faisais peur, et voilà que tout à coup il me prenait dans ses bras, juste comme je le souhaitais quelques secondes plus tôt. Je n'étais plus très sûre que cela doive me faire plaisir. Son attitude était franchement bizarre.

— Tu sens si bon ! s'extasia-t-il en respirant l'odeur de mes bandages comme si c'était du Chanel n° 1 à 17 inclus.

— Tu te fous de moi ? dis-je en le repoussant.

— Non, je t'aime !

Il paraissait sincèrement étonné et me regardait avec amour. Pouvait-on feindre une chose pareille ? Et sinon, d'où venait ce brusque changement ? Qu'est-ce qui s'était passé ?

— Et... Noémi ? demandai-je.

— Les gros seins ne m'intéressent pas.

Incroyable !

Ses yeux magnifiques me regardaient avec passion, j'étais toute prête à me perdre en eux. Et comme je n'avais plus aucune envie de comprendre ce qui se passait, je murmurai :

— Je voudrais que tu m'embrasses…

Avant que j'aie pu ajouter : « Mais, malheureusement, j'ai la tête enveloppée de bandelettes », Yannis pressait sa bouche contre la mienne et essayait de passer sa langue à travers le tissu. Sur le moment, je pus donc tout juste faire : « Mmm… »

Quand il eut bien bavé sur mes bandelettes, il déclara sans rire :

— C'était le plus beau baiser de toute ma vie.

Je m'écartai de lui. Il y avait décidément quelque chose qui ne collait pas. Je me mis à réfléchir. D'abord, je lui avais demandé de m'aimer, et d'un seul coup, il m'aimait. Puis je lui avais demandé de m'embrasser, et il m'embrassait. Je regardai autour de moi : pas de lampe d'Aladin, pas le moindre génie susceptible d'exaucer mes souhaits. Bon, je ne m'attendais pas non plus à ce qu'il y en ait, mais cette soirée était tellement dingue que tout paraissait possible, même de rencontrer un djinn.

Je poursuivis ma réflexion. Les deux fois, j'avais regardé Yannis droit dans les yeux. Lui avais-je imposé ma volonté ? En tant que momie, avais-je des pouvoirs hypnotiques ?

Je décidai de faire un test. Je regardai à nouveau Yannis dans les yeux en disant :

— Yannis, je souhaite que tu sautes à cloche-pied.

— J'aime sauter pour toi, répondit-il en se mettant effectivement à faire le tour de la pièce à cloche-pied !

Mince alors !

Ça voulait dire que j'étais capable d'hypnotiser les gens.

Malheureusement, cela signifiait aussi autre chose : les sentiments de Yannis pour moi n'étaient pas authentiques.

— Je veux que tu me dises la vérité, lui ordonnai-je en le regardant à nouveau dans les yeux. M'aimais-tu aussi avant que je te le demande ?

— Non.

Cela me blessa terriblement. Mais, en bonne masochiste, je continuai :

— Alors, pourquoi m'as-tu donné rendez-vous ?

— Noémi devait aller à un concert à l'opéra avec ses parents. Et puis, je ne suis jamais sorti avec une fille qui n'avait pas de poitrine, comme toi.

Quel pauvre type !

Il sautilla un peu plus loin. Je le rejoignis et ordonnai en le regardant dans les yeux :

— Je souhaite que tu ailles à cloche-pied te taper la tête contre le mur.

— Avec plaisir !

Et il y alla. Cela produisit un choc sourd, comme quand un objet tombe. Il avait dû se faire horriblement mal.

Tant mieux !

— Continue à faire ça pendant les deux prochaines heures, ajoutai-je.

— Comme tu voudras, dit-il en souriant.

Il se précipita de nouveau à cloche-pied contre le mur.

— Et dis à Noémi que les gros nichons causent des problèmes de dos.

— Elle sera enchantée de l'apprendre, répondit-il en se cognant une fois de plus.

J'aurais dû me sentir satisfaite, mais tout ça me faisait souffrir davantage que lui. Qu'est-ce que ça m'apportait, qu'il se fasse mal après m'avoir fait mal à moi ?

— Arrête de sauter à cloche-pied, dis-je pour le délivrer du mauvais sort.

Puis je m'en allai à pas lents. J'étais une momie sans amour.

MAX

Après mûre réflexion, j'avais proposé à maman de partir moi-même à la recherche de Fée. Il fallait bien que quelqu'un veille sur notre papa mutant. De plus, je m'inquiétais d'une particularité mythique des vampires que je préférais provisoirement taire à maman. Je ne savais pas ce qui pouvait lui arriver si, en cherchant Fée, elle restait dehors jusqu'au lever du soleil. Peut-être faisait-elle partie de la catégorie de vampires que la lumière du soleil consume jusqu'à les réduire à leurs éléments atomiques ?

Et puis, j'avais une autre raison pour me lancer dans cette expédition : je n'étais jamais sorti dans la rue aussi tard, en pleine nuit. Et seul !

Grâce à mon odorat animal, je pus facilement suivre Fée à la trace. Il faut dire que ses bandelettes possédaient une note personnelle que je ne connaissais jusqu'ici que sur ma vieille prof de maths.

Cependant, en courant le nez au sol dans les rues de Berlin, je détectai soudain une tout autre odeur. Un mélange de pizza, de bière, de cigarette et de déodorant viril à forte dose. Il ne pouvait s'agir que de Jacqueline, ma tortionnaire ! Comme elle n'avait pas de quoi s'acheter du parfum, elle mettait toujours tellement de déodorant que les créatures infimes qui avaient le malheur de passer près d'elle mouraient certainement asphyxiées.

En un éclair, une pensée parcourut le réseau de mes connexions cérébrales : et si j'allais voir Jacqueline maintenant ? Je pourrais enfin lui faire payer tout ce qu'elle m'avait fait ! M'avoir plongé la tête dans les toilettes. M'avoir coincé dans une poubelle. M'avoir forcé à danser le charleston (elle avait vu cette danse une fois à la télévision et l'avait trouvée follement drôle).

Que pouvait-il arriver à ma sœur si je m'occupais de Jacqueline au lieu de la chercher ? Fée rentrerait bien à la maison toute seule. Où une momie comme elle pouvait-elle se réfugier ? A part au musée d'Egyptologie ? Et quand bien même elle irait là-bas, qu'est-ce que ça pouvait me faire ? Au moins, pendant ce temps-là, elle me ficherait la paix.

Virant sur mes pattes de derrière, je courus jusqu'à la rue transversale d'où provenait le parfum de déodorant. Je trouvai Jacqueline assise dans une entrée d'immeuble, une pizza premier prix sur les genoux, entourée de plusieurs boîtes de bière et de mégots de cigarettes. Visiblement, ses parents se fichaient complètement de savoir ce qu'elle faisait dehors à une heure pareille.

D'une certaine manière, c'était cool.

Jacqueline paraissait frigorifiée. Pas étonnant, ses baskets étaient aussi poreuses que son blouson. Sous lequel elle n'avait qu'un mince tee-shirt portant l'inscription : *Si tu peux lire ça, tu es mort, sale voyeur !*

Pour commencer, j'avais envie de lui faire une grosse frayeur. Je me plantai devant elle et grondai sauvagement :

— WRRAUGHH !

— Ta gueule, Fifi, répondit-elle simplement.

Ce n'était pas du tout la réaction que j'attendais.

— WRRAUGHH ! répétai-je en montrant les dents d'un air menaçant.

— Ta gueule, Fifi, ou je t'attache la queue autour du cou – et pas celle que tu penses.

Hé, c'était elle qui devait avoir peur de moi, pas le contraire !

Jacqueline but une nouvelle gorgée de bière. A en juger par les cannettes vides, elle devait en avoir ingurgité plus d'un litre et demi, ce qui expliquait peut-être pourquoi ma vue ne la perturbait pas davantage. Mais il ferait beau voir qu'un loup-garou ne parvienne pas à lui faire peur ! Je n'avais qu'à ouvrir la bouche. Un loup capable de parler comme un Homo sapiens, elle se mettrait à trembler comme une feuille.

— Je suis ton châtiment ! proclamai-je, d'un ton un peu mélodramatique, je l'admets.

Maintenant, au moins, elle m'écoutait. Elle fronça ses sourcils ornés de piercings, comme Mr Spock sur le vaisseau *Entreprise* quand une extraterrestre lui déclare : « Je voudrais m'accoupler avec toi. »

Mais elle n'avait toujours pas peur de moi. Elle manifesta seulement un regain d'intérêt :

— Super, Fifi sait donc parler.

— Je peux aussi te faire mal.

— Ça, j'en doute, rétorqua-t-elle en ouvrant une nouvelle boîte de bière.

J'essayai de lui expliquer que j'étais dangereux :

— Je suis un loup-garou !

Avec un être humain normal, je n'aurais pas eu besoin d'en dire davantage. Mais avec Jacqueline, oui. Cette fille faisait vraiment peur.

— Je vois bien, Fifi, répondit-elle.

Comme ça. Froidement. Ça aussi, c'était assez fascinant.

— Tu… n'as pas peur d'un monstre ? demandai-je.

Je ne pouvais pas le croire. Si j'avais eu devant moi une créature capable de me mettre en pièces avec ses dents, je n'aurais pas continué à vider paisiblement des cannettes de bière. J'aurais appelé ma maman. Ou mieux, les marines américains.

— Il y a les monstres amateurs, et il y a les vrais monstres, déclara Jacqueline entre deux gorgées. Toi, tu es un amateur.

— Ah, et toi, tu connais des pros ? fis-je, un peu blessé dans mon tout nouvel amour-propre de monstre.

— Des pros à 100 %, confirma-t-elle.

— Je ne te crois pas !

Devant quel genre de monstre un loup-garou pouvait-il passer pour un amateur ?

— Eh ben, ne me crois pas, Fifi.

Elle vida sa cannette, l'écrasa dans sa main et la lança de l'autre côté de la rue.

Je faillis courir bêtement après, mais je résistai à l'instinct de rapporter.

Au bout d'un moment de silence, Jacqueline me dit :

— Si ça te fait plaisir de me tuer, vas-y.

— Co... comment ça, te tuer ?

Je n'envisageais absolument pas de telles extrémités. J'avais seulement voulu lui faire peur, et lamentablement échoué, d'ailleurs.

— J'ai l'air du genre à raconter mes malheurs à un clébard de passage, juste parce qu'il sait parler ? demanda-t-elle.

— Eh bien, à qui vas-tu les raconter, sans cela ? répliquai-je.

— Très juste, fit-elle avec une ironie amère. A qui ?

Elle avait dit cela avec une telle tristesse qu'elle me fit carrément pitié. Incroyable ! J'avais de la compassion pour Jacqueline. Moi qui avais toujours cru que j'en aurais plus facilement pour Kim Jong-il !

— Pourquoi n'as-tu plus envie de vivre ? demandai-je avec précaution.

— A cause du monstre pro.

— Quel... quel monstre ?

— Celui qui me persécute, murmura-t-elle.

Jacqueline, la dure des dures, paraissait soudain fragile.

— Qui te persécute de quelle façon ? insistai-je en m'efforçant de parler aussi doucement que le permettaient mes cordes vocales de bête.

Jacqueline resta muette.

— Allons, tu peux me le dire. Je suis un loup-garou. A qui veux-tu que j'aille le répéter ?

— Tu veux vraiment savoir ? murmura-t-elle.

— Oui… bien sûr.

— Voilà ce que me fait le monstre, fit-elle d'une voix presque inaudible.

Elle souleva son blouson et son tee-shirt, et je vis son dos nu. Couvert de zébrures. On aurait dit celui d'un marin du *Bounty* surpris par le capitaine Bligh à voler une ration d'eau.

J'étais sous le choc.

— Qui… ? demandai-je d'une voix frémissante.

— Ma mère.

Jacqueline se mordit la lèvre inférieure pour ne pas se mettre à pleurer. Dire que, cinq minutes plus tôt, je voulais faire une peur bleue à cette fille !

Maintenant, je voulais faire ça à sa mère.

Et prendre Jacqueline dans mes pattes pour la consoler.

EMMA

— Ce n'est pas Fée, constatai-je quand Max arriva à la maison en ramenant une fille.

J'avais plus d'une raison de m'étonner. D'abord, cette fille ne ressemblait à une fille que de très loin. On aurait plutôt dit une chose qu'un chien rapporte d'un vagabondage et dépose à vos pieds – et, dans le cas présent, c'était un peu ça. D'autre part, que nous soyons des monstres ne semblait pas du tout l'inquiéter. Elle avait certes une haleine de reine d'une fête du vin en Rhénanie-Palatinat, mais elle ne paraissait ni ivre, ni sous l'emprise d'une drogue. Il y avait donc une autre explication à son intrépidité. Qu'avait-elle pu connaître dans sa jeune vie pour ne pas avoir peur des monstres ? Mais le plus stupéfiant de tout n'était-il pas... que mon fils de douze ans ramène une fille à la maison en pleine nuit ?

— Ouah, il fait un sacré raffut, l'affreux ! dit-elle à la vue de Frank.

De fait, allongé sur le canapé, la cathédrale de Cologne posée sur le ventre, Frank ronflait comme un sonneur, avec un léger cliquetis métallique. Au moins, il n'avait pas de flatulences – je préférais ne pas imaginer l'effet qu'auraient eu des problèmes intestinaux sur la créature de Frankenstein.

Je demandai à Max qui était cette fille dépenaillée. A peine me l'avait-il présentée qu'il fut interrompu par le retour fracassant de Fée. Dès son entrée, elle me cria, révoltée :

— Toute cette merde, c'est à cause de toi !

A l'évidence, les moments où j'avais pu impunément l'appeler « mon lapin » étaient à nouveau révolus, et un instant, j'en éprouvai une douloureuse nostalgie.

— La vieille n'aurait même pas fait attention à nous si tu n'avais pas fait ton numéro de fusion nucléaire !

Mon Dieu, elle avait raison de dire cela !

— Tu es vraiment nulle !

Ma gorge se noua. Si j'étais réellement responsable de notre état actuel, elle avait raison aussi de dire cela.

— Je veux que tu te jettes contre le mur, déclara Fée en me regardant dans les yeux.

— Hein, pardon, quoi ?

— Je veux que tu te jettes contre le mur, répéta-t-elle en me fixant un peu plus intensément.

Bien entendu, je n'en fis rien.

— Caquette comme une poule ! m'ordonna-t-elle alors.

— Qu'est-ce que c'est que ces sottises, Fée ?

Au lieu de me répondre, elle approcha son visage tout près du mien, presque bouche contre bandelettes, et commanda :

— Fais la marche nordique !

Etait-elle devenue complètement marteau ? Non qu'on ne puisse la comprendre, si c'était le cas...

— Et merde ! jura-t-elle. Ça ne marche pas avec toi.

— Qu'est-ce qui ne marche pas ?

Profondément déçue, elle resta muette. Je me faisais de plus en plus de souci pour elle.

— Super, intervint Jacqueline en riant. Vous êtes encore plus cinglés que ma famille !

Fée, qui n'avait pas remarqué sa présence jusqu'alors, rétorqua aussitôt :

— Tu pues la bière.

— Hé, le pansement, fais gaffe, ou je te transforme en paquet de six serviettes hygiéniques maxi ! menaça Jacqueline.

— C'est toujours un plaisir de rencontrer des gens d'un haut niveau intellectuel, répliqua Fée.

Nous n'assistions visiblement pas à la naissance d'une grande amitié entre les deux filles.

— C'est toi qui as ramené cette alcoolique anonyme ? demanda Fée à son frère.

— Ben... euh... c'est-à-dire que... balbutia-il.

Jacqueline vint à son secours :

— Au collège, je lui mettais toujours la tête dans les W-C.

— C'est vrai, ça ? demandai-je à Max avec épouvante.

Il baissa la tête, honteux.

Oh, non, Max était brutalisé à l'école par cette fille, et je ne me doutais de rien ! Pas plus que du fait qu'il ne se considérait pas comme quelqu'un de très spécial. Quelle mère étais-je pour ne pas m'en être aperçue ?

C'était la première fois de ma vie que je me souhaitais du fond du cœur une migraine qui aurait débranché mon cerveau et l'aurait mis hors service pour la journée entière. Mais la migraine ne vint pas, hélas, et je dus continuer à réfléchir. Devais-je parler avec Max de ses problèmes ? Ou m'attaquer d'abord à la plongeuse en eaux troubles ? Et lui faire goûter de son propre remède ? C'était une dure, oui, mais j'étais un vampire, nom d'une pipe !

Pendant que je réfléchissais ainsi... Frank péta.

Tout de suite, ce fut comme dans une station d'épuration.

Après un attentat à la bombe d'al-Qaida.

Pour le bruit aussi.

Max tenait ses pattes devant son museau.

— Je n'ai jamais eu autant envie de quitter cette maison, dit Fée. Pourtant, crois-moi, j'en ai souvent eu envie.

— Si j'allume mon briquet, il va y avoir un malheur, renchérit Jacqueline.

Cette fois, j'en étais sûre, nous n'avions qu'une seule urgence :

— Nous devons absolument retrouver au plus vite notre forme première.

— Oh, tu crois ? dit Fée.

— Moi, je trouve qu'il est beaucoup plus beau maintenant, fit Jacqueline en désignant Max.

Je m'aperçus alors que les loups-garous aussi pouvaient rougir d'embarras. Mon Dieu, Max était-il amoureux de cette fille ?

Mais je devais me concentrer sur nos priorités. Comment retrouver notre forme première ? Qui pouvait nous aider ? Pour notre médecin de famille, ce serait sans doute difficile, même s'il avait fait des formations en homéopathie ces dernières années. La science ? Il lui faudrait des siècles pour trouver le remède. Si elle le trouvait. Après tout, on n'avait toujours pas réussi à produire un café décaféiné savoureux. Ni un logiciel d'assemblage de photos qui marche. Ni du personnel qui parle anglais sans accent dans les trains.

Seule la sorcière elle-même pouvait donc nous sauver. Mais où était-elle maintenant ? Au fait, que nous avait-elle dit ? Qu'elle repartait dans son pays natal pour y mourir. Mais il pouvait aussi bien s'agir de la maison en pain d'épices que de Mordor. Ou de Pyongyang. Ou d'Erlangen en Bavière.

Je me concentrai davantage. Que savions-nous de cette femme, quels indices possédions-nous ? Ses vêtements étaient en haillons. Elle pouvait accomplir – et à une vitesse record – des prodiges qui auraient fait se retourner dans sa tombe Albus Dumbledore. Pour cela, elle n'avait même pas besoin de baguette magique, mais seulement d'une amulette en argent. Quoi d'autre ?

— Baba Yaga… marmonnai-je.

Le nom me rappelait un peu ces boissons écœurantes qu'on vous sert dans les stations de ski.

— C'est le nom de la sorcière ? demanda Max avec une soudaine agitation.

— Tu connais ?

— La Baba Yaga est un personnage légendaire des contes d'Europe de l'Est. Mais si cette sorcière en est une…

— ... cela veut dire, hélas, que ces contes n'ont une origine que trop réelle. Mais alors...

Il y avait donc une lueur d'espoir !

— D'où vient la Baba Yaga, selon ces légendes ? demandai-je précipitamment. Quel est son pays d'origine ?

— La Transylvanie.

— Il faut partir tout de suite ! annonçai-je.

Dans les films, c'est à ce moment-là qu'une musique dramatique éclate en fanfare. Chez nous, on entendit seulement Jacqueline roter.

Et Fée demander :

— C'est où, la Transylvanie ?

Normalement, j'aurais dû faire une remarque sur ses lacunes en géographie, mais je m'aperçus que je ne connaissais pas la réponse moi-même.

— C'est en Roumanie, expliqua Max. Mais comment y aller ? Notre voiture est pleine de courants d'air maintenant.

— Nous pourrions en profiter pour faire du jogging, proposa Fée d'une manière peu constructive.

— Il doit bien y avoir des vols, même pour la Roumanie, dis-je.

— Bien sûr, et les photos sur nos passeports sont tout à fait ressemblantes, rétorqua-t-elle.

— Et moi, je refuse de voyager dans un panier à chien, renchérit Max.

Ils avaient raison : tels que nous étions, personne ne nous laisserait monter dans un avion. Même dans un train ou un autocar, nous nous ferions remarquer. Il nous fallait donc un véhicule où nous pourrions rester discrets – le minibus de Cheyenne !

Et il nous le fallait tout de suite. Car, avant de nous transformer, la sorcière avait bien dit qu'il ne lui restait que trois jours à vivre. Serait-ce suffisant pour aller avec ce bus minable jusqu'en Roumanie ? Et surtout, pour y retrouver la sorcière ?

A peine avais-je compris à quel point le temps nous manquait qu'un autre événement survint qui allait encore compliquer ma vie : le soleil se leva.

— Euh… maman… il faut attendre ce soir pour partir en Roumanie, intervint Max.

— Tu racontes des bêtises. Nous n'avons pas de temps à perdre, dis-je.

— Mais dehors, il y a du soleil.

— Et alors ?

— Comme vampiresse, ce n'est pas vraiment une lumière, hein ? constata Jacqueline.

— Non, elle a toujours été un peu lente à comprendre, approuva Fée.

En temps normal, j'aurais été énervée par son insolence, mais je commençais à entrevoir où Max voulait en venir avec son histoire de soleil.

— Oh, merde ! m'écriai-je.

Prenant enfin la mesure du problème, je m'imaginai transformée par les rayons du soleil en torche vivante – pas pour longtemps. Mais si nous ne pouvions voyager que de nuit, nous n'arriverions jamais en Roumanie en moins de trois jours, nous ne trouverions jamais la sorcière avant sa mort, nous resterions des monstres pour toujours ! Que faire ? Laisser les autres partir sans moi ? Confier nos quatre vies à la seule responsabilité de Max, Fée et Frank-Oufta ? Dans ces conditions, autant rester tous à la maison et jouer au mikado.

Je pouvais peut-être essayer de me protéger avec de la crème écran total, genre indice 40 ? Et porter des lunettes de soleil ? Et une combinaison enveloppant tout le corps ? Je trouvais tout à coup très intéressant le concept de burqa. Oui, mais si les rayons solaires traversaient les vêtements ?

— Peut-être fais-tu partie des vampires qui peuvent survivre au soleil, comme dans le dernier roman de Stephenie Meyer ? suggéra Max.

Merci, j'avais bien besoin qu'on me rappelle son gros cul, à celle-là !

Je jetai un coup d'œil à Frank, qui ronflait toujours. Avait-il eu des pensées érotiques en lorgnant Mme Meyer ? Me trompait-il en pensée ? Etait-ce là la première étape de l'adultère proprement dit ? D'ailleurs, n'était-il pas déjà passé à l'acte ? Plusieurs fois, au cours des dernières années, j'avais eu ce genre de pressentiment irrationnel. La nuit, lorsqu'il était en voyage, je restais des heures sans pouvoir dormir, alors que j'étais morte de fatigue. Mais le pire avait été son voyage en Egypte avec ses copains. La nuit, j'avais eu de véritables crampes d'estomac. Que s'était-il passé ? Etais-je tout simplement paranoïaque ? Ne ferais-je pas mieux de m'occuper de cette question des rayons du soleil ? Au lieu de me rendre dingue, ce que j'étais déjà de toute façon ? Oui, je ferais mieux !

— Tu crois donc que j'ai une chance de survivre au soleil ? demandai-je à Max.

— A ta place, je ne tenterais pas l'expérience sur moi-même, observa Fée.

Je la regardai et, à travers les bandelettes, lus sur son visage qu'elle s'inquiétait réellement pour moi. Malgré toute cette folie, c'était merveilleux de sentir que je représentais quelque chose pour elle.

— Si j'essayais de sortir lentement sur le balcon, en faisant bien attention, qu'est-ce qui pourrait m'arriver ?

— Il y a trois possibilités, répondit Max. La première : tu te brûles légèrement et tu sautes vite en arrière pour te mettre à l'abri.

— Ça ne nous avancerait pas à grand-chose, soupirai-je.

— La deuxième serait que tu sois résistante aux rayons du soleil.

— Ça, ce serait nettement plus utile !

— Et la troisième : dès qu'un seul rayon de soleil touche la moindre partie de ton corps, tu es réduite en fine poussière en une nanoseconde.

— Au moins, c'est une mort rapide, fis-je courageusement, car je ne voulais pas montrer aux enfants que j'avais peur.

— Rapide, mais très douloureuse, répondit mon fils. A ce moment-là, les vampires poussent toujours un hurlement d'écorché vif.

— Max ?

— Oui ?

— Un bon conseil : dans la vie, il ne faut jamais dire tout ce qu'on sait.

Je m'avançai lentement vers le balcon. A travers la vitre, le soleil m'aveuglait déjà. Pourtant, il n'était pas encore très haut, à peine au-dessus des toits. Mais sa lumière me paraissait très crue. Cela ne devait pas être bon signe. Je posai la main sur la poignée de la porte-fenêtre.

— Ne fais pas ça, supplia Max. C'est trop dangereux.

— Ce petit con a raison, dit Fée avec angoisse.

— Moi, je trouve ça super, intervint Jacqueline – histoire de pimenter la conversation.

Si Max jugeait réellement cette fille sympa, cela en disait long sur ses goûts en matière de femmes. Allait-il, dans quelques années, me ramener une belle-fille de ce genre ? Dans ce cas, ce n'était peut-être pas plus mal que je me consume tout de suite. Et puis, s'il avait ces goûts-là en amour, que fallait-il penser de sa relation à sa mère ?

J'appuyai sur la poignée, ouvris la porte. Je perçus aussitôt la chaleur du soleil. Pourtant, il ne devait pas faire plus de douze degrés. Je m'avançai précautionneusement, à petits pas, sur la partie du balcon encore complètement à l'ombre.

— C'est plus chouette qu'à la télé, commenta Jacqueline.

Je me demandai si elle n'aurait pas dit la même chose en visitant un camp de réfugiés des Nations unies.

Fée ne disait rien, elle essayait seulement de se ronger les ongles à travers ses bandelettes. Max se taisait aussi et remuait la queue. Frank, qui ronflait toujours, péta.

Un quart de seconde, je fus contente d'être sur le balcon.

On aurait dû l'appeler la créature de Frankenprout ! J'entendis Max murmurer :

— Je déteste avoir du flair.

Puis ce fut le silence. Je m'avançai vers la partie ensoleillée, tandis que les enfants retenaient leur souffle. Pas seulement à cause de Frankenprout.

Je pris une profonde inspiration. Façon de parler, car rien ne m'y obligeait. Mais j'avais besoin de ça pour rassembler mon courage. Je fis un pas. Le pas décisif vers le soleil. Et je me sentis littéralement brûler !

Bon, pas comme la flamme olympique. Seulement aux mains et au visage. Un peu comme un touriste allemand qui, en rentrant le soir à son hôtel de Majorque, se dit : « Je n'aurais pas dû faire la sieste si longtemps sur la plage. »

Je sautai en arrière, courus à l'intérieur et fermai la porte-fenêtre derrière moi.

Fée fut la première à retrouver la parole :

— Tu… tu as réussi !

— Tu n'as pas été complètement oxydée ! dit Max en se remettant à respirer à son tour.

En cet instant, j'étais moi aussi *happy*. D'abord parce que j'avais survécu, ce qui était déjà formidable en soi. Mais en outre, il était clair à présent qu'avec de l'écran total, des gants et des lunettes de soleil je pouvais partir en voyage. Je m'écriai donc avec un sourire victorieux :

— Tous en Transylvanie !

Super, maintenant, il fallait partir pour la Transylvanie ! Si au moins cette foutue sorcière avait pu naître à Nice, ça nous aurait fait un beau voyage. Les dernières années, nous n'étions pas allés plus loin que l'île de Borkum, en mer du Nord, où le principal événement avait été l'excursion sur le Watt[1] avec le guide Wilhelm, qui chantait à chacun de ses groupes : « *I say : Wilhelm, you say : Watt…* » A part ça, c'était une île où les adolescents en vacances envi-

---

1. Le *Watt* (haut fond, laisse de mer) est le bras de mer qui sépare le continent de certaines îles de la mer du Nord proches de la côte, et qui est franchissable à pied à marée basse.

sageaient souvent le suicide rituel pour s'ennuyer un peu moins.

L'idée de partir en voyage maintenant avec ma famille m'horripilait, mais il n'y avait pas d'autre solution. Je n'allais pas passer l'éternité à entendre des blagues idiotes sur les pansements. Et puis, j'étais bien trop anéantie pour râler contre le plan Transylvanie vaseux de maman. D'une part à cause de mon état actuel, mais surtout à cause de Yannis. La sorcière m'avait transformée, mais lui m'avait détruite. Et j'avais beau me dire pour la trois cent vingtième fois : « Oublie cet idiot, il ne te mérite pas », je ne m'écoutais absolument pas et je souffrais comme une bête.

En sortant de la maison, maman portait un jean et un pull, plus des gants et des maxi-lunettes de soleil. Pour papa et pour Max, ils n'avaient rien trouvé qui leur aille, donc papa était resté dans son costume de Frankenstein et Max à poil, ce qui était normal pour un chien. Quant à moi, j'avais réussi à enfiler ma veste en cuir par-dessus mes bandelettes, mais bon, cela n'améliorait pas considérablement mon style.

Je montai à la suite des autres, par la porte coulissante, dans le minibus hippie de Cheyenne, peint en jaune pétant, et je crus que j'étais devenue daltonienne. Les parois étaient orange, le plafond marron, et le tapis un flokati vert foncé, mais à mon avis, les poils avaient dû être d'une autre couleur trente ans plus tôt.

— Ici, j'ai couché avec Paul McCartney dans les années soixante, me confia Cheyenne d'une voix de conspiratrice.

— Ouah ! fis-je, impressionnée.

— Et avec John Lennon.

— Cool, dis-je, encore plus impressionnée.

— Et Yoko Ono.

— Ah, d'accord…

— On a passé une heure formidable ensemble, ajouta-t-elle d'un air malicieux.

Cette fois, malgré ce qui nous arrivait, je ne pus m'empêcher de lui rendre son sourire. La vieille était vraiment cool. Elle avait à peine cillé en nous voyant débarquer chez elle sous notre forme de monstres. Dans sa vie, elle avait vu tellement de choses apparemment impossibles, même sans avoir pris de LSD avant… Par exemple, dans les Andes, une poule qui pondait des œufs carrés, en Afrique un Pygmée à trois jambes, en mer Rouge un dauphin à deux pattes, et à Los Angeles un danseur de claquettes unijambiste… Elle avait vraiment eu une vie fascinante !

Tandis que Cheyenne grimpait sur le siège du conducteur, maman se laissa tomber sur un canapé râpé et papa s'affala dans un fauteuil en peluche orange. A l'appartement, nous avions eu un peu de mal à le réveiller, en grande partie grâce à des pétards qui nous restaient de la Saint-Sylvestre. Pour finir, maman avait essayé de lui expliquer comment fonctionnaient les toilettes. Avec un succès modéré. Après son passage, la salle de bains avait dû être classée zone contaminée.

Papa se mit à regarder les dessins de nus de Cheyenne accrochés à la cloison. Il resta perplexe devant une grosse femme à côté de qui celles peintes par ce bon vieux Rubens auraient pu passer pour des top models anorexiques. Mais les nus d'hommes dessinés par Cheyenne étaient encore plus remarquables. Je me demandai si on avait raison de laisser voir ça à des mineurs.

— Eh ben ! commenta Jacqueline. Ces types-là peuvent jouer du lasso sans lasso.

— Merci, je n'avais pas vraiment besoin qu'on me mette cette image dans la tête ! dis-je.

Mais pourquoi avions-nous emmené cette fille avec nous ? Avant le départ, maman lui avait demandé si cela ne posait pas de problème à ses parents qu'elle s'en aille comme ça sans prévenir, et n'avait obtenu pour toute réponse qu'un rire convulsif.

A la réflexion, je pouvais peut-être l'hypnotiser un peu, par exemple lui demander de se prendre pour un chevreuil qui essaie de traverser l'autoroute. Mais avant que j'aie eu le temps de regarder Jacqueline dans les yeux, Cheyenne s'écria :

— En voiture pour la Transylvanie !

Elle démarra sur les chapeaux de roues, et tous ceux qui n'étaient pas assis tombèrent à la renverse.

— Hé, la vieille, tu as vraiment ton permis ? demanda Jacqueline en se redressant.

— Nan, pourquoi ? dit Cheyenne.

— Super, ricana Jacqueline, un peu épatée tout de même.

Je rampai vers le canapé et m'assis à côté de maman, mais elle ne daigna pas me jeter un regard. Elle n'avait pas l'air très bien. Devais-je lui demander ce qu'elle avait ? Finalement, je préférai m'abstenir. De toute façon, la moitié de nos conversations se terminaient en dispute, et en ce moment, je n'avais absolument pas envie de ça, encore moins le courage. A la place, je sortis mon portable de mon sac à dos et regardai une fois de plus – j'étais vraiment maso – le SMS « Je t'anime aussi » de Yannis. Ah, je m'étais bien fait avoir ! Il m'avait hypnotisée sans même avoir besoin de m'hypnotiser. Il profitait de son pouvoir sans aucun scrupule. Alors qu'il me faisait souffrir. Comme Noémi souffrirait sans doute bientôt, quand il en aurait assez de sa paire de nichons.

Oh, mais attendez ! Moi aussi, maintenant, j'avais des pouvoirs d'hypnose ! Je pouvais briser les cœurs à mon tour ! Il me suffisait d'avoir aussi peu de scrupules que Yannis. Donc de devenir un vrai monstre. Ça ne devait pas poser de problème, j'en avais déjà l'apparence. Super, à partir de maintenant, je n'aurais plus jamais de chagrin d'amour. C'était moi qui en causerais ! Avec un sourire, je décidai d'hypnotiser le premier beau gosse que je rencontrerais – et de bien lui briser le cœur. D'accord, ce n'était pas très sympa comme plan, mais cela m'aiderait à penser à autre chose au lieu de pleurnicher bêtement sur mes malheurs. Et puis, qui a dit que les monstres étaient sympas ?

MAX

Le minibus jaune de Cheyenne fonçait vers la Saxe en faisant des zigzags à angle aigu sur l'autoroute. Tantôt elle partait à gauche sur la bande de dépassement, ce qui obligeait les Porsche et les Mercedes à freiner brutalement, tantôt elle roulait sur la bande d'arrêt d'urgence. En tout cas, Cheyenne ne voulait pas entendre parler de la voie normale.

De la Saxe, nous nous dirigerions vers la Roumanie en passant par Vienne, Prague et Budapest. C'était faisable en trois jours, pour peu que rien ne déraille. Mais nous étions les Wünschmann, le déraillement était dans notre code génétique.

Je m'assis par terre à côté de Jacqueline. Elle jouait sur son iPhone très chic, qu'un camarade de classe lui avait donné en échange de sa promesse de ne plus l'étrangler avec son avant-bras pour lui rappeler que l'être humain ne pouvait pas survivre sans oxygène. Au début, j'imaginais qu'avec ça, elle jouerait à un de ces jeux où on se shoote l'ego en éliminant des Walkyries nazies ou ce genre de truc. Mais le jeu qu'elle avait choisi consistait à aider Daisy Duck à se faire belle pour un rendez-vous amoureux avec Donald ! Jacqueline entretenait-elle le secret désir d'être aussi une fille normale, une jolie fille qui porte des petites robes et se maquille ? Est-ce qu'elle allait m'écrabouiller si je lui posais la question ?

En tout cas, pendant qu'elle jouait, son visage avait une expression plus féminine que jamais. Même si cela ne risquait pas de lui donner l'air efféminé – seulement un peu plus féminin que Rambo.

Elle s'aperçut que je la regardais et je détournai les yeux, penaud. Alors, elle posa l'iPhone sur la banquette et m'avoua :

— Quand j'étais petite, j'aurais voulu avoir un chien comme toi.

Elle voulait avoir un loup-garou ? Déjà quand elle était petite ? Brrr...

Soudain, elle se mit à caresser mon pelage.

Mon Dieu ! Cela voulait dire qu'elle me caressait !

Aucune fille ne m'avait jamais fait cela avant.

C'était merveilleux. Encore mieux que la lecture. Evidemment, il fallut que Fée vienne casser l'ambiance :

— Si tu continues, dans deux minutes il va pisser de joie.

Mon Dieu, cela existait ?

— Ce serait sûrement très drôle à voir, renchérit Jacqueline en me cajolant de plus belle.

Oh, que c'était bon ! Mais le risque de faire pipi de joie me rendait réellement nerveux. Et elle me grattouillait toujours plus tendrement, comme si c'était le résultat qu'elle recherchait ! Allez comprendre les filles. Surtout celle-ci.

Comme elle me cajolait de plus belle, je commençai à avoir peur pour de bon. Alors, je criai la chose la moins glorieuse qu'il soit possible de crier quand une fille vous caresse. Je criai :

— Maman !

Maman ne réagit pas. Elle regardait fixement devant elle d'un air apathique. De plus, elle était très pâle, comme elle ne l'avait jamais été depuis sa transformation en vampire. Carrément exsangue. Et dans son cas, « exsangue » n'était pas une pure métaphore ! Elle marmonna une simple phrase, mais qui me fit frissonner jusqu'à la moelle de mes os de loup :

— J'ai faim.

EMMA

La dernière fois que je m'étais sentie aussi malade, c'était en voiture dans les Pyrénées, juste après avoir mangé de la soupe de poisson. Sauf que, cette fois, il s'agissait d'une autre forme de malaise : en plus de l'envie de vomir, j'éprouvais une soif brûlante et une faim torturante. Je n'étais bien sûr pas assez stupide pour ne pas me douter de ce qu'était la nourriture dont j'avais un besoin si urgent. Celle qui pourrait apaiser ma soif et ma faim. Mais je n'en étais pas encore au point de céder à ce terrible besoin.

— S'il te plaît, sors à la prochaine aire de repos, demandai-je à Cheyenne.

— Non, pas question.

— Pourquoi donc ? dis-je avec étonnement.

— Il y a un McDo.

— Et alors ?

— Ils tuent leurs veaux d'une façon horrible…

Je vis rouge :

— Je me fous de savoir s'ils jettent leurs bestioles vivantes sur le grill ou s'ils les endorment après leur avoir fait un massage ayurvédique par-dessus le marché !

— Bon, bon, fit Cheyenne d'une voix conciliante. Qui d'autre a faim ? demanda-t-elle à la cantonade.

Fée et Jacqueline se manifestèrent aussitôt, mais Max se contenta de me regarder d'un air soucieux. Quant à Frank, il prit l'un des blocs à dessin de Cheyenne et se mit à crayonner. Comme je vous le dis. Pas un dessin très raffiné – en le voyant, des hommes de l'âge de pierre auraient sans doute bien rigolé autour du feu de camp. Mais au moins, Frank avait trouvé un moyen d'exprimer ses sentiments et ses désirs :

Cheyenne obliqua vers l'aire de repos. Tandis qu'elle garait le minibus, Max, qui ne parvenait visiblement pas aussi bien que

113

moi à refouler mon problème de vampire, me demanda à voix basse :

— Maman, tu sais vraiment ce que tu fais ?

— Je prendrai juste le menu économique, répondis-je.

C'était une phrase du genre « dernières paroles célèbres ». De celles qu'on prononce juste avant la catastrophe, comme :

« Ce ne sont que des turbulences tout à fait normales... »

« Maintenant, je sectionne le câble rouge... »

« Tu es un gentil chien-chien... »

Ou encore : « Regardez, je sais jongler avec cinq torches enflammées... »

Les autres insistèrent pour entrer avec moi dans le McDo. Je protestai faiblement : nous allions nous faire remarquer, il valait mieux demander à Cheyenne d'aller nous chercher à manger... Mais, après deux heures de route, ils avaient tous envie de se dégourdir les jambes.

— Et puis, sur ces aires d'autoroutes, les gens ont déjà vu bien des choses extraordinaires, argumenta Fée.

— Par exemple ces W-C autonettoyants sans eau, ajouta Max.

J'étais beaucoup trop épuisée pour pouvoir les retenir. Je mis mes lunettes de soleil et enfilai mes gants. Cheyenne resta seule dans le bus : elle préférait manger la nourriture macrobiotique qu'elle avait emportée – cela ressemblait un peu à ce qu'on donnait aux détenus dans les prisons thaïlandaises. Pour crépir les murs.

La famille Wünschmann au complet, augmentée de Jacqueline, traversa donc le parking en direction du McDonald. Finalement, cela me faisait plutôt plaisir, malgré ma détresse, parce que c'était la première fois depuis longtemps que nous allions manger quelque part en famille. Si je n'avais pas été si contente, j'aurais peut-être réfléchi en voyant la cinquantaine de motos stationnées devant le restaurant.

Toujours est-il que, les autres à ma suite, je pénétrai d'un pas chancelant dans le hall d'entrée, sous les yeux ébahis des premiers clients qui nous aperçurent – deux pères de famille aux ventres de buveurs de bière qui sortaient des toilettes pour hommes en compagnie de leurs fils obèses. Leurs bouches s'ouvrirent avec un bel ensemble.

— Fermez ça, ou je cogne, leur dit Jacqueline en guise de salut.

L'argument leur parut suffisamment convaincant pour qu'ils referment en hâte leurs mâchoires béantes. Entraînant avec eux leurs gros petits garçons, ils quittèrent précipitamment le hall et coururent rejoindre sur le parking leurs épouses plus grosses encore.

A l'intérieur, la plupart des tables étaient occupées par une cinquantaine de rockers de la variété « la non-violence est une valeur très surestimée », assis devant une quantité de cartons de Burger dont la fabrication avait dû forcer toute une tribu d'Indiens à quitter son coin de forêt amazonienne.

A notre vue, les rockers cessèrent soudain de mastiquer, nous permettant d'admirer le contenu de leurs bouches ouvertes. Ce qui aggrava ma nausée. Finalement, un géant barbu qui n'était pas sans rappeler un grizzli prit la parole :

— Hé, regardez ces freaks !

Tous les rockers s'esclaffèrent. Cela déplut à Frank, qui interpella le type d'une voix tonitruante :

— Oufta kogn ?

Je le tirai par son gilet fourré :

— Nous ne cognons personne, nous commandons quelque chose en vitesse et nous partons.

Mais avant que j'aie pu pousser Frank en direction du comptoir, le chef grizzli déclara :

— Les mecs, ce bébé géant est un peu agressif. Sortons-le d'ici.

Il se leva, imité par deux types, l'un dont le crâne rasé donnait envie d'aller au bowling, l'autre plus couvert de tatouages qu'un footballeur professionnel.

— S'il vous plaît, fis-je d'une voix douce, nous voulons seulement manger quelque chose en paix.

— Oufta kogn kogn ! me contredit Frank.

Je ne pouvais pas vraiment me réjouir qu'il ait choisi ce moment pour faire des progrès en conversation. Le Grizzli reprit d'un air menaçant :

— Je suis un homme libéré, je frappe aussi les femmes. Alice Schwarzer serait d'accord avec moi !

Je me mis à réfléchir fébrilement : fallait-il proposer de l'argent à ce type pour qu'il nous laisse tranquilles ? Il est vrai que nous en avions très peu sur nous. Et nos cartes de crédit ne nous mèneraient pas loin, puisque les Wünschmann étaient déjà à la limite du découvert autorisé. Tout à coup, je cessai complètement de réfléchir : le Grizzli me brandissait son doigt sous le nez. Il y avait à ce doigt une petite coupure que le type avait dû se faire un peu plus tôt sur le rebord d'un carton de Burger. D'ailleurs, je me fichais bien de savoir comment il s'était fait ça. Je ne voyais qu'une seule chose : ce doigt saignait. Très légèrement. Mais il saignait !

Je n'avais jamais rien vu de plus excitant, de plus désirable de toute ma vie. Vu, ou senti. Car ce sang, bien qu'en quantité infime, avait pour moi une odeur intense. Un parfum plus délicat que celui de n'importe quel mets d'un restaurant à étoiles, et qui me faisait perdre tout contrôle de moi-même. Submergée de désir, n'ayant plus qu'une idée en tête, je saisis le doigt du type. Et me mis à le sucer.

Ma contribution à la désescalade n'avait pas été très concluante.

C'était comme une ivresse. Non, c'était l'ivresse ! La seule ! C'était comme de faire l'amour et d'avoir un orgasme tout en buvant un expresso fabuleux (non que j'aie déjà expérimenté cette combinaison : telle que je me connaissais, j'aurais sûrement avalé de travers). Je suçais, suçais. Suçais. Dans mon extase, j'entendis – mais cela me parut infiniment loin – le Grizzli hurler :

— Toi, je vais te refroidir !

— Elle est déjà froide, répondit Jacqueline.

— Ecoutez… nous ne cherchons pas les histoires… dit Fée.

— Tu parles ! rétorqua le Grizzli. Avec cette folle qui n'arrête pas de me téter le doigt !

Il le secouait pour essayer de me faire lâcher prise, mais sans succès. Mes canines étaient si bien plantées que s'il avait tiré de toutes ses forces, le doigt y serait resté.

— Ma mère va certainement arrêter ça tout de suite, fit Max pour tenter de l'adoucir.

— Merde, mais ce bestiau parle ! s'écria le Grizzli.

— Ce… ce n'est pas moi, s'affola Max. Euh… vous voyez cette fille, là, avec les piercings… elle est ventriloque… je ne suis que sa marionnette… et…

— TUEZ-LES TOUS ! gueula le Grizzli.

Et, tandis que les cinquante rockers se levaient face à mes enfants terrifiés, je lui suçais toujours le doigt avec extase.

Tous les rockers se précipitèrent sur la famille Wünschmann. Frank souleva d'une main le tatoué, de l'autre le type au crâne en boule de billard, et les lança ensemble par-dessus le comptoir, en direction de la friteuse. Estimant alors qu'un salaire horaire aussi bas ne justifiait pas leur présence, les membres du personnel s'enfuirent par la porte de derrière de la cuisine.

Malgré la sensation grisante, je cessai de sucer. Quelque chose en moi voulait protéger ma famille. Un jeune rocker furieux, un genre d'apprenti Hell's Angel, se planta devant Fée. A ma grande surprise, au lieu de s'affoler, elle regarda le type droit dans les yeux et lui ordonna :

— Je veux que tu manges une douzaine de McFish. Et que tu boives un milk-shake à la fraise.

L'expression agressive disparut subitement du visage de l'apprenti rocker. Tout rayonnant, il répondit :

— J'ai une grosse envie de ces machins au poisson !

Il sauta par-dessus le comptoir et attrapa une pile de McFish et un milk-shake géant à la fraise. Deux pensées me traversèrent l'esprit : 1) Une telle nourriture ne peut pas être bonne pour la santé. 2) Mon Dieu, Fée est capable d'hypnotiser les gens ! Comme la momie dans les vieux films ! C'était donc cela qu'elle avait essayé de me faire à la maison. Mais, en tant que monstre, je devais être immunisée.

Avant que j'aie eu le temps de songer aux possibilités de réussite au bac que lui ouvrait cette faculté, le Grizzli me fit une prise d'étranglement. Je paniquai un bref instant quand il commença à me serrer la gorge, puis je me souvins que je n'avais pas de poumons. Nous pouvions donc rester comme cela pendant des heures sans que j'étouffe. De plus, il me revint que j'avais maintenant un nouveau corps bien plus puissant. J'attrapai donc le bras du Grizzli et le tordis. Il poussa un grand cri et je le balançai à terre. J'avais la force de quatre hommes !

Dommage, ils arrivaient à cinq dans ma direction.

Ils m'empoignèrent à deux du côté gauche, deux autres du côté droit, le cinquième me faisant une clé au cou avec son avant-bras. J'étais coincée. Furieux, le Grizzli s'avança vers moi et me dit :

— Maintenant, je vais te faire sauter les quenottes !

Il prit son élan, et j'eus très peur que mes dents ne tiennent pas le coup. C'est alors qu'un rocker passa en courant, poursuivi par Jacqueline.

— AHH... cette fille m'a bouffé l'oreille ! hurla-t-il. Putain, c'est Mike Tyson !!!

— Et moi, elle m'a flanqué un coup de pied dans les joyeuses ! s'écria un autre d'une voix qui n'était pas sans rappeler le pépiement des moineaux de la cathédrale de Regensburg.

Jacqueline s'apprêtait à se jeter sur le suivant, un type qui venait de botter l'arrière-train de Max. Même loup-garou, mon fiston n'était pas le genre de garçon à savoir se défendre.

Frank ne pouvait pas davantage m'aider. Il avait certes la force de dix hommes, mais à quoi bon lorsqu'on se bat contre quinze ? Il fut plaqué au sol, tel Gulliver à Lilliput, et proprement assommé par une grêle de coups. La dernière chose que j'entendis de lui fut un « Ouff... ». Le « ta » n'eut pas la force de sortir.

Pendant ce temps, Fée avait hypnotisé deux autres rockers – c'était la seule façon d'expliquer qu'ils soient occupés à cogner gaiement leurs deux têtes l'une contre l'autre. Mais avant qu'elle ait pu venir à mon secours ou à celui de Frank, le rocker tatoué reconverti en soprano l'assomma par-derrière avec un plateau. En voyant ma fille à terre, j'oubliai totalement ma propre peur. Folle d'inquiétude, je voulus me précipiter vers elle. Je me débattis comme un beau diable pour essayer de faire lâcher prise aux cinq types qui me maintenaient. Mais j'étais trop affaiblie par la faim, la soif et le manque. Ma fille gisait là, immobile, et je ne pouvais pas courir vers elle, la prendre dans mes bras... la sauver... Je ne m'étais jamais sentie aussi impuissante.

— Laissez mes enfants tranquilles ! criai-je avec désespoir.

— Bien sûr, fit le Grizzli en souriant. Du moins, tant que je suis occupé avec toi.

Presque au même instant, un rocker lança une chaise à la tête de Jacqueline, qui s'écroula à son tour, K-O. Max accourut avec inquiétude, mais le rocker à la voix de moineau pépia d'un ton menaçant :

— Tire-toi de là, cabot !

Max tenta de rassembler son courage, mais, comme il fallait s'y attendre, ce fut un échec. Déçu par sa propre lâcheté, il se retira sous une table, la queue entre les pattes.

— Où en étions-nous ? demanda le Grizzli pour la forme. Ah oui, je voulais t'offrir un détartrage professionnel.

Ses acolytes approuvèrent par des braillements, du moins ceux d'entre eux qui n'étaient ni assommés, ni occupés à manger des McFish ou à se cogner la tête.

J'étais mortellement inquiète. Pas seulement pour mes dents. Qu'allaient-ils faire à ma famille une fois qu'ils en auraient terminé avec moi ? Ils n'avaient même pas hésité à frapper les deux filles. Y avait-il encore une chance qu'on nous secoure in extremis ? Les employés du McDo avaient-ils appelé la police ? Cheyenne pouvait-elle quelque chose ? Mais quoi ? Ennuyer les types à mort en leur faisant un exposé sur l'élevage à l'ère de la production de masse ?

Le Grizzli balança son poing et prit son élan. Dans une seconde, j'allais pouvoir vérifier la solidité de ma nouvelle denture. Je fermai les yeux, attendant le sinistre choc, et... ne sentis rien. Non seulement il ne m'était rien arrivé, mais j'entendis le Grizzli demander d'une voix étonnée :

— Que diable... ?

J'entrouvris les paupières avec précaution et, par la fente, aperçus le poing du Grizzli immobilisé à mi-parcours. Fermement maintenu. Par une main fine, une élégante main masculine ornée d'une chevalière en or du meilleur goût. Qui portait encore des chevalières de nos jours ? A part les gangsta-rappeurs ? Ou le pape ?

J'étais si curieuse de savoir à qui appartenait l'étrange main distinguée que j'osai ouvrir les yeux en grand. Un homme d'une beauté extraordinaire, paraissant environ trente-cinq ans, se tenait devant moi, vêtu d'un élégant costume sur mesure. A côté de cet homme à l'allure d'ange, tous les acteurs de Hollywood auraient eu l'air de petits Quasimodos. Bien entendu, je savais que ce n'était pas un ange. Car ses yeux émouvants étaient d'un rouge écarlate, son visage de la même pâleur de cire que le mien.

— Emma, je suppose ? demanda-t-il poliment.

Sa voix était douce, remarquablement bien timbrée, et même carrément érotique.

— Non, répondit le Grizzli qui nageait en pleine confusion. Moi, c'est Clemens.

— Ne nous interromps pas, mortel, ordonna l'inconnu.

Sa façon d'employer le mot « mortel » était une preuve supplémentaire qu'il ne s'agissait pas d'un être humain ordinaire. Et aussi le fait qu'il lui suffit d'un geste de la main pour envoyer le rocker voler par la fenêtre en décrivant un arc de cercle. Dans un tintement de verre brisé, le Grizzli atterrit sur l'une des motos qui, en se couchant, fit verser toutes les autres comme une rangée de dominos. Les autres rockers échangèrent des regards craintifs : visiblement, cet homme élégant était beaucoup plus fort qu'eux. Le moment leur parut bien choisi pour quitter le restaurant, enfourcher leurs bécanes et partir au plus vite embrasser une carrière d'employé d'administration.

Une fois les rockers disparus, à l'exception du Grizzli toujours inconscient et des deux types hypnotisés par Fée, l'inconnu me dit :

— Pardonne-moi, très chère Emma.

En prononçant ces paroles, il s'inclina légèrement – l'angle était tout juste calculé pour qu'on y reconnaisse sa parfaite éducation. Puis, de sa voix dont l'érotisme faisait vibrer mon estomac – au point que je me réjouissais d'en avoir encore un, car c'était une vibration fantastique –, il ajouta :

— Je ne me suis pas encore présenté comme il se doit. Mon nom est Vlad Tepes.

Jamais entendu parler.

— Vlad Tepes Dracula.

Ah, celui-là. Oui, d'accord.

Dracula. En temps normal, je n'aurais pas cru un mot de ce que disait ce type invraisemblable. Mais beaucoup de choses impossibles nous étaient arrivées depuis quelques heures : une sorcière nous avait changés en monstres, j'avais joué à saute-mouton par-dessus les toits de Berlin, et ma fille n'avait pas envoyé un seul SMS de tout un trajet sur l'autoroute. Et maintenant, c'était Dracula en personne qui nous sauvait d'une bande de rockers. Au fait, pouvait-on dire merci à une créature aussi diabolique ?

Quelques heures plus tôt, je n'aurais pas imaginé pouvoir être confrontée un jour à ce genre de dilemme moral. D'ailleurs, une autre question se posait : pourquoi Dracula m'avait-il sauvée ?

— Très chère Emma, me ferais-tu le grand plaisir de dîner en ma compagnie ?

C'était pour ça ? Parce qu'il voulait m'emmener au restau ?

— J'en serais véritablement très heureux, reprit le bel homme au visage pâle.

A la façon dont sa bouche sensuelle souriait et dont ses fascinants yeux rouges étincelaient, j'aurais presque pu croire que cette idée le remplissait réellement de joie.

Bizarre. Le dernier homme qui s'était déclaré content d'aller au restau avec moi était Frank. Il y avait de cela des siècles. Ces dernières années, par contre, il avait souvent eu du mal à ne pas piquer du nez dans son assiette au repas du soir avec nous.

— Maman, gémit Max sous sa table, tu... ne vas tout de même pas aller avec Dra... Dra... Dra... (il ne pouvait pas achever ce nom)... tu ne vas tout de même pas aller... MANGER avec lui ?

Dès qu'il eut prononcé le mot « manger », je compris le problème. Nom d'un petit bonhomme ! Quand Dracula invitait un autre vampire à dîner, il ne pensait sûrement pas à des spaghettis bolognaise !

Dracula posa les yeux sur Max, sans s'étonner le moins du monde de voir un loup-garou doué de la parole. Ça ne m'étonnait d'ailleurs pas qu'il ne soit pas étonné : après tout, une telle créature appartenait à la faune de son monde. Il lui sourit aimablement, mais on sentait sous ce sourire une nuance très nette de menace. Max recula encore un peu plus loin sous la table.

— Acceptes-tu de m'accompagner, Emma ? répéta Dracula en fixant sur moi un regard tout à fait fascinant.

C'était merveilleux de se sentir regardée comme cela par un homme... un vampire... enfin, quelqu'un. A cet instant, je me rappelai soudain les paroles de la sorcière : « Tu plairas beaucoup au Prince des damnés. »

— M'as-tu entendu, Emma ? dit-il en me souriant

Mon Dieu, qu'il savait bien sourire ! Juste de la bonne façon pour être un dangereux séducteur. En plus de la nausée, de la soif de sang et des crampes d'estomac, j'en avais maintenant des chatouillis dans le ventre. Quelle mixture !

Je me serais volontiers jetée dans ses bras sans plus attendre, mais il ne fallait pas y songer. D'abord, j'étais mariée. J'avais une famille. Et puis, c'était Dracula – le Dracula ! J'imaginais à quoi pouvait ressembler une sortie au restau avec lui : nous partirions en chasse, et quand nous aurions coincé deux malheureux au fond d'une impasse, nous leur enfoncerions nos canines dans le cou...

Mon Dieu, quelle idée séduisante !

Quoi, je trouvais cette idée séduisante ?

Oh mon Dieumondieumondieu !

Mais Dieu avait-il quoi que ce soit à voir avec les vampires ? Et avec les sorcières ? Ou encore – et cela me ramenait aux doutes que j'entretenais déjà au sujet des merveilles de la Création – avec la puberté ? Si oui, à quoi pensait donc le Tout-Puissant en inventant ces choses-là ? S'était-il dit : Le huitième jour, tu feras des blagues ?

En tout cas, Dieu n'était visiblement pas décidé à me venir en aide. Il fallait que je fasse un effort moi-même. Ressaisis-toi ! me dis-je. Allez, allez, allez !

— Tu voudrais du lait ? demanda Dracula, étonné.

Merde, j'avais pensé tout haut.

— Nous n'allons pas boire de lait, reprit-il.

Oui, c'était bien ce que je craignais.

— Mais nous ne boirons pas de sang non plus.

— Ah bon ? fis-je avec surprise.

— Cette époque-là est révolue, m'expliqua-t-il poliment. Sucer le sang est une pratique très contraignante et peu ragoûtante. Il faut traquer la victime, et quand on la tient enfin dans ses griffes, il faut mordre dans son cou...

Moi, je trouvais pourtant l'idée bien alléchante !

— Ensuite, le sang gicle partout, et vos vêtements sont tout maculés de taches collantes...

Ça, d'accord, c'était moins formidable. Il semblait qu'un vampire ait des notes de nettoyage à sec particulièrement salées.

— Et pour ne pas être poursuivi par tout le village, il faut encore trouver un endroit pour se débarrasser du cadavre : mare, rivière, porcherie...

— N'en dites pas plus, s'il vous plaît, je me sens déjà assez mal.

— Alors, viens avec moi, je t'en prie, et tu te sentiras bientôt beaucoup mieux, offrit-il aimablement.

Non, je n'avais pas le droit de suivre le Prince des damnés. Mais quel prétexte alléguer ? Je ne pouvais guère me contenter d'un : « Excusez-moi, je dois m'épiler les sourcils... »

Tandis que je me creusais la cervelle, Max poussa un gémissement. A présent, je savais ce qu'il fallait dire :

— Ma famille... Je ne peux pas l'abandonner en ce moment.

— Fais-moi confiance, Emma, insista Dracula.

Sa voix tentatrice avait des accents de sincérité. Je jetai un coup d'œil sous la table. Max secouait frénétiquement la tête, avec un air de dire : « Ne fais pas ça ! » lui aussi très convaincant. Dracula lui sourit à nouveau. Cette fois d'une façon si clairement menaçante que Max ne vit plus qu'une solution : faire le mort. Il se coucha sur le dos, les quatre pattes en l'air.

Je songeai qu'aucun loup dans l'histoire de cette planète n'avait jamais dû faire le mort de cette manière que je croyais réservée aux charançons (et encore, je me demandais bien ce qu'ils espéraient obtenir par là, à part faire se tordre de rire l'adversaire au point de le mettre hors de combat).

Mais Dracula ne s'intéressait pas à ces subtilités biologiques. Acceptant le geste de soumission de Max, il s'adressa de nouveau à moi, cette fois avec beaucoup plus d'insistance :

— Il faut que tu me suives. Cela vaudra mieux pour toi.

Me menaçait-il à mon tour ? Si oui, c'était très efficace, car j'en restai coite.

— Co… comment ça, « mieux » ? parvins-je tout de même à souffler.

— Parce que sinon, tu seras réellement forcée de chasser des gens et de les tuer pour te nourrir, et je suppose que ce n'est pas ce que tu souhaites.

— Tu… tu supposes bien, répondis-je à voix basse.

— Je te promets que tu pourras revenir vers les tiens.

Sa belle voix était terriblement persuasive. Ce n'était sans doute pas très malin de faire confiance à Dracula. Mais avais-je le choix ? J'étais près de tomber dans les pommes. J'avais la nette sensation que si je ne voulais pas mourir, je devrais tuer des gens. C'était donc mourir ou tuer. Ou suivre Dracula. Autrement dit, j'avais le choix entre la peste, le choléra et Dracula.

Je regardai à nouveau ma famille : Frank et Fée étaient encore inconscients. Max toujours sous la table, les pattes en l'air, mais celles-ci commençaient à trembler légèrement sous la tension musculaire. Seule Jacqueline reprenait lentement ses esprits en gémissant. Elle avait beau ne pas être un vrai monstre, c'était la plus costaud de nous tous.

Je me fis le serment de revenir vers mon mari et mes enfants, après quoi nous partirions pour la Transylvanie afin de retrouver la sorcière et de mettre un terme à cette histoire à dormir debout.

Le cœur lourd, je sortais du McDo en compagnie de Dracula quand j'entendis une voix étonnée :

— Vlad ?

C'était Cheyenne, debout sur le parking. Elle avait visiblement assisté de loin avec inquiétude au combat avec les rockers, sans pouvoir intervenir d'aucune façon. Elle n'avait aucune chance contre les rockers, et si elle avait appelé la police, nous aurions été arrêtés aussi, nous, les monstres.

— Vlad Tepes ! reprit-elle d'une voix plus forte, mais aussi très émue. Tu... tu n'as pas du tout vieilli... ?

— Toi non plus, Cheyenne, répliqua-t-il galamment.

Le compliment lui arracha un sourire flatté, mais elle nageait en pleine confusion. J'eus l'impression qu'elle ne savait absolument pas qui il était : elle l'appelait Vlad, et elle était sincèrement surprise de constater qu'il n'avait pas vieilli.

— Vous vous connaissez ? demandai-je.

— Nous avons passé une nuit ensemble... mais... c'était dans les années soixante !

— Vous avez couché ensemble ?

Je n'arrivais pas à le croire. Et surtout qu'il n'en ait pas profité pour la mordre.

Cheyenne adorait raconter sa vie amoureuse. Les yeux brillants, elle commença :

— Vlad peut tenir très, très longtemps. Sa bistouquette est tellement endurante que...

— Je retire ma question ! l'interrompis-je en hâte.

Je savais déjà jusqu'où elle pouvait entrer dans les détails s'agissant des particularités anatomiques de ses amants, et cela ne m'amusait pas toujours, surtout lorsqu'elle parlait des plus anciens. En outre, je n'avais aucune envie de savoir comment Dracula se comportait au lit ni combien de temps il tenait. A cet égard, Frank était plutôt du genre mousquet : à un seul coup. D'ailleurs, après une journée fatigante à la librairie, cela m'arrangeait aussi.

— Tu... tu appelles cela... bistouquette ? demanda Dracula.

— Ou p'tit robinet, répondit Cheyenne.

Depuis son apparition, c'était la première fois que je voyais Dracula déconcerté. Seulement pour une fraction de seconde, car il retrouva bientôt son sourire.

— Ma chère Cheyenne, je souhaiterais rester seul avec Emma.

Cheyenne se sentait à l'évidence dépassée par la situation. Elle se rendait bien compte qu'elle n'avait pas affaire à un homme qui aurait simplement eu à sa disposition une crème anti-âge fabuleuse. Mais elle ne pouvait pas concevoir ce qu'était la créature qui lui avait offert cette longue nuit d'amour dans les années soixante. Ou peut-être préférait-elle ne pas savoir. Si c'était le cas, on la comprenait. Quoi qu'il en soit, elle n'insista pas et nous laissa partir, tout en nous suivant des yeux d'un air perplexe – et un peu inquiet.

Dracula me conduisit jusqu'à une vieille Bentley devant laquelle attendait un chauffeur en livrée. L'homme paraissait tout à fait comestible. Non pour sa beauté, car il n'était pas très joli. Plus précisément, c'était une sorte de croisement entre le prince Charles et Jogi Löw, l'entraîneur de notre équipe nationale : il avait les oreilles du premier, et la tignasse du second. Non, s'il était à croquer, c'était à cause du sang qui coulait dans sa carotide ! Un beau sang rouge, affolant, dont je sentais déjà l'odeur et que je voulais goûter tout de suite !

Mais l'homme avait apparemment l'habitude des vampires affamés de ma sorte. Devant mon regard concupiscent, il tira discrètement de la poche de sa livrée un petit crucifix dont la seule vue eut sur moi un effet extraordinaire : mes entrailles se mirent à brûler. Terrifiée, je fis un bond en arrière et n'osai plus approcher. Je sentais instinctivement que si je m'avançais même à un mètre de la croix, tous les organes encore présents en moi seraient déchiquetés. Et que si je la touchais, je serais changée en viande grillée. De toute évidence, les vampires étaient allergiques à la croix. Dieu n'était donc pas du côté de ces créatures-là. Autrement dit, il n'était pas de mon côté, cette fois je pouvais en être sûre. (En réalité, je l'avais déjà compris – comme bien d'autres femmes avant moi – lorsque je m'étais trouvée en salle de travail, en proie aux premières douleurs de l'accouchement. Quand même, le Tout-Puissant aurait bien eu les moyens de nous rendre la chose un peu plus agréable, non ?)

Le chauffeur rempocha sa croix, m'ouvrit la porte arrière de la limousine, et je m'installai sur la banquette en cuir.

J'étais maintenant si faible que je ne pouvais même plus me tenir assise. Je m'écroulai littéralement sur le siège et demandai, les yeux déjà mi-clos :

— Où allons-nous ?

Avant de tomber dans les pommes, j'eus encore le temps d'entendre la réponse du Prince des damnés :

— Vers notre avenir commun.

FÉE

Ça bourdonnait dur dans mon crâne. Encore pire que la fois où, à une bringue chez Jenny, nous avions joué à ce jeu idiot où on jette un dé pour savoir combien de verres on doit boire, mais en fait on ne compte pas vraiment. Si je n'avais pas déjà eu des bandages autour de la tête, j'aurais eu besoin qu'on m'en mette. Et puis, j'avais la nuque toute raide. Mais j'étais quand même en meilleur état que le McDo. On voyait clairement qu'une horde de rockers s'y étaient battus avec une bande de monstres. Je regardai le champ de ruines autour de moi : papa et Jacqueline étaient juste en train de reprendre leurs esprits eux aussi, Max était sous une table, les quatre pattes en l'air, ressemblant un peu à un amateur de nage synchronisée échoué sur une plage. Qu'est-ce que ce petit idiot avait encore inventé ? Bon, s'il fallait que je réfléchisse à ça, mon mal de tête ne partirait jamais.

Mais où était maman ? Je ne la voyais nulle part. Mon Dieu, les rockers ne l'avaient quand même pas embarquée ?

Tandis que je regardais de tous côtés avec affolement, Cheyenne entra en trombe et cria :

— Tirons-nous d'ici avant que les flics ne rappliquent !

— Oufta Efma ? l'interrogea papa.

— C'est exactement ce que je voulais demander aussi, dis-je.

— Je vous expliquerai tout à l'heure, mais il faut d'abord ficher le camp en vitesse.

Elle nous regardait d'un air si paniqué que nous nous levâmes sans plus discuter. En sortant, nous devions passer devant les deux rockers que j'avais hypnotisés. Cela me donnait encore plus mal au crâne de les voir se fracasser la tête l'un contre l'autre. Moi, brave momie, je leur dis :

— Je veux que vous arrêtiez de vous cogner la tête.

Les rockers m'obéirent. Manque de chance, ils étaient encore en mode combat et nous attaquèrent aussitôt. Papa en prit un sous chaque bras et les emporta dans les toilettes des hommes avant de revenir trente secondes plus tard. Sans eux.

C'est seulement quand nous fûmes assis à l'arrière du minibus VW jaune fluo, quittant l'aire de repos pour foncer sur l'autoroute, que je demandai à papa :

— Qu'est-ce que tu as fait des deux types ?

Comme il n'était pas très à l'aise pour s'exprimer oralement, il prit le bloc et le crayon, gribouilla quelque chose et me tendit sa réponse :

Pendant que papa dessinait, Max restait muet, couché dans un coin du minibus. Assise devant lui, la jeune délinquante se payait méchamment sa tête :

— La prochaine fois, on te cherchera un adversaire à ta mesure. Peut-être une fillette de cinq ans. De préférence aveugle. Et puis, on pourrait lui attacher le bras droit dans le dos…

Max était mort de honte. Si jamais il avait espéré quelque chose de cette fille, il était clair maintenant qu'elle avait perdu tout respect pour lui et qu'il n'avait plus la moindre chance. Comme moi avec Yannis.

— Le mieux, poursuivit la future chômeuse en se tordant comme une baleine, ce serait que je la vaporise d'abord avec un peu d'insecticide…

Elle pouvait aussi en vaporiser sur Yannis, pensai-je. Aussitôt après, je me sentis en colère contre moi : quelle idée de continuer à gaspiller une seule pensée pour ce mec, alors que nous étions en pleine folie et que maman avait disparu ! Il fallait que cela cesse. Je devais oublier ce type. Je ne pouvais quand même pas manquer de dignité au point de laisser un mec comme lui régner sur mes pensées !

Au bout de quelque temps, Cheyenne arrêta le véhicule sur un petit chemin forestier, ouvrit la porte coulissante et annonça :

— Si l'un d'entre vous a besoin de faire un petit tour…

Max fila aussitôt vers le buisson le plus proche, tandis que la jeune beauf déclarait :

— Moi aussi, faut que j'aille poser culotte.

— Oh, c'est trooop aimable de ta part de nous tenir au courant, fis-je en levant les yeux au ciel.

— Eh oui, je sais faire plaisir aux gens, dit-elle avec un sourire moqueur.

Elle disparut à son tour dans les buissons. Mortellement inquiète, je me tournai vers Cheyenne.

— Où est maman ?

— Tu ne vas pas me croire, répondit-elle d'une voix hésitante.

— Où est maman ? insistai-je.

— Tu ne me croiras pas.

— Où est maman ?

— Avec un homme dont je commence à craindre qu'il ne soit Dracula...

— Je... je ne te crois pas, balbutiai-je.

— C'est bien ce que je disais.

Je doutais encore. Cheyenne avait peut-être seulement fumé un joint ?

— C'est la vérité, dit-elle d'un air accablé. Nous pouvons seulement espérer que ta maman reviendra.

Folle d'inquiétude, je m'éloignai en direction de la forêt. Si maman était vraiment partie avec Dracula – et rien ne paraissait impossible dans notre charmant nouveau monde de monstres –, elle était en danger. Ou, pire, elle allait se mettre en chasse avec Dracula, mordre le cou de quantité de gens et les transformer à leur tour en vampires. Et maman deviendrait le chef de ces créatures, la nuit, elle ferait la fête avec eux, il y aurait d'énormes orgies...

Hé là ! S'il y avait deux mots qui ne devaient jamais, au grand jamais se trouver ensemble dans la même phrase, c'était « maman » et « orgie ».

Je marchais au milieu de grands arbres dont je n'avais aucune idée du nom – je n'avais jamais trop suivi en cours de biologie –, respirant aussi profondément que me le permettaient ces stupides bandelettes. Au détour d'un chemin, je me trouvai face à face avec un forestier d'une vingtaine d'années qui portait une chemise de bûcheron.

— AH ! s'écria-t-il en me voyant.

— Oh, merde, tu m'as fait une de ces peurs ! m'écriai-je de mon côté.

Puis je considérai de plus près le type, qui était resté figé à ma vue. Il était tout à fait le style de gentil innocent dont une fille comme moi pouvait s'enticher. De plus, je me souvenais de ce que je m'étais promis de faire si jamais je tombais sur un joli garçon.

J'hésitai encore un instant : devais-je vraiment l'hypnotiser ? Je sentais que j'avais besoin d'un dérivatif si je ne voulais pas devenir complètement dingue. Parce que j'étais une momie, que ma mère avait disparu, et aussi parce que je continuais à penser à ce gros nul de Yannis. Je commençais à me détester sérieusement pour ça. Il fallait enfin que je l'oublie, que je retrouve un semblant de respect de moi-même. Le bûcheron pourrait peut-être m'aider ?

— Qui… qui es-tu ? demanda-t-il avec crainte.

— Qui veux-tu que je sois ? répondis-je en le regardant au fond des yeux. Je suis ton grand amour.

Quelques secondes plus tard, il massait avec ravissement ma nuque raide.

EMMA

Réveillée par la merveilleuse odeur douceâtre du sang, je recouvrai mes esprits aussi rapidement que si on m'avait mise sous perfusion de caféine. J'ouvris tout grand les yeux et vis l'éprouvette remplie d'un beau sang rouge clair que Dracula me tenait sous le nez. De toute évidence, il n'y en avait pas assez pour apaiser ma soif, mais il me le fallait à tout prix. Pas de chance : Dracula le mit aussitôt hors de ma portée et déclara :

— Maintenant que tu es réveillée, je vais te faire servir à manger.

— Manger ? m'écriai-je. Je ne veux pas manger ! Ça va pas la tête ?

— Pardon ?

Dracula me regarda d'un air offensé. De toute évidence, le Prince des damnés n'avait pas l'habitude qu'on lui fasse ce genre de remarque.

— Ça veut dire, expliquai-je d'un ton acerbe, que tu as une araignée au plafond…

— Je sais très bien ce que cela veut dire, me coupa-t-il sèchement.

Il allait poursuivre sur le même ton, quand un majordome entra par une lourde porte en chêne. Je me rendis compte alors que je me trouvais dans une grande salle de château. De vieux portraits à l'huile étaient accrochés aux murs, représentant des seigneurs à l'air mauvais que je n'aurais pas aimé rencontrer après la tombée de la nuit en tant qu'être humain – mais en tant que vampire affamé, oui. J'étais assise dans un fauteuil en bois massif qui faisait penser à un trône, et devant une table en chêne si longue qu'il aurait fallu un mégaphone pour parler avec quelqu'un à l'autre bout. J'aurais sans doute continué mes réflexions en me demandant combien pouvait coûter le chauffage d'une salle si haute de plafond, mais j'étais trop pressée de goûter le sang contenu dans l'éprouvette. Ou dans le major- dome. Dommage, il portait une croix au cou. Je me levai d'un bond et reculai instinctivement, bien que l'homme fût encore à plusieurs mètres.

— Tous mes collaborateurs humains portent cette croix, m'expliqua Dracula avec un sourire. Tu te demandes sans doute pourquoi je permets cela.

Pas du tout ! Je me demandais simplement comment j'allais pouvoir mordre quand même dans le majordome.

— J'ai aussi à mon service, comme gardes du corps, quelques vampires qui… comment dire ? ne se maîtrisent pas tout à fait, et avec qui mes collaborateurs humains doivent être prudents. Ces vampires sont allergiques à la croix, ce qui n'est pas mon cas.

Malgré tout, cela éveilla un instant ma curiosité.

— La croix n'agit que sur les vampires qui ont été chrétiens au cours de leur vie humaine. Mais je n'ai jamais eu aucune religion.

Et moi, pauvre idiote, qui ne m'étais toujours pas fait débaptiser, alors que j'y pensais régulièrement ! Si je l'avais fait, non seulement j'aurais payé moins d'impôts[1], mais j'aurais pu avoir ce majordome à mon petit déjeuner.

L'homme posa sur la table un plateau supportant une assiette en porcelaine recouverte d'une cloche d'argent.

— Ton repas, m'informa Dracula.

Je m'approchai de l'assiette et soulevai la cloche. Mais l'assiette ne contenait aucune viande rouge, pas le plus petit morceau de boudin, pas même une saucisse au curry-pommes ketchup. Seulement une petite pilule rouge. De quoi pouvait-

---

1. En Allemagne, le « denier du culte » est inclus dans l'impôt sur le revenu. C'est seulement depuis 2005 que l'on peut demander à être désinscrit des registres paroissiaux pour ne plus le payer.

il s'agir ? De l'Ecstasy ? Du LSD ? Un mélange vitamines-oligoéléments ? Déconcertée, je la considérai en silence jusqu'à ce que le majordome quitte enfin la salle d'un pas mesuré. Retrouvant alors ma langue, je m'insurgeai :

— Qu'est-ce que c'est que cette histoire ? C'est pour la caméra cachée ?

— Prends cette pilule, répondit Dracula. Cela apaisera ton désir sanguinaire.

— Si tu ne me donnes pas ce sang... m'écriai-je, déchaînée.

J'envoyai la cloche valser contre un mur à l'autre bout de la salle et tentai de m'emparer de l'éprouvette posée sur la table. Mais Dracula, plus rapide que moi, la cacha dans la poche de sa veste.

— Je parle swahili ou quoi ? hurlai-je. Donne-moi ce sang, espèce d'idiot !

J'essayai d'atteindre sa poche, mais il esquiva élégamment en faisant un pas de côté et je faillis m'étaler. Dracula était aussi agile que Noureïev. En comparaison, mes mouvements avaient l'élégance de ceux d'un hippopotame souffrant de coliques.

— Tu ne peux pas me prendre ce sang, ni me blesser par tes paroles, déclara-t-il.

— Ah oui ? On va bien voir ! fis-je, perdant définitivement tout contrôle de moi-même.

Et je me mis à lui crier toutes les injures qui me venaient à l'esprit. Vraiment toutes :

— Crétin !... Amibe !... Zigounette !

— Tu commences à manquer d'objectivité, observa Dracula.

— P'tite zigounette ?

— Cette fois, tu n'es plus du tout objective, et c'est totalement hors de propos, fit-il d'un ton offensé.

Les mots pouvaient donc l'atteindre malgré tout. Tant mieux !

— Minicalifragilisticexpialidocieux zi…

— EMMA !

Il saisit ma main et me regarda au fond des yeux.

— Prends cette pilule. Fais-moi confiance.

Sa merveilleuse voix, et surtout la douceur de son regard, me calmèrent un peu. Je cessai de tempêter, mais tout en moi résistait encore.

— Tu es Dracula.

— Eh bien ?

— Qui donc peut faire confiance à Dracula en ce monde ?

— La femme qui lui est destinée, je l'espère, dit-il avec un charmant sourire.

Bonté divine, c'était de moi qu'il parlait, là ?

Il vit la question dans mes yeux, mais ne répondit pas. Au lieu de cela, il posa la pilule sur sa main à la fois fine et puissante et me la présenta. Avais-je vraiment le choix ? L'esprit confus, je tendis la main pour saisir le comprimé. Nos doigts se frôlèrent, et un agréable frisson parcourut tout mon corps. J'aurais bien voulu continuer à toucher ses doigts, mais, obéissante, je mis la pilule dans ma bouche. Elle n'avait aucun goût. Je l'avalai, et à peine fut-elle dans mon estomac que tout disparut : les crampes, le malaise, la nausée… et surtout le besoin de m'emparer de la petite éprouvette. Je n'avais plus envie de mordre le cou de personne. J'étais redevenue moi-même.

A peine avais-je retrouvé la raison qu'une sainte frousse me saisit. J'étais dans un château ? Avec Dracula en personne ?

— Te sens-tu mieux à présent ? demanda-t-il de sa belle voix pleine d'une authentique sollicitude.

Je hochai prudemment la tête.

— Avant toute chose, tu désires sans doute apprendre pour quelle raison je t'ai amenée ici ?

En réalité, je désirais surtout savoir par quel moyen je pourrais m'enfuir, mais je gardai cela pour moi.

— Pour commencer, reprit Dracula, sache que nous sommes dans l'un de mes châteaux, à une vingtaine de kilomètres de ce lieu inhospitalier où je t'ai recueillie.

Très bien. Cela signifiait que mes enfants et mon mari ne resteraient pas trop longtemps seuls. Non que cela ne leur laisse pas le temps de faire des bêtises, car c'étaient des Wünschmann, mais au moins, je pourrais les rejoindre rapidement. A condition que Dracula me laisse partir. Ce qu'il n'avait pas du tout l'air pressé de faire, hélas.

— J'aimerais maintenant te parler de la prophétie, dit-il gravement.

— La prophétie ?

— La prophétie des Kree.

Ce n'était pas tellement plus clair.

— Il y a dix mille ans, commença-t-il, le peuple des Kree, une branche secondaire des Néandertaliens, traversa les contrées sauvages que nous désignons aujourd'hui sous le nom d'Europe de l'Est.

Pas très marrant. Cela leur aurait sans doute davantage plu de parcourir les contrées que nous désignons aujourd'hui sous le nom de Majorque.

— Parmi les Kree se trouvait le devin Harboor. Il parlait en langues, était en contact avec les premiers dieux de la Terre, et pouvait voir très loin dans l'avenir.

Il avait donc dû être très contrarié de devoir traverser l'Europe à une époque où le GPS n'existait pas encore.

— Harboor regarda l'avenir et prophétisa ainsi devant les frères de sa tribu : « En ce temps-là, une créature assoiffée de sang viendra sur la terre. Une malédiction pèsera sur cet être : une âme l'habitera ! Mais chaque humain que, par sa morsure, il aura changé en suceur de sang comme lui, perdra son âme et deviendra un être incapable d'amour. C'est ainsi que cette âme assoiffée de sang sera condamnée à errer sur la terre pendant mille ans sans jamais trouver l'amour. »

Dracula fit ce récit avec un regard douloureux. Le pauvre avait-il vraiment vécu si longtemps sans amour ? Personne ne méritait pareil destin. Non, personne. Pas même le Prince des damnés. En cet instant, il me faisait infiniment pitié. Et je ne songeais même plus à me demander s'il était moral d'avoir pitié d'une créature comme lui.

— Mais un jour, poursuivit-il, le vampire trouvera une femme de sa condition, en laquelle une âme demeurera également.

C'était là que j'entrais en scène, je le craignais.

— Et il aimera cette créature, reprit Dracula en me couvant d'un regard tendre.

Pouvait-il réellement être tombé amoureux de moi ? Une femme mariée qui, avant sa transformation, était une frustrée en surcharge pondérale ? En tout cas, après mille ans sans amour, je semblais représenter un grand espoir pour lui. Dans les cas désespérés, on peut très bien prendre cela pour de l'amour. J'avais connu ce genre de chose avec mon amie Taddi, célibataire depuis des années. Par désespoir, elle se toquait toujours de mecs qui me donnaient envie de lui dire : « Eh ben, ma vieille, tu ne recules vraiment devant rien ! »

Dracula prit ma main dans la sienne. Comme la première fois, son contact déclencha en moi un agréable frisson. Mon dos fut parcouru de délicieuses petites décharges électriques. Et mon cœur absent se mit à cogner très fort. C'était la sensation la plus plaisante qu'un contact ait provoquée en moi depuis des années.

— ... et cette créature l'aimera, poursuivit Dracula irrésistiblement.

Mon cœur absent se mit à battre la chamade.

— ... et ils vivront tous deux dans cet amour jusqu'à la fin des temps...

Euh, ça paraissait sacrément long.

Mais il me regardait avec tant d'espoir... de nostalgie... un soupçon de désir... et de l'amour... oui, il y avait réellement de l'amour dans son regard... c'était bouleversant... littéralement enchanteur.

Tout à coup, « jusqu'à la fin des temps » ne me parut plus aussi long. Après tant d'années, mon cerveau s'était de nouveau fait la malle.

MAX

Depuis que j'étais allé lever la patte (mon Dieu, que je détestais ce concept !) dans le bois, j'avais retrouvé Jacqueline au milieu d'une petite clairière et elle s'était remise à me dénigrer. J'avais honte de me découvrir aussi foncièrement pusillanime. Jusque-là, je m'étais toujours imaginé que si j'avais eu le corps qu'il fallait, j'aurais été de l'étoffe des héros. A présent, je possédais enfin ce corps puissant, et je restais un minable déserteur. Les paroles de Jacqueline étaient donc d'autant plus humiliantes.

— … Et quand la petite fille aura le vertige, nous pourrions aussi l'installer sur une poutre de gymnastique…

— Ça suffit !

Je ne pouvais plus supporter ses moqueries. D'autant moins qu'elle avait raison.

— Je ne trouve pas, fit-elle en souriant. Mais tu préférerais peut-être te battre contre un lapin câlin…

— J'ai dit : Assez !

— Et j'entends par là un lapin qui s'achète au rayon animaux en peluche…

— Oui, mais moi, je ne suis pas intellectuellement dégénéré comme toi ! beuglai-je.

Je voulais contre-attaquer, trouver une façon de lui faire mal. Je visai donc son talon d'Achille.

— Qu'est-ce que je suis ? demanda-t-elle.

— Idiote, traduisis-je.

— Je ne suis pas une idiote ! répliqua-t-elle, à présent aussi furieuse que moi.

— Ah bon ? Alors, explique-moi par exemple ce qu'est une « hypoténuse ».

— C'est simple… commença-t-elle avec une bravoure feinte.

— Eh bien, dis-le, insistai-je d'un ton provocant.

— Euh… réfléchit-elle. L'hypoténuse… c'est… une sorte de transe.

Je ris d'un air supérieur et en rajoutai une louche :

— Je m'attendais à une réponse de ce genre. Quand on dit que tu as une tête de linotte, c'est même faire affront à cet oiseau.

Cette fois, elle fut touchée au vif. Et cela me surprit. Cette phrase toute faite n'était pourtant pas très méchante. Jacqueline m'expliqua alors d'une voix tremblante :

— Mes parents m'ont dit quelque chose comme ça le jour où je suis entrée à l'école.

Profondément blessée, elle se détourna et alluma une cigarette avant de s'éloigner sur le chemin, me laissant tout seul dans la forêt. Elle avait enfin cessé de me faire enrager, et pourtant, je me sentais encore plus mal qu'auparavant. Je l'avais perdue avant même d'avoir réussi à m'en faire une amie.

Ou davantage.

Le pauvre crétin que j'étais s'éloigna en trottinant dans la direction opposée pour réfléchir à tout ce que la situation avait de catastrophique. Nous étions des monstres, maman avait disparu, et moi, j'étais non seulement un lâche, mais un lâche répugnant. J'aurais tellement eu besoin d'un bon livre ! Ou ne serait-ce que d'un médiocre. Une pensée me frappa soudain : maintenant que je savais à quel point j'étais lâche, il me serait difficile de continuer à m'identifier à des héros comme Harry Potter ! Plutôt à des poltrons, et de ceux qui, en plus, dégoûtaient les autres, comme Mondingus Fletcher. Pourrais-je jamais retrouver du plaisir à lire ces livres ? me demandai-je, le cœur serré.

— Comme ça, c'est bien, fit soudain une voix que je reconnus pour celle de Fée.

Au détour du chemin, je la vis, assise sur un tronc d'arbre, occupée à se faire masser la nuque par un jeune bûcheron.

— FÉE ! m'écriai-je avec indignation. Tu… tu ne peux pas hypnotiser comme ça ce pauvre garçon…

— Hmmm… fit-elle d'un ton dédaigneux. Bien sûr que je peux. Je l'ai déjà fait.

— Mais tu n'as pas le droit de te faire masser la nuque dans des conditions pareilles…

Je trouvais cela inconcevable.

— Tu as raison, dit Fée avec un grand sourire. Je crois qu'un massage des pieds est plus indiqué.

Et, s'adressant au bûcheron, elle lui demanda le traitement en question. Il se mit à genoux et commença à lui malaxer les pieds.

— C'est immoral ! m'insurgeai-je.

— Dis-moi, tu n'aurais pas un bâton à aller chercher ? répliqua-t-elle, agacée.

Je n'arrivais pas à le croire. Fée ne voulait pas s'arrêter. J'étais peut-être un poltron et un sale type. Mais elle, elle abusait de nos nouveaux superpouvoirs ! Qu'est-ce qui arrivait aux Wünschmann ? Etions-nous tous en train de devenir des monstres ? Maintenant que nous en étions ?

FÉE

— Tu... tu te laisses séduire par le côté obscur... bafouilla mon imbécile de frère en labourant de ses pattes le sol de la forêt.

— Et toi par le mélodrame, rétorquai-je.

Se faire masser les pieds n'avait tout de même pas grand-chose à voir avec la fabrication d'une Etoile de la Mort qui irait pulvériser une planète et ses sept milliards de petits hommes verts..

Les griffes de Max creusaient de plus en plus profondément la terre. Il me regardait d'un air méprisant. Et quand un idiot de loup-garou vous regarde avec dégoût, ça devient difficile de profiter des choses agréables. Alors, je poussai un soupir et dis au bûcheron :

— S'il te plaît, va me cueillir un joli bouquet de fleurs.

— Avec le plus grand plaisir, s'écria-t-il en disparaissant dans la forêt.

La petite princesse en moi avait toujours rêvé qu'on lui offre un jour un bouquet de fleurs sauvages. Mais avec les garçons à qui j'avais eu affaire jusqu'ici, c'était une idée totalement irréaliste. Même en rêve, ils n'auraient jamais pensé à m'acheter des fleurs, ni – ce qui était encore mieux – à m'en cueillir eux-mêmes. J'avais donc toujours dit à la petite princesse en moi : « Fais une croix là-dessus ! » Mais avec mes nouveaux pouvoirs d'hypnose, voilà que de toutes nouvelles possibilités s'ouvraient, à la princesse et à moi !

Je me levai de mon tronc d'arbre et tentai de justifier mon attitude :

— On est dans la merde la plus totale, alors, je peux au moins essayer d'en tirer le meilleur parti.

— Ce n'est pas le meilleur !

— Oh, arrête de me faire la morale. Ça me change un peu, pour une fois, que quelqu'un soit gentil avec moi.

— Même s'il n'est pas sincère ?

Max avait raison, bien sûr. Tout cela n'avait rien à voir avec la vraie gentillesse, et je le savais. J'essayai quand même de formuler une objection :

— En tout cas, c'est mieux que rien.

Déjà en le disant, je me demandais si c'était vraiment mieux que rien. Sûrement pas beaucoup mieux, ça, je m'en doutais. Juste un petit peu mieux que rien. Et… un petit peu mieux que rien, n'était-ce pas mieux que rien ?

Entre les arbres, j'aperçus le bûcheron occupé à me cueillir des fleurs, et il me fit tout à coup pitié. Je l'obligeais à payer pour ce que Yannis m'avait fait.

Non, ce n'était pas mieux que rien. En réalité, c'était même pire. Je me sentais affreusement coupable.

Max me tira de mes réflexions :

— Maman est partie, nous ne savons même pas où elle est.

— Cheyenne dit qu'elle est avec Dracula.

— Dracula... le vampire ? demanda Max en fronçant son visage de loup d'un air étonné.

— Non, Dracula le chef pâtissier, fis-je avec agacement.

— Le chef pâtissier ? demanda Max, encore plus perplexe.

— Le vampire, évidemment ! fis-je, encore plus agacée.

— Papa le sait ?

Max acceptait sans plus de questions cette histoire de Dracula. Après tout ce qui nous était arrivé, il paraissait trouver tout à fait crédible que maman soit avec Dracula, et d'abord que ce grand vampire existe réellement. Mais si Max le croyait, cela devenait pour moi aussi beaucoup plus réaliste, hélas !

— Je ne sais pas du tout si Cheyenne en a parlé à papa, répondis-je d'une voix mal assurée.

— Dracula... balbutia Max.

Il était si inquiet qu'il avait l'air prêt à fondre en larmes. Ça, je n'allais pas pouvoir le supporter, parce que maintenant j'avais de plus en plus peur pour maman. Pour l'empêcher de se mettre à chialer – et moi avec –, je le provoquai :

— Mais oui, maman va revenir, et elle va m'engueuler, comme d'habitude ! Et toi, elle te prendra dans ses bras, puisque tu es son petit chéri.

— Non, c'est toi qui es sa préférée, rétorqua-t-il sèchement.

Cela me fit éclater de rire.

— Elle passe beaucoup plus de temps avec toi, dit-il avec amertume.

— Oui, à me crier après et à pousser des soupirs !

— Elle t'accorde toute son attention…

— Une attention pareille, je peux m'en passer aussi facilement que d'une poussée d'acné, le coupai-je.

Mais Max était si vexé qu'il poursuivit comme si je n'avais rien dit :

— … et après, elle n'a plus d'énergie pour moi. Quand vous vous êtes bien disputées, elle me demande seulement : « Comment ça va ? » et elle n'écoute même pas ce que je réponds.

Il me regarda tristement et conclut :

— Alors c'est clair, tu es sa préférée.

J'étais abasourdie. Bien sûr, ce qu'il racontait était totalement débile, on ne peut pas être la préférée quand on se fait crier après comme moi. Mais Max y croyait. Son chagrin, sa colère étaient sincères.

— Si seulement j'étais capable d'être aussi vache que toi avec elle, dit-il avec amertume. Peut-être qu'alors elle trouverait le temps de s'occuper de moi.

Et il s'en alla en trottinant sur ses quatre pattes.

— Où… où vas-tu ?

— Au minibus. Attendre. Pendant ce temps-là, tu pourras encore te faire faire un enveloppement à l'argile par ta victime hypnotisée.

Je le suivis des yeux tandis qu'il s'éloignait, la queue basse. J'étais complètement retournée. Si Max avait raison, si j'étais vraiment la préférée de maman, alors… alors, ça n'allait pas du tout.

Juste à ce moment-là, le bûcheron revint avec un magnifique bouquet de fleurs. Mais cela ne me faisait plus plaisir, ni à la princesse en moi.

— Va offrir ce bouquet à quelqu'un que tu aimes vraiment, lui dis-je.

— Merci, répondit le bûcheron. Peter sera sûrement très content.

Il disparut dans la forêt. Un peu étonnée, je le suivis des yeux un instant, puis je retournai vers le minibus, perdue dans mes réflexions. J'avais des remords d'avoir hypnotisé ce bûcheron, et je me demandais maintenant comment Yannis pouvait profiter des filles et en changer constamment sans aucun remords. Comment un être humain pouvait-il faire cela sans se sentir aussi moche que moi en ce moment ? Dans ce cas, Yannis était bien pire que je ne l'avais imaginé. Quelqu'un d'aussi cynique ne méritait vraiment pas que je pense à lui une seconde de plus. A peine avais-je pris cette résolution que je cessai effectivement de penser à lui. Il n'avait plus d'importance dans ma vie.

Restait à savoir avec qui d'autre j'allais pouvoir être heureuse.

Mais fallait-il absolument qu'il y ait quelqu'un ?

La sorcière me l'avait bien dit : « Toi avoir aucune idée pour ta vie. »

La vieille avait malheureusement raison.

Dans ma classe, beaucoup d'autres avaient déjà des projets. Ils voulaient devenir banquiers, avocats, ou, comme Jenny, paysagistes. Mais moi, je n'avais jamais pensé jusqu'ici qu'à des sottises – aux garçons, par exemple.

Un métier bêtement normal comme ceux qu'envisageaient les autres, pour moi, ce n'était pas vraiment le rêve. Mais, ça aussi c'était trop bête, je n'avais pas de dons particuliers. Alors, qu'est-ce que je devais faire de ma vie ?

Pendant que je ruminais là-dessus, j'entendis mon père, dans le minibus, pousser un hurlement de rage et de jalousie :

— DRFMULA ???

EMMA

Mon cerveau voulait de nouveau s'envoler pour les Caraïbes en laissant la clé de mon corps à mes sentiments. Il avait quasiment fait ses valises. Mais je n'avais pas le droit de le laisser partir en voyage comme ça ! Parce que j'étais mariée. Que j'avais une famille. Et parce que « Princesse des damnés » n'était pas tout à fait la réponse que j'aurais voulu donner à la question : « Comment vous voyez-vous dans cinq ans ? »

Je criai donc à mon cerveau :

— Laisse ces valises !

— Pardon ? fit Dracula en lâchant ma main, perplexe.

Que répondre ? Je pouvais difficilement lui raconter que j'étais sur le point d'éprouver des sentiments pour lui, que je désirais même qu'il me reprenne la main, parce que c'était si bon. Je n'avais pas le droit de l'encourager.

— Euh… c'est juste une expression comme ça…

Malheureusement, Dracula voulait en savoir davantage :

— Et que signifie-t-elle ?

— Eh bien… que.. qu'on doit laisser les valises ? expliquai-je sans conviction.

Dracula me jeta un bref regard qui semblait dire que c'était moi maintenant qui avais une araignée au plafond. Puis il reprit tendrement ma main, et cette fois, mon cerveau sortit les bermudas de l'armoire.

— Lâche ces bermudas ! criai-je.

— Ce que tu dis n'a aucun sens… reprit Dracula en souriant. Mais c'est fascinant.

Mon Dieu, il en était déjà au stade amoureux où l'on trouve fascinant tout ce que fait la personne aimée, même quand elle se cure les oreilles avec un bâtonnet !

— Nous sommes faits l'un pour l'autre, renchérit-il. Comme Harboor l'avait prédit.

Usant de toutes les forces de ma volonté, je retirai ma main et déclarai :

— Ce... ce doit être un malentendu... il s'est sûrement trompé dans sa prophétie, ce Haribo...

— Harboor, corrigea Dracula.

— Quel que soit son nom... Je veux dire, que pouvait-il en savoir ? Il a vécu il y a dix mille ans. A l'époque, les gens mouraient à vingt ans, et à cet âge, si on avait encore trois dents, on pouvait pratiquement se prendre pour le Dr Best.

— Harboor a prédit l'invention de la roue, la chute de l'Empire romain, les croisades...

J'avalai ma salive. Ce type semblait avoir un super taux de réussite.

— Est-ce à cause de ta famille que tu résistes à notre destin commun ? demanda Dracula.

Je ne répondis pas.

— Est-elle donc si merveilleuse ? insista-t-il.

— Euh... oui, enfin... en quelque sorte, fis-je évasivement.

— Te rend-elle heureuse ?

— Parfois, répondis-je avec hésitation.

— Seulement parfois ?

Je gardai un silence attristé.

— « Parfois », c'est trop peu pour une femme telle que toi.

Je dus résister à la tentation de lui donner raison intérieurement. Il se dirigea vers la table et prit place sur l'espèce de trône où je m'étais assise auparavant.

— Je peux t'offrir des richesses incommensurables, un amour et une passion sans fin. Pour une vie éternelle. Et tu ferais très sérieusement le choix d'une famille qui ne te rend pas heureuse ?

Ainsi formulé, j'avais un peu l'air d'une imbécile.

Alors que son offre à lui paraissait vraiment séduisante. Comme l'homme lui-même. Dans un tout autre genre que Frank à l'époque. Frank était alors un homme auprès de qui on se sentait en sécurité, avec qui on pouvait fonder une famille – ce que j'avais fait. Et cela m'avait amenée, la veille, à me poser tristement la grande question : Avais-je toujours fait les bons choix dans ma vie ? Ou seulement la moitié du temps ?

Dracula, par comparaison, était le symbole même du *bad boy* fascinant. Avec lui, on était sûre de vivre à cent à l'heure, de connaître la vraie passion, et puis, il avait assez de serviteurs pour qu'on n'ait jamais à se chamailler pour savoir qui allait descendre la poubelle.

Mais il y avait mieux encore. Contrairement à tous les autres *bad boys*, il ne me quitterait jamais ! Il savait ce que c'était que de rester célibataire pendant mille ans. De plus, il n'avait pas vraiment le choix. Les autres vampires n'avaient pas comme nous une âme. Et il n'était pas question pour lui de se rabattre sur les humains. Dracula ne reluquerait jamais les fesses de Stephenie Meyer. Rien de tout cela. Mais il m'offrirait l'immortalité. La richesse. La passion. L'amour éternel. Avec lui, je pourrais voyager. Découvrir toutes sortes de pays. Conquérir le monde ! Mener la vie aventureuse dont j'avais rêvé petite fille. Et que je n'avais jamais pu réaliser. A cause de ma famille.

Il y avait beaucoup moins alléchant.

Par exemple Frankenprout.

Oh, non ! Qu'est-ce que c'était que cette idée ?

Je n'avais pas le droit de penser une chose pareille. C'était de la folie !

Mon Frankenprout, je l'aimais. C'était un Frankenprout formidable !

— Maintenant, laisse-moi rejoindre ma famille, dis-je aussi résolument que je le pus.

— Cela va de soi, répondit Dracula à ma grande surprise. Ne t'ai-je pas promis que tu pourrais la retrouver ?

— Parfait.

Je m'efforçai de ne pas montrer à quel point j'étais étonnée que Dracula ne discute pas davantage. Il se leva de son trône, s'avança vers moi et me sourit avec tendresse.

— Emma, tu reconnaîtras bientôt que nous sommes faits l'un pour l'autre, et alors, tu quitteras ta famille.

— Je... je ne ferai jamais ça, répliquai-je vaillamment.

Il se tut et n'insista pas. C'était le comble : il semblait même compatir. Encore un avantage sur Frank. D'ailleurs, il n'avait pas pété une seule fois.

Au lieu de reprendre la parole, Dracula déposa un léger baiser sur ma joue. Ses lèvres étaient très douces. Tout engourdie de bien-être, je reculai de quelque pas et me cognai le coude contre la table, ce qui me fit un mal de chien et, à mon grand soulagement, rompit le charme du baiser.

Tandis que la douleur s'atténuait peu à peu, je réfléchis. Si je ne voulais pas que la prophétie de ce devin édenté se réalise, je ne devais pas rester les deux pieds dans le même sabot. Tout d'abord, il me faudrait bien sûr retrouver la sorcière et obtenir qu'elle nous retransforme en nous-mêmes. Cela, c'était clair. Mais j'avais une autre chose à faire pour pouvoir résister à l'immense séduction de Dracula : je devais m'arranger pour être plus heureuse avec ma famille. Beaucoup plus heureuse !

Quand le chauffeur démarra peu après, je me sentis à la fois soulagée et triste de ne plus être auprès de Dracula. Pour me changer les idées, je jetai un regard en arrière vers le magnifique domaine dont nous venions de franchir les portes, et me demandai comment Dracula avait bien pu s'offrir tous ces châteaux à travers le monde. Etant incapable de trouver la réponse moi-même, je posai la question au chauffeur. Il passa la main dans sa tignasse à la Jogi Löw et déclara :

— Eh bien, lorsqu'on est immortel, il faut avoir le sens des affaires si on ne veut pas dormir sous les ponts pendant des siècles.

Cela paraissait logique. L'immortalité avait aussi ses exigences terre à terre, et Dracula semblait les maîtriser avec panache. Cela ne le rendait pas moins attirant comme homme. Hélas.

— Le maître, poursuivit le chauffeur, possède plusieurs consortiums. Dont un auquel il a donné le nom d'un homme de son village natal. Un clochard nommé Gugel[1].

Cette multinationale appartenait à Dracula ? Cela expliquait son comportement laxiste vis-à-vis des droits d'autrui. Et cela m'ouvrait des horizons.

— Alors, c'est par les satellites que Dracula savait où j'étais ?

---

1. Prononcer « Google », bien sûr !

Le chauffeur se mit tout à coup à tripoter nerveusement son oreille gauche de prince Charles.

— J'ai raison, ou pas ? insistai-je.

— Je n'ai pas le droit de m'exprimer sur ces sujets, déclara-t-il en s'engageant sur la nationale.

J'eus l'impression qu'il voulait me cacher un détail important. Je cherchai à l'intimider un peu :

— Vous savez que je suis une vampiresse, n'est-ce pas ?

— Je porte une croix sur moi.

Cette seule pensée me fit frissonner. Mais j'étais bien trop curieuse pour me laisser décourager aussi facilement. Je souris et repris d'une voix menaçante :

— Cependant, vous savez aussi que votre maître tient beaucoup à moi. Et je crois qu'il ne serait pas amusé si je lui racontais que vous avez essayé de me séduire.

— Mais… je n'ai rien fait de tel ! protesta-t-il.

— Oui, oui… mais ce sera ma parole contre la vôtre, fis-je avec un sourire hautain.

Charles-Jogi commençait à avoir peur, et je m'aperçus que je prenais un grand plaisir à inspirer la crainte. Je comprenais maintenant pourquoi tant de gens voulaient devenir P-DG.

Chogi se résigna à jeter l'éponge.

— Voici comment cela est arrivé, dit-il. Je conduisais le maître vers son château de Transylvanie, quand une femme est apparue subitement au milieu de la route… J'ai freiné en catastrophe…

— Comment ? l'interrompis-je. Cette femme est « apparue », comme cela ?

— Si j'ai bien compris, Madame, c'était une sorcière, et elle venait nous apprendre votre existence. Je n'en sais malheureusement pas davantage : mon maître est descendu de la voiture et a poursuivi la conversation sur la route.

Il ne pouvait s'agir que de Baba Yaga. Elle connaissait donc Dracula. Et lui avait parlé de moi. Qu'est-ce que cela signifiait ? La sorcière pouvait-elle m'avoir créée spécialement pour être la fiancée de Dracula ? Dans ce cas, quel était son but ? Et pourquoi m'avait-elle choisie, moi ? Elle aurait pu trouver mieux pour fabriquer une fiancée, du moins à en croire ma belle-mère, qui me désignait sous le surnom peu flatteur de « la mauvaise décision ».

Une autre pensée me vint : Baba Yaga n'était donc pas partie directement pour la Transylvanie. Je m'étais imaginé qu'elle pouvait se transporter là-bas par des moyens magiques, mais peut-être n'en avait-elle plus la force, à cause de sa mort prochaine. Nous avions donc une petite chance de rattraper la sorcière en route, à condition toutefois qu'elle ait choisi le même itinéraire que nous, ce qui était hautement improbable. Mais, comme disait l'autre : Tant qu'il y a de la vie, il y a de l'espoir. Une phrase qui sonne bien aussi après des déclarations comme :

« Nos centrales nucléaires sont sûres. »

« Tant que l'orchestre joue, il ne peut rien arriver au navire. »

« Si nous ne bougeons pas du tout, le rhinocéros va passer devant nous sans s'arrêter. »

Ou encore :

« Avec le prochain homme de ma vie, tout sera différent. »

Grâce aux satellites de Google, Chogi savait où Cheyenne campait avec ma famille. Tandis que la limousine cahotait sur le chemin forestier menant au minibus VW, je chassai de mes pensées Baba Yaga et Dracula. Une seule chose comptait réellement : je devais redevenir heureuse avec ma famille. Et pour y parvenir, il me fallait retrouver trois clés perdues au fil des dernières années : celles des cœurs de Fée, de Max et de Frank.

Quand le minibus jaune fluo fut en vue, je priai le chauffeur de s'arrêter. Je voulais faire les derniers mètres à pied afin de rassembler mes pensées. En m'éloignant de la voiture, j'entendis Chogi marmonner tout bas :

— Il va falloir que je me recycle de toute urgence.

Bouleversée, je m'avançai vers ma famille. Dès que j'approchai du minibus, Max accourut joyeusement et me fit fête, dressé sur ses pattes de derrière. J'eus tout juste le temps de lui dire :

— Ne me lèche pas, s'il te plaît !

Max rentra sa langue et s'assit à côté de moi. Je gratouillai copieusement son pelage, une expérience humaine tout à fait nouvelle entre mon fils et moi. En même temps, je regardais Fée. Elle était adossée à un arbre et, sous ses bandelettes, je crus reconnaître un sourire soulagé. Tout à coup, j'entendis derrière moi un grondement de basse qui fit vibrer le sol de la forêt. Je me retournai. Frank paraissait furieux. Il grogna férocement :

— DRFMULA ?

— Oui… Dracula, admis-je en m'efforçant de ne pas fixer le sol d'un air embarrassé.

— FMOUCH ? questionna-t-il avec colère.

— Fmouch ?

Je ne comprenais pas ce qu'il voulait dire. Cheyenne s'efforça de m'éclairer :

— Je *crois* que si c'était un monstre anglais, il t'aurait demandé : « Fmuck ? »

Mon Dieu ! Frank pensait que j'avais couché avec Dracula ?

— FMESI ? demanda-t-il en essayant autre chose.

— Là, traduisit de nouveau Cheyenne, je crois qu'il veut dire « bais… »…

— J'AI TRÈS BIEN COMPRIS ! coupai-je.

Je regardai Frank avec surprise. Mon Dieu, il était réellement jaloux ! D'un côté, je me sentais en faute, car s'il n'y avait pas eu de « fmesi », il y avait bien eu un « fmtenirmenotte ». D'un autre côté, je trouvais assez formidable que Frank soit jaloux. Lorsqu'il était encore humain, il était si fatigué qu'il n'aurait jamais eu la force de s'énerver comme cela. Avec ce nouveau corps, au moins, ses sentiments se réveillaient. C'était émouvant.

— Non, pas fmesi, répondis-je à Frank en lui souriant.

Ce que Max commenta ainsi :

— Le niveau de langage de cette famille dégénère à la vitesse grand V.

Frank m'observa attentivement, mais je soutins son regard en souriant. Il parut alors se décider à me croire : son visage de monstre se détendit, il eut un sourire soulagé et soupira :

— Ouff !

Je poussai moi aussi un profond soupir. Frank me redemanda alors :

— Fmesi ?

Mais cette fois, il nous désignait, lui et moi ! Mon Dieu, il voulait que nous couchions ensemble maintenant ? Une petite sieste coquine entre monstres ? Je n'étais tout à coup plus aussi sûre de trouver charmant que les sentiments se réveillent dans son nouveau corps.

Sans me laisser le temps de répondre, Fée déclara :

— A mon avis, les parents ne devraient jamais parler de sexe en présence de leurs enfants. C'est à cause de ça que, des années après, les enfants doivent faire des thérapies de groupe très chères où on les oblige à jouer à pigeon vole.

— Ou alors, ils ont besoin de boire énormément d'alcool, renchérit Jacqueline. Au fait, puisqu'on parle de ça : faites vos cochonneries entre vieux si ça vous tente, mais moi j'ai soif, et une faim de loup !

Je n'avais pas pensé à ça, mais de fait, nous avions été attaqués par les rockers sans avoir eu le temps de commander nos menus économiques.

— Et moi, je suis fatiguée, ajouta Fée.

Elle était sans doute aussi épuisée moralement que physiquement. Je regardai le ciel, où le soleil était très bas au-dessus des arbres. Il ne devait plus guère nous rester qu'un jour et demi avant la mort de Baba Yaga. D'un autre côté, je devais laisser ma famille se reposer un peu si je voulais me rapprocher d'elle et retrouver les clés de son cœur. Si nous ne dormions pas trop longtemps, calculai-je, nous pouvions nous arrêter quelque part pour la nuit et arriver malgré tout à temps en Transylvanie.

— Nous allons d'abord acheter de quoi manger, et ensuite chercher un endroit pour dormir.

Tout le monde approuva avec soulagement. Frank me regarda, plein d'espoir.

— Fmesi ba ?

Cheyenne prit un air réjoui.

— Je crois qu'il demande si, là-bas, vous…

— J'AI COMPRIS !

Quand Cheyenne eut fait d'abondantes provisions de nourriture au McDrive suivant – dans ce genre de situation, une mère ne se soucie plus d'établir des menus équilibrés pour ses enfants –, nous nous arrêtâmes dans l'un de ces hôtels à

« trente-neuf euros la nuit » que l'on trouve au bord des auto-outes. L'avantage de ces hôtels pas chers étant qu'à partir d'une certaine heure, le réceptionniste est remplacé par un distributeur automatique, ce qui nous évita de faire sensation. Tandis que nous nous dirigions vers nos chambres le long des couloirs éclairés au néon, Max me poussa du museau et demanda :

— Comment as-tu réussi à neutraliser ta soif de sang ?

Je lui expliquai le coup de la pilule de Dracula. Quand j'eus terminé, Max posa une autre question :

— Dracula t'a-t-il dit aussi combien de temps durait l'effet du succédané ?

Oh, non ! Je n'avais même pas pensé à ça !

— Toute une vie immortelle ? poursuivit Max. Un mois, un jour, deux heures ?

Je n'en avais bien sûr aucune idée. Profondément déstabilisée, je dis à Max :

— Mon fils, encore un conseil pour la vie : aucun être humain n'aime ceux qui attirent son attention sur des choses désagréables.

Pour échapper à la concupiscence de Frank, j'organisai les chambrées comme suit : Frank / Max, Jacqueline / Cheyenne, et Fée / mon humble personne. J'entrai avec ma fille momie dans la chambre équipée d'un W-C autonettoyant, de deux couchages pénitentiaires et d'un vieux poste de télé à tube cathodique.

Au moins, j'étais contente de me retrouver seule avec Fée, bien qu'elle soit fatiguée et sur les nerfs. Car j'allais pouvoir chercher la première des trois clés qui devaient sauver notre famille. Je commençai sur un ton encourageant :

— C'est vraiment chouette d'avoir enfin un peu de temps ensemble toutes les deux.

Elle me regarda comme si j'avais déclaré : « C'est chouette d'avoir toutes les deux une bonne gastro. »

— Je veux dire… pour une fois, nous avons un moment pour parler ensemble à bâtons rompus, sans être pressées.

On entendit littéralement Fée penser : « Super ! »

— Avoir une vraie conversation entre mère et fille… poursuivis je vaillamment.

Après tout, je ne pouvais pas m'attendre à ce qu'elle réagisse aussitôt avec enthousiasme.

— Si tu veux encore me parler de faire une « mise au point » je saute par la fenêtre, dit-elle.

Je ne tenais pas plus qu'elle à ces « mises au point ». Celles que je lui avais fait subir au cours des dernières années ne comptaient certes pas parmi les grandes heures de l'histoire de la communication. Je m'efforçai de la rassurer :

— Non, je voulais seulement savoir si tu avais un vœu quelconque à formuler.

— A part de ne plus être une momie ?

— Euh… quelque chose que tu souhaiterais de ma part, en tant que mère, expliquai-je avec douceur.

Elle me jeta un regard interrogateur et, me voyant sourire, demanda avec espoir :

— Tu parles sérieusement ?

— Oui. Tout à fait sérieusement.

— Bon… commença-t-elle avec hésitation. D'abord, ce serait bien si tu criais moins après moi.

Sur le coup, j'eus envie de répondre : Merci, pareil pour toi ! Mais je me retins et, à la place, dis :

— Moi non plus, cela ne me fait pas plaisir de crier tout le temps. Je vais donc arrêter avec ça.

— C'est promis ? dit-elle d'un air sceptique.

— C'est promis !

Je levai même la main pour prêter serment. Fée sourit, visible-ment heureuse de cette promesse. C'était la première fois depuis longtemps que je la voyais sourire, et j'en fus heureuse moi aussi. Soudain, elle posa une question qui me prit au dépourvu :

— Et toi, tu es heureuse dans ta librairie ?

— Comment ?

— Oui, es-tu vraiment heureuse dans ton travail ?

— Mais... pourquoi me demandes-tu cela ?

— Eh bien... je... je suis en train de réfléchir sur ma vie, sur ce que je pourrais faire plus tard – enfin, si jamais nous arrivons à nous sortir de cette histoire de monstres.

Quelle surprise ! Elle me posait une vraie question de conversation mère-fille. Cela marchait donc, j'étais en train de renouer les fils avec elle, et en mieux ! Qui sait, peut-être retrouverais-je la clé de son cœur ?

Mais que fallait-il répondre ? Je décidai d'essayer la franchise :

— Je ne suis pas tout à fait heureuse à la librairie.

— Hmm...

Apparemment, ma réponse ne l'aidait pas beaucoup.

— A quoi penses-tu ? demandai-je avec précaution.

— Oh, à des choses...

— Pourrais-tu préciser un peu ?

— Ben... j'aimerais bien trouver un domaine où je puisse vraiment me réaliser, mais...

— ... tu ne sais pas ce que cela pourrait être.

Fée acquiesça.

— Tu es encore très jeune. Concentre-toi sur tes études, et après, tu verras.

Il y eut un petit silence, puis Fée demanda :

— C'est tout ?

— Pardon ?

— Je te demande un conseil pour ma vie, et toi, tu me dis de me concentrer sur mes études ? Rien que ça ?

Elle avait raison, j'étais vraiment trop pragmatique.

— Eh bien, après le bac, tu pourrais essayer de trouver quelque chose qui te fasse plaisir…

Son visage de momie exprimait clairement que cela non plus ne l'aidait pas. Elle voulait des réponses. Maintenant. Là. Et je n'en avais pas.

— Sois patiente, dis-je avec un faible sourire.

— J'aurais dû le savoir, soupira-t-elle, déçue.

— Savoir quoi ?

— C'est bon.

— Mais dis-moi, insistai-je.

— J'aurais dû savoir que quelqu'un qui n'a rien trouvé d'intelligent pour lui-même ne peut pas m'aider.

J'aurais mieux fait de ne pas insister.

Sa remarque me blessait d'autant plus que j'avais bien trouvé le métier de mes rêves, mais j'étais tombée enceinte à ce moment-là, et c'était pour elle que j'avais renoncé à ce travail.

— Ne me parle pas comme ça, maugréai-je.

— Je parle comme je veux, rétorqua Fée sans s'énerver.

— ABSOLUMENT PAS !

— Je croyais que tu ne voulais plus me crier après, dit-elle avec amertume.

Là, elle n'avait pas tort.

— Je savais bien que tu ne tiendrais pas parole plus d'une minute.

Je fis un effort pour désamorcer le conflit :

— Excuse-moi.

— C'est bon.

Malgré cette réponse, elle me jeta un de ces regards dégoûtés qui m'humiliaient et me mettaient en colère à la fois. Dans ces moments-là, je me sentais vraiment une mauvaise mère.

— Il n'y a vraiment rien que tu trouves bien chez moi ? demandai-je, piquée au vif.

Elle ne répondit pas.

— Allons, tu as bien quatre ou cinq petites idées ?

Silence.

— Deux et demi ? m'efforçai-je de plaisanter.

— Tu sais très bien mettre les gens dans la merde.

Sa réponse m'affecta d'autant plus que, dans la situation présente, je ne pouvais pas lui donner tort. Mais je ne voulais pas me mettre en colère. Elle ne peut pas te faire craquer, me dis-je en moi-même.

— Et tu es assez bonne aussi pour t'énerver.

Elle ne peut pas te faire craquer, me répétai-je comme un mantra.

— Et tu es vraiment superbonne pour bousiller ma vie, comme tu as bousillé la tienne !

D'accord. Elle peut quand même. Je me mis à gueuler :

— Moi aussi, j'aimerais bien avoir une autre fille ! Une qui ne redouble pas... qui ne me crie pas après... qui aide un peu pour le ménage... et qui ne donne pas à sa mère l'impression qu'elle est un vrai monstre !

— Si tu veux une fille modèle, tu n'as qu'à t'en fabriquer une ! répliqua Fée, touchée au vif.

Derrière les bandelettes, je vis les larmes monter dans ses yeux noirs. Quelle idiote j'étais ! Comme si la situation n'était pas assez dramatique, j'avais réussi en plus à faire du mal à ma fille ! Elle m'en avait fait elle aussi, mais c'était moi l'adulte... c'était à moi de me contrôler. J'aurais pu me gifler séance tenante, de préférence avec la machine à gifles inventée par Géo Trouvetou, et en la réglant sur la force maximale.

— Je... je suis désolée, mon lapin, dis-je doucement.

Fée garda un silence blessé. Puis elle alluma le petit poste de télé pourri et afficha son air patenté « je regarde droit devant moi jusqu'à ce que tu t'en ailles ».

Je me levai et quittai tristement la pièce. Même en ce moment où l'existence de notre famille était en jeu, je n'étais pas capable de trouver la clé menant au cœur de ma fille.

En sortant de la chambre avec le sentiment d'avoir tout raté en matière d'éducation, je me heurtai à Max qui passait justement par là. Surprise, je lui demandai :

— Pourquoi n'es-tu pas dans votre chambre ?

Il avait beau être un loup-garou, cela m'inquiétait de le voir se promener seul à cette heure dans les couloirs d'un hôtel aussi sinistre. Dieu sait quelles rencontres il pouvait faire !

— Il faut que j'aille faire pipi dehors, m'expliqua-t-il.

— Mais il y a bien des toilettes dans la chambre ?

— Et moi, je suis un loup. Ce genre de siège me pose un problème de logistique compliqué.

Je n'avais pas pensé à ça.

— J'ai bien essayé, poursuivit-il, mais j'ai glissé de la cuvette et je me suis cogné dans le distributeur de papier en métal.

Il me montra une petite égratignure qui saignait au-dessus de son œil fauve de loup. Le sang ne me tenta pas du tout, ce qui fut un soulagement : au moins, l'effet de la pilule persistait. De plus, après ma tentative désastreuse avec Fée, j'étais contente de tomber sur Max : la clé de son cœur à lui serait sans doute plus facile à trouver. Après tout, nous n'avions jamais eu de conflits ensemble. Il était plutôt du genre timide, voire un peu trop silencieux.

— Et toi, me demanda-t-il, que fais-tu dans le couloir ?

— Je me suis disputée avec Fée, avouai-je.

— Je m'en doutais.

Il avait dit cela d'un ton agacé, quasiment offensé, comme si c'était avec lui que je m'étais querellée. Trouvant son attitude bizarre, j'essayai d'orienter la conversation sur lui :

— Alors, comment te sens-tu ?

— De toute façon, ça ne t'intéresse pas ! Tu ne t'intéresses qu'à Fée, répondit-il agressivement, à ma grande stupéfaction.

— Euh… qu'est-ce qui te fait dire ça ?

— Tu adores te disputer avec elle !

— C'est sûr ! fis-je en riant. J'aime ça presque autant que de me faire dévitaliser une dent.

— Mais moi aussi, je peux le faire. Tu veux voir ?

— Non, merci.

Je n'y comprenais plus rien. Quelle armée de mouches avait bien pu le piquer ?

— Tu… tu as un cerveau de paramécie !

Son intelligence surdéveloppée rendait maladroites ses tentatives d'insulte. Fée était capable de jurer comme un charretier, mais quand il se mettait artificiellement en colère comme cela, Max ne réussissait qu'à être mignon. Je dus me retenir de sourire, car s'il avait l'impression que je ne le prenais pas au sérieux, il serait à coup sûr vexé.

— Tu… tu n'es pas plus évoluée qu'un homme de Cro-Magnon !

Devant cette nouvelle tentative, j'eus de la peine à garder mon sérieux.

— Tu… tu es… aussi dégénérée que… qu'une… balbutia-t-il.

— Qu'une quoi ? demandai-je, amusée de le voir chercher ses mots, déjà essoufflé.

— … qu'une dégénérescence !

Cette fois, je ne pus retenir un ricanement étouffé.

— Quoi ? Qu'est-ce qui te fait rire ? éclata-t-il, si furieux qu'il en aboyait presque.

— Je t'aime beaucoup trop pour que tu puisses me fâcher.

— Ah oui ? Tu vas voir !

Cinq secondes plus tard, le bas de mon pantalon était trempé d'un liquide tiède.

La dernière fois que Max m'avait pissé dessus, c'était une bonne dizaine d'années plus tôt, pendant que je le changeais sur la table à langer. Ce jour-là, je l'avais menacé pour rire en lui disant : « Quand tu auras une petite amie, je lui raconterai ça ! »

Mais mon fils était maintenant un loup-garou, et cela me parut donc nettement moins mignon. Il me regarda d'un air triomphant et s'en alla en courant. De toute évidence, je n'avais pas trouvé la clé du cœur de mon fils. Qu'avais-je fait de si terrible pour que mes enfants me haïssent à ce point ? Peut-être étais-je réellement une mauvaise mère ? Peut-être, me dis-je avec tristesse, peut-être même s'en sortiraient-ils beaucoup mieux si je partais avec Dracula ?

Et moi aussi.

Tandis que je remuais ces sombres pensées, j'entendis soudain une voix :

— Efma ?

Je me retournai. Frank était sur le pas de la porte de sa chambre et me souriait gentiment. Enfin, aussi gentiment que pouvait sourire le monstre de Frankenstein. Sa main me caressa tendrement la joue. Enfin, aussi tendrement que le pouvait la main de la créature de Frankenstein – l'impression était plutôt celle d'une gifle légère. De l'autre main, il m'invitait d'un geste maladroit à entrer dans la chambre. Comme j'hésitais, il répéta cérémonieusement mes paroles de sa voix métallique :

— Pas fmesi.

Je ne pus m'empêcher de sourire et le suivis dans la chambre. Peut-être trouverais-je au moins la clé du troisième cœur ? Nous nous assîmes sur le lit, dont le sommier s'enfonçait tellement sous le poids de Frank que nous étions presque assis par terre. Après un petit silence, je lui demandai s'il se souvenait de la vie d'avant notre transformation.

Frank se concentra, cherchant une réponse. On avait presque l'impression de voir les roues dentées de son cerveau mal huilé s'emboîter lentement les unes dans les autres. Au terme d'un très, très long processus mental, il dit :

— Fftipeu.

C'était toujours mieux que rien.

Nous nous tûmes un petit moment, puis je rassemblai mon courage et lui demandai :

— Eprouves-tu encore quelque chose pour moi ?

Au lieu de grogner une réponse, il prit le bloc à dessin qu'il avait emporté du minibus et se mit à l'ouvrage. Quand ce fut fini, il me montra le résultat :

Je fus très émue. Comme c'était charmant ! Et il l'était lui aussi, en cet instant. Je posai une autre question :

— Qu'aurais-tu fait si Dracula et moi, nous avions vraiment... ?

Je ne terminai pas ma phrase, ce que je voulais dire était assez évident.

Frank reprit son bloc et gribouilla avec agitation :

En voyant ce dessin, j'éclatai de rire. Cela me fit du bien. Je n'avais pas ri une seule fois depuis notre transformation en monstres.

— Et que m'aurais-tu fait, à moi ? demandai-je alors.

La réponse ne se fit pas attendre :

Je ris de nouveau et trouvai cela formidable. Vraiment libérateur. Et c'était si bon que ce soit mon propre mari qui me fasse rire !

J'embrassai avec gratitude le boulon sur sa joue. Il avait un goût de métal rouillé. Sous l'effet du baiser, le visage gris de Frank vira au rouge. Ce fut merveilleux, car cela signifiait que je n'avais plus besoin de chercher la clé de son cœur : je la possédais déjà. Je n'avais donc pas encore tout à fait perdu ma famille.

FÉE

Comme la vieille télé de la chambre n'arrêtait pas de grésiller, je décidai de monter sur le toit de l'hôtel pour m'aérer un peu le cerveau. Je n'avais pas trop le moral : il y a quand même des choses plus sympa que de s'entendre dire par sa mère qu'elle aurait mieux aimé avoir une autre fille. Mon cinglé de frère pensait que j'étais sa préférée, mais je l'étais surtout comme cible ! De plus, je n'avais pas progressé d'un pas sur la question « Qu'est-ce que je vais faire de ma vie », question que je ne m'étais encore jamais posée sérieusement avant la soirée de la veille.

Arrivée en haut, je fus arrachée à mes sinistres pensées par un drôle de spectacle. La vieille sorcière était allongée sur le bord du toit plat de l'hôtel, l'air bien mal en point : pâle, suante et frissonnante. Pas étonnant, si elle devait mourir dans les quarante-huit heures.

— Quoi toi faire ici ?

Elle paraissait aussi surprise que moi. De toute évidence, elle ne se doutait absolument pas que nous étions descendus au même hôtel.

— Retransforme-nous tout de suite ! lui criai-je sans trop réfléchir.

— Je pas penser à ça, répliqua-t-elle en se redressant péniblement.

— Sinon, je taper toi sur la cafetière, menaçai-je.

— Je pas avoir cafetière, répondit-elle, perplexe.

— Oui, mais toi bientôt avoir des bosses.

— Toi parler bizarre, déclara-t-elle en achevant de se relever sur ses jambes vacillantes.

La vieille avait raison, je devais arrêter de parler comme un Indien pas doué pour les langues étrangères.

J'allais me jeter sur elle, quand je me souvins tout à coup de mes pouvoirs hypnotiques. Je m'arrêtai net, me campai devant elle et la regardai bien en face dans ses yeux verts, aussi brillants qu'un lac où on aurait déversé une flopée de déchets radioactifs.

— Je veux que tu nous redonnes à tous notre forme première, dis-je.

La vieille ne fit qu'en rire, d'un rire bruyant, moqueur, perfide. Elle aussi était immunisée contre mon pouvoir. Apparemment, cela ne marchait que sur les gens normaux.

— Je être magicienne, déclara-t-elle avec arrogance.

— Non, toi être juste une malade ! criai-je.

— Toi encore parler bizarre, fit-elle avec un sourire si large qu'il découvrit ses dents pourries.

— ARGGHH ! m'écriai-je avec fureur en levant le poing.

— Et toi crier bizarre aussi !

Elle souriait encore plus largement, prenant plaisir à se foutre de moi. Le même plaisir que j'aurais eu à la débarrasser de ses dernières dents. Au moment où j'allais la frapper, elle sortit d'une main tremblante son amulette d'argent et se mit à bredouiller :

— *Re invoc a terici…*

L'amulette commença à briller, et moi à avoir la trouille : la vieille voulait-elle par hasard me tuer avec sa magie ?

— NON ! hurlai-je, paniquée.

Je levai le bras pour la frapper, mais elle continua à marmonner tranquillement :

— *Enver ti terici…*

L'amulette rayonnait maintenant d'une lumière si aveuglante que je n'y voyais plus rien. Je frappai quand même, parce que je savais où elle était… mais mon poing ne rencontra rien. Pas parce que j'avais mal visé. Non, c'était la sorcière qui avait disparu. Cette idiote s'était volatilisée ! Et comme j'avais tapé dans le vide, je perdis l'équilibre, emportée par mon élan. Mon pied droit trébucha sur le rebord du toit, puis le gauche. Je plongeai.

Je fonçais vers le sol, la tête la première. Le vent sifflait à mes oreilles. Etonnamment, je n'avais plus peur. Je n'éprouvais qu'une infinie tristesse. Parce que ma vie s'achevait avant même d'avoir vraiment commencé.

J'aurais bien voulu pleurer, mais les larmes ne venaient pas. Cela me donna encore plus envie de pleurer.

Une pensée me traversa alors l'esprit : peut-être mon corps voulait-il ainsi me dire quelque chose ? Par exemple : « Arrête de pleurnicher pour un oui ou un non, idiote ! Tu as passé toute ta vie à te plaindre, et c'est pour ça que rien n'a vraiment commencé. Au moins, ne gâche pas tes dernières secondes ! »

Et si c'était là le message de mon corps, il avait entièrement raison ! Je n'avais jamais fait que gémir. Alors que j'aurais pu me secouer un peu et changer de vie ! Envoyer balader l'école, partir en voyage, comme Cheyenne – qui, entre parenthèses, avait eu une vie bien plus heureuse que maman.

Voilà, ça, c'était un plan ! Suivre l'exemple de Cheyenne ! Ficher le camp de la maison, parcourir le monde et trouver ce qui me plairait et me rendrait heureuse !

« Rien ne vaut l'action », comme disait je ne sais quel auteur qu'on avait étudié en cours d'allemand. Qui était-ce donc ? Goethe ? Schiller ? Tartempion ?

Dommage qu'on n'ait ce genre de révélation que lorsqu'on n'a plus que sept secondes à vivre. Dans ces cas-là, « Mieux vaut tard que jamais » n'est même pas une consolation.

Mais je n'allais pas non plus passer les dernières secondes de ma vie à me lamenter là-dessus et à jouer les fontaines. Je voulais affronter la mort avec courage. C'est alors que, tout à coup, quelque chose accrocha ma cheville et arrêta ma chute. Les yeux écarquillés, je vis le mur de l'hôtel venir à la rencontre de mon visage.

— AHH ! criai-je.

Ce qui ne servit à rien, bien sûr : je m'écrasai la tête contre la paroi. Cela me fit un mal de chien. Aussitôt après, j'entendis au-dessus de moi la voix de Jacqueline :

— Heureusement qu'elle n'est plus vraiment humaine, sans quoi elle aurait maintenant la figure comme une pizza margherita sans fromage.

En levant les yeux, je vis que je me balançais la tête en bas, la cheville fermement tenue par papa, penché à la fenêtre avec les autres membres de notre groupe. Ils avaient dû entendre ma dispute avec la sorcière, et papa m'avait rattrapée au vol, me sauvant la vie !

Quand il m'eut hissée dans la chambre, je lui tombai dans les bras, folle de bonheur. Avec un rire tonitruant, papa me serra si fort que je commençai à suffoquer. Jusqu'à ce que maman formule une opinion à laquelle je souscrivis de tout cœur :

— Là, je crois que tu peux envisager de la lâcher.

Papa consentit à me libérer. Sans me laisser le temps de tâter si j'avais des côtes fêlées, maman me prit dans ses bras à son tour et versa même quelques petites larmes de soulagement.

— Mon lapin… mon pauvre petit lapin…

Je faillis me mettre à chialer avec elle, mais je me souvins de la résolution prise pendant ma chute : Je n'étais plus une pleurnicheuse ! Tout ça, c'était fini ! Je me dégageai, m'écartant légèrement de maman, ce qui la surprit un peu. En la regardant, je repensai à notre dispute. Cela me faisait toujours mal qu'elle regrette de ne pas avoir une autre fille que moi. Ma chute m'avait remis les idées en place. Je voyais clairement maintenant qu'il valait mieux pour toutes les deux que je prenne enfin ma vie en main. Que je parte loin d'elle. Très loin. De tout. Que je découvre le monde. Comme Cheyenne.

Max m'interrompit dans ces réflexions en demandant :

— Où est Baba Yaga ?

— Elle a fait un tour de *disparitionibus* magique.

Je fis un rapide récit de notre rencontre.

— Mais que faisait-elle ici, si elle ne savait pas que nous y étions ? demanda maman en essuyant ses larmes sur sa manche.

— Ses pouvoirs magiques sont sans doute en train de se réduire, suggéra Max. Elle ne peut se transporter vers la Transylvanie qu'à raison de deux ou trois cents kilomètres à la fois.

— Alors, déclara maman, il nous faut savoir où elle s'est transportée cette fois, et aller la dénicher là-bas.

— Malheureusement, Baba Schtroumpf ne m'a pas dit vers où elle comptait s'envoler, dis-je avec regret.

— Si nous trouvions sa chambre, nous pourrions peut-être y découvrir un indice, suggéra Max.

Il fila aussitôt dans le couloir, le nez au sol, et nous appela :

— Son odeur se renforce !

Pendant que je courais à toute vitesse avec les autres derrière lui, je me réjouis de ne pas être un loup-garou. Pour un odorat normal, la sorcière puait déjà autant que le vestiaire des garçons au sport.

Max poussa soudain un cri joyeux :

— C'est ici, c'est sa chambre !

Nous nous précipitâmes à l'intérieur, et je constatai avec déception :

— Il n'y a pas une fringue, rien.

— Les sorcières voyagent probablement léger, commenta maman.

— Là, un prospectus, dit Jacqueline en montrant un dépliant posé sur le lit.

Maman s'en empara aussitôt et lut :

— Ça vient de « Madame Tussaud ». A Vienne ! Ils ont un musée de cire là-bas aussi ?

— Comme nous à Berlin, dit Max. C'est devenu une entreprise franchisée.

— Franc-chie quoi ? demanda Jacqueline.

— Franchisée. Cela veut dire qu…

— … on s'en fiche pour le moment, coupai-je. Mais pourquoi la sorcière irait-elle justement là-bas ? Elle n'occupe quand même pas ses dernières heures à faire du tourisme ?

Max s'était remis en mode déduction :

— A en croire la Kabbale juive, il existe sur cette terre des lieux où la magie est particulièrement puissante, des points nodaux où les lignes de force magiques se croisent...

— Ce serait donc aussi des gares de triage pour les êtres qui se déplacent par la magie ? l'interrompit maman.

— Vous êtes complètement marteau, intervint Jacqueline.

Pour une fois, j'étais de son avis.

— Les kabbalistes qui ont jadis créé le golem croyaient à ces points de jonction, persista Max.

— Mais le golem est un personnage mythologique, dit maman.

— C'est ce que nous pensions aussi de Dracula et de Baba Yaga.

— Très juste, reconnut-elle.

— Le musée de cire de Madame Tussaud est donc l'un de ces points de jonction magiques ? questionnai-je, dubitative.

— Tout comme cet hôtel, sans doute, dit Max.

— Mais nous, nous ne pouvons pas nous déplacer par des moyens magiques, objecta maman. Il nous faudra au moins deux heures pour arriver à Vienne. D'ici là, Baba Yaga aura déjà franchi les Carpates.

— Je ne crois pas, dis-je avec espoir. La vieille était complètement lessivée, elle a dû rassembler ses dernières forces pour s'en aller d'ici. Elle est peut-être tellement à bout qu'elle sera obligée de se reposer à Vienne, et que nous aurons le temps de la rattraper.

Maman réfléchit quelques instants avant de déclarer d'un ton déterminé :

— Nous partons tout de suite ! Une fois là-bas, nous obligerons la sorcière à nous rendre notre forme première et à nous ramener à Berlin avec sa magie.

A Berlin… ou ailleurs ! me dis-je tout à coup. Car j'y voyais clair à présent : si nous parvenions à coincer la sorcière, je ne me contenterais pas de la forcer à me rendre mon corps d'origine. Je l'obligerais aussi à m'envoyer très loin. Là où je pourrais trouver le bonheur.

EMMA

Nous foncions sur l'autoroute en direction de Vienne. Je m'étais assise à côté de Cheyenne, et chaque fois qu'elle faisait mine de lâcher l'accélérateur, je l'obligeais à remettre plein gaz. A l'arrière du minibus, Frank ronflait par terre, et Jacqueline jouait avec son iPhone sans jeter un regard à Max. Quant à Fée, elle paraissait de très bonne humeur. Elle était presque transformée. Etait-ce l'effet de l'adrénaline produite pendant sa chute, ou bien la perspective, avec un peu de chance, de cesser bientôt d'être une momie ? Je n'osais pas lui poser la question, car je sentais qu'elle ne m'avait pas tout à fait pardonné notre dispute, et de mon côté, j'avais honte d'avoir été aussi dure avec elle.

Mon regard se posa de nouveau sur Cheyenne. Elle ne savait pas ce que c'était que de se bagarrer avec ses enfants. Mais elle n'avait jamais connu non plus le bonheur qu'ils pouvaient procurer.

— Tu n'as jamais regretté de n'avoir pas eu d'enfants ? lui demandai-je.

Le premier moment de surprise passé, Cheyenne répondit :

— Eh bien, j'ai lu quelque part que les gens qui avaient des enfants vivaient plus vieux.

— Ah bon ?

— Oui. Mais ils vieillissent plus vite aussi.

Je ne pus m'empêcher de rire, et elle avec moi. Pourtant, j'insistai, sentant bien qu'elle cherchait surtout à camoufler sa nostalgie :

— Tu n'as jamais eu envie d'en avoir ?

— Une fois, avec un seul homme. Mais ça ne s'est pas fait, dit-elle en s'efforçant de garder un ton neutre.

— Ce n'était quand même pas Dracula ? fis-je avec effroi.

Cheyenne secoua énergiquement la tête, sans me révéler pour autant qui pouvait être cet homme, si ce n'était pas le Prince des damnés. Nous gardâmes un moment le silence, puis elle déclara :

— Je voudrais bien être à ta place.

— A cause de ma famille ? dis-je, stupéfaite.

Elle éclata de rire.

— A cause de… ? Ah, tu n'as pas le droit de faire rire comme ça une femme qui a des problèmes d'incontinence !

— Mais alors, pourquoi ? demandai-je avec perplexité.

— Tu es un vampire. Tu as la vie éternelle…

Sa voix était devenue mélancolique. A son âge, cela n'avait rien d'étonnant : elle n'avait plus toute la vie devant elle. Quand je serais vieille, me maudirais-je moi aussi pour avoir refusé la jeunesse éternelle que m'offrait Dracula ? Quand, avec mes problèmes de vessie, de rhumatismes et de varices, je serais assise devant l'employé de la caisse de sécurité sociale, à négocier pied à pied le financement de ma troisième dentition ?

— Et tu peux faire l'amour avec Dracula.

Au souvenir de sa propre expérience, ses yeux se mirent à briller.

— C'était vraiment si bien que ça ?

A peine eus-je prononcé ces mots que je regrettai ma curio sité. Il ne fallait pas poser ce genre de question lorsqu'on cher chait les clés des cœurs de sa famille.

— Avant de rencontrer Vlad, je ne connaissais le mot « mul tiple » qu'au sens arithmétique, répondit Cheyenne.

Moi aussi, j'avais lu des articles là-dessus dans les magazines féminins. Un instant, je ne pus m'empêcher d'imaginer la scène Si le seul contact de la main de Dracula me faisait autant d'effet, qu'est-ce que cela pouvait être de coucher avec lui ? Un montage cinématographique d'éruptions volcaniques, de feux d'artifices du Nouvel An et d'anguilles électriques défila dans ma tête.

— Et sa bistouquette est aussi énorme qu'une créature des abysses, poursuivit Cheyenne.

— Une créature des abysses ?

— Comme dans les romans de Jules Verne.

— Brr… fis-je en frissonnant à cette métaphore.

— Non, pas « brr » : youpi ! répliqua-t-elle avec un grand sourire.

— Youpi ?

— Ou alors, youplayouplaboum.

— Je préfère « youpi ».

— C'est aussi ce que disait Dracula.

Pour chasser du lit de mes pensées l'image de Dracula nu et de sa créature sous-marine, je regardai Frank par-dessus mon épaule. Hélas, le voir ronfler dans son coin n'avait rien de séduisant. Sous son apparence actuelle, son contact était assez rude, mais même sous leur forme d'origine, ses mains n'avaient jamais su m'émouvoir comme celles du Prince des damnés.

Mon Dieu ! Le cœur de Frank était le seul dont je possédais la clé, et voici qu'une partie de moi voulait balancer cela aux orties à cause de Dracula ? Non ! Il fallait que je me ressaisisse. Ainsi, je pourrais être fière de moi quand, devenue une vieillarde rabou-grie, j'expliquerais à l'employé de la sécurité sociale en charge de mon dossier que, pour sauver mon mariage, j'avais renoncé à l'immortalité et à toute idée de « multiple ». Et, bien sûr, cela ne me ferait ni chaud ni froid quand l'employé me regarderait en se vissant l'index sur la tempe.

Bien sûr. Aussi sûr que j'allais trouver la clé du cœur de mes enfants. Et aussi sûr que nous vaincrions la sorcière. Et que le Soleil tourne autour de la Terre.

Je soupirai.

Cheyenne soupira.

Et c'est ainsi, soupirant en chœur, que nous entrâmes dans Vienne.

« Madame Tussaud » se trouvait sur le Prater, tout près de la grande roue, dont les nacelles se balançaient au vent matinal. Contrairement à la grande roue, le musée de cire était encore fermé. Un unique vigile d'apparence massive patrouillait devant le bâtiment. Avec son uniforme noir, son crâne chauve, son bouc et sa matraque, il était du genre à penser qu'il n'existait aucun problème au monde que la force ne puisse résoudre.

Dès qu'il nous vit approcher, il nous interpella agressivement :

— Hé, qu'est-ce que vous venez faire ici, les monstres ? Fichez-moi le camp !

— Qui est un monstre ? répliqua Fée. Chez nous, personne ne porte le bouc !

Le vigile porta instinctivement la main à sa matraque, mais avant qu'il ait eu le temps de devenir dangereux, Fée le regarda droit dans les yeux.

— Je veux que tu nous laisses entrer au musée de cire.

— Mais comment donc ! fit l'homme avec une joie sans mélange.

Il sortit sa clé et ouvrit la lourde porte d'entrée. Ces pouvoirs hypnotiques devaient être terriblement pratiques dans la vie de tous les jours, me dis-je. Pour surveiller les clients, pour passer les contrôles de police, mais surtout pour élever les enfants.

— Et maintenant, reprit Fée, je veux que tu consacres le reste de ta vie à sauver les bébés phoques.

L'homme hocha la tête avec énergie avant de partir en courant, et j'imaginai son avenir, voué à matraquer tous ceux qui voudraient assommer les phoques de l'Arctique.

Nous entrâmes dans le musée. Il y avait là la série habituelle de personnages de cire : Madonna, Michael Jackson, George Bush (le plus bête des deux)... Mais aussi des Autrichiens célèbres : Sigmund Freud, Niki Lauda, Arnold Schwarzenegger déguisé en Terminator, Adolf Hitler.

En passant devant Brad Pitt et Angelina Jolie, j'observai de plus près Angelina. Cette femme était une dure : comment parvenait-elle à faire toutes ces choses ? Elle donnait l'impression d'avoir dix-sept enfants et encore plus de maisons, elle tournait des films par douzaines, et elle trouvait encore le temps, selon la presse people, de tromper son mari avec Bill Clinton au sommet économique mondial de Davos. Même assistée par des nounous et des aides à domicile, j'aurais été tellement épuisée au bout d'une seule semaine de ce régime que je me serais probablement endormie sur Bill.

— Pas trace de notre sorcière édentée, constata Fée.

— Tu t'es peut-être trompé avec cette histoire de nœuds magiques, dis-je à Max.

— Non, je suis à peu près sûr que Baba Yaga est ici, répondit-il d'une voix tremblante.

— Comment le sais-tu ?

— Michael Jackson a bougé.

Je me retournai et dus constater qu'il avait raison : la figure de cire de Michael s'avançait vers nous d'un pas lourd.

— D'accord… c'est peut-être un bon argument, fis-je d'une voix étranglée.

Mais Michael Jackson n'était pas le seul à s'être mis en marche : il y avait aussi Sigmund Freud, Arnold Schwarzenegger, Angelina Jolie et Mozart. Euh, non, pas Mozart : Falco habillé en Mozart[1].

Les personnages de cire s'avançaient gauchement, leur progression inquiétante rappelant vaguement le clip *Thriller* de Michael Jackson, en moins bien chorégraphié. Ils ne se déplaçaient pas très vite, mais ils nous barraient déjà le chemin de la sortie et n'avaient pas l'air d'envisager de nous laisser passer un jour.

— Oh, merde, gémit Fée, on aurait dû se douter qu'on tomberait sur des zombies !

— Zombies contre monstres, c'est cool comme titre de film, dit Jacqueline en s'efforçant de ne pas montrer sa peur.

Les figures de cire semblaient prêtes à attaquer, et l'expression de leurs visages me terrorisa : ces créatures sans cerveau ne pensaient pas, elles n'auraient donc assurément aucun scrupule à nous tuer.

---

1. Falco : chanteur pop-rock et rappeur autrichien. Sa chanson *Rock me Amadeus* a connu un certain succès dans les pays anglophones et au Japon.

Dieu merci, Frank était avec nous. Il s'avança d'un pas décidé vers Sigmund Freud en criant : « Oufta ! » et, d'un seul coup de poing, fit voler la tête de cire à travers la salle.

— Analyse ça, Sigmund ! s'écria joyeusement Max.

Hélas, même sans sa tête, Sigmund avançait toujours, les bras écartés.

— Fmerfde ! jura Frank.

— La fmerfde la plus complète, approuva Fée vers qui se dirigeait Schwarzenegger-Terminator.

Chacun des personnages de cire avait choisi son adversaire. Pour moi, c'était Angelina Jolie. Avant que j'aie pu envisager de réagir, elle m'envoya son poing dans la figure et je reculai en titubant. Après un coup pareil, mon corps normal aurait été bon pour l'hôpital. La tête bourdonnante, je regardai autour de moi, affolée, tandis qu'Angelina s'apprêtait à me frapper de nouveau. Voyant un prince Charles en grand uniforme qui paraissait dépourvu de vie, je courus jusqu'à lui et m'emparai de son sabre. Angelina m'avait suivie de son pas chancelant de zombie. Je me précipitai vers elle, sabre au clair, et criai :

— Prends ça, espèce de Superwoman !

Et je lui plantai le truc dans le ventre… Mais si j'avais espéré la neutraliser de cette façon, je dus vite déchanter : la lame passa à travers la cire comme… ben justement, comme à travers de la cire. Non seulement cela n'arrêta pas la Jolie, mais cela ne lui fit ni chaud ni froid.

— Oh, non ! balbutiai-je.

— Je m'associe de tout cœur à ce « Oh, non », haleta Cheyenne.

Falco-Amadeus la repoussait pas à pas en direction du mur. Dans quelques secondes, cet Amadeus allait la faire valser.

— Je comprends maintenant pourquoi j'ai toujours pensé que les musées, c'était de la merde, ronchonna Jacqueline.

Au moment où Michael Jackson allait l'assommer, elle esquiva, rapide comme l'éclair. Faisant preuve d'un remarquable esprit combatif, elle décocha au roi de la pop un bon coup de pied entre les jambes... qui ne produisit pas le moindre effet ! Pas même le fameux « Ihi ! » suraigu de Michael.

— Je déteste les types qui n'ont pas de couilles, commenta Jacqueline.

Puis elle jeta un regard à Max, le seul à qui les zombies de cire ne s'en prenaient pas – soit qu'ils n'en aient qu'après les humains, soit parce qu'il ne représentait aucune menace pour eux, puisqu'il restait peureusement accroupi au centre de la bataille.

— Et à propos de types qui n'ont pas de couilles, monsieur Je-sais-tout, ce serait super si tu nous donnais un coup de main ! lui cria Jacqueline.

Au lieu de venir à la rescousse, Max s'enfuit en courant. Paniqué. Terrorisé. Avec un gémissement plaintif.

En tant que mère, je ne pouvais certes pas être spécialement fière que mon fils soit un chien (ou un loup-garou) peureux, mais je me sentis soulagée : au moins, il survivrait. Sans nous, on l'enverrait peut-être dans un refuge de la SPA, mais c'était mieux que de mourir chez Madame Tussaud. De mon côté, je ne pouvais rien pour Jacqueline : Angelina Jolie se rapprochait toujours plus de moi, c'est-à-dire que son corps de cire, intact, glissait centimètre par centimètre le long de la lame du sabre. Pendant ce temps, Frank essayait d'attraper Sigmund Freud, qui courait autour de la salle comme un poulet sans tête, Cheyenne se faisait brutalement étrangler par Falco-Amadeus, et Fée était jetée à terre par Schwarzenegger-Terminator. Elle se releva en hâte, mais il la renversa de nouveau. N'osant plus se remettre debout, elle se mit à reculer en rampant, tout en nous criant :

— Ce serait chouette si quelqu'un avait une idée tout de suite, sinon, pour moi ça va être « Adieu, poupée » !

Mais aucune idée ne me vint. « Zombies contre monstres », le combat était à l'évidence par trop inégal. Ces sales bêtes magiques étaient tout simplement invincibles. Nous n'avions aucune chance d'en sortir vivants.

MAX

Une fois dehors, je commençai par faire pipi contre le premier réverbère venu. Mais le chagrin me rongeait cruellement. Je n'étais pas un héros. J'étais un être sans aucun courage, tout simplement indigne de l'amour de Jacqueline.

Ciel, qu'allais-je penser là ? Je voulais être aimé de Jacqueline ? Une fille qui me méprisait, qui m'avait plongé la tête dans les toilettes ? Je préférais ne pas savoir comment un adepte de Sigmund Freud aurait analysé cela.

Peu importait, d'ailleurs : même au cas tout à fait invraisemblable où elle survivrait à la mêlée, je n'aurais jamais la moindre chance auprès de Jacqueline. Elle avait raison de me considérer comme un lâche et un monsieur Je-sais-tout.

Hé, minute ! Cela me donnait une idée. Je n'étais certes pas un spécialiste du courage, mais pour l'intelligence, je me posais un peu là. Et où est-il écrit qu'un héros ne peut vaincre que par la force physique ? Il y a aussi la puissance de l'esprit !

Je réfléchis fiévreusement. Comment pouvait-on atteindre ces zombies ? Qu'est-ce qui était capable de détruire l'élément qui les constituait – la cire ? En quelques secondes, j'avais la réponse. Très simple.

Je courus jusqu'au minibus, pris dans ma gueule le déodorant à bon marché de Jacqueline et retournai à toutes pattes au musée. A la vue du pandémonium, ou plutôt du « panzombium » qu'était devenu le cabinet de cire, je faillis rester à nouveau paralysé de terreur. Mais c'est alors que je vis la peur sur le visage de Jacqueline. Une peur mortelle. Mon grand amour – oui, il n'y avait plus à le nier, j'étais amoureux de Jacqueline – allait périr sous les coups de Michael Jackson. Je ne devais pas le permettre. Surmontant ma peur, je courus vers elle, laissai tomber la bombe à ses pieds et lui criai :

— Prends ça !

— Du déo ? gémit-elle. T'es complètement cinglé ou quoi ? Ou alors, tu veux dire que je pue à cause de la bagarre ?

— Ton briquet ! criai-je.

Elle comprit aussitôt. Lorsqu'il s'agissait de faire violence à quelqu'un, son cerveau pouvait assimiler les données à une vitesse extraordinaire.

Pour lui permettre de gagner du temps, j'attrapai la jambe de cire de Michael. J'eus un peu l'impression de mordre dans une grosse bougie de l'Avent, mais ce ne fut pas inutile : le personnage cessa de s'occuper de Jacqueline pour essayer de me faire lâcher prise en se secouant. Jacqueline ramassa en hâte la bombe, sortit son briquet de la poche de son blouson et fit face au zombie de cire. Elle pulvérisa du déodorant dans sa direction et alluma aussitôt le briquet juste sous le nuage de gouttelettes, qui se transforma en un puissant jet de feu. Le visage de Jackson s'enflamma d'un seul coup et se mit littéralement à fondre. Il recula, mais tout son corps se transformait déjà en torche vivante. Il tituba encore quelques instants avant de s'effondrer.

— Super ! s'écria Jacqueline.

Armée de son lance-flammes improvisé, elle s'attaqua alors aux autres créatures, les faisant prendre feu les unes après les autres jusqu'à ce que nous soyons tous sauvés et que la salle soit remplie d'une odeur de déodorant et de cire brûlée. A la fin, elle se planta, haletante, au milieu des personnages fondus, et me dit :

— Apparemment, tu n'es quand même pas si froussard que ça !

Entendre cela de sa bouche me rendit euphorique. A ma manière, peut-être étais-je malgré tout de l'étoffe des héros ?

— Et tu n'es pas si bête non plus, ajouta Jacqueline en riant.

C'était formidable qu'elle me dise cela. Et surtout, qu'elle me sourie ! Ce serait vraiment merveilleux, me dis-je, si, malgré notre grande différence d'âge (deux ans et demi) et le fait que j'étais provisoirement un loup-garou, nous pouvions un jour former un couple. Car c'était ce que je voulais, cette fois j'en étais sûr !

EMMA

Max et Jacqueline nous avaient sauvés. Ces deux-là formaient une bonne équipe. Et, à en juger par la manière dont Jacqueline regardait mon fils, ils pourraient même devenir un peu plus que cela. Visiblement, l'action d'éclat de Max l'avait impressionnée.

Il nous fallait encore trouver la sorcière. Mais avant que nous ayons eu le temps de partir à sa recherche, Fée poussa un gémissement :

— Oh merde !

— Qu'est-ce qu'il y a ? demandai-je.

— Oh merde, Adolf Hitler !

Tout le monde se retourna. La figure de cire d'Adolf Hitler s'avançait vers nous.

— Oh merde ! m'exclamai-je.

— C'est ce que je disais !

Alors, ce n'était pas fini. Non seulement ce n'était pas fini, mais cela ne faisait que commencer ! Car, derrière Adolf, tous les autres personnages du musée étaient maintenant en marche : du prince Charles à Spiderman, des Rolling Stones à Franz Beckenbauer, de Mohammed Ali au Dalaï Lama, c'était une véritable armée populaire de zombies de cire !

— Fmerfde Fmitler ! jura Frank.

Il voulut se précipiter pour lui arracher la tête, mais, tout en comprenant sa réaction, je le retins par le bras. Même lui, il n'avait aucune chance contre une section d'assaut de cent zombies de cire.

— Qu'est-ce qu'il reste comme déo ? demandai-je à Jacqueline.

— J'ai presque tout balancé.

— C'est ce que je craignais.

J'aurais volontiers fait flamber Hitler avec le reste du déodorant, mais une autre idée me parut nettement meilleure :

— Qui serait pour se tirer d'ici en vitesse ?

La motion fut adoptée à l'unanimité.

Je demandai à Frank de porter Cheyenne, qui reprenait peu à peu connaissance, et nous courûmes tous en direction de la sortie, poursuivis par les zombies. Derrière nous, j'entendis tout à coup Baba Yaga crier :

— Vous pas échapper à moi !

En nous précipitant dehors, nous effrayâmes les quelques touristes matinaux qui visitaient le Prater. Affolés, ils s'égayèrent dans toutes les directions avant même que les zombies de cire n'aient commencé à marcher derrière nous de leur pas chancelant.

— Il faut trouver un endroit où ils ne pourront pas nous attraper, criai-je.

— As-tu une suggestion un peu plus concrète ? haleta Max.

Je regardai autour de moi.

— Les nacelles de la grande roue ! Une fois que nous serons en haut, ils ne pourront pas nous suivre.

Nous courûmes jusqu'à la grande roue. Là, je demandai à Fée d'hypnotiser le gros employé, qui s'apprêtait à prendre la fuite. Elle le regarda dans les yeux et, selon ma suggestion, souhaita qu'il fasse monter notre nacelle aussi rapidement que possible. Peu après, nous filions à toute allure vers les hauteurs. Enfin, nous étions provisoirement à l'abri de la horde.

De là-haut, nous pûmes reconnaître Baba Yaga sortant du musée à la suite de ses troupes ensorcelées. Comme Fée nous l'avait dit à l'hôtel, il ne lui restait plus qu'un jour et demi à vivre, et elle paraissait vraiment malade et affaiblie. Mais hélas, pas assez pour renoncer. Elle leva son amulette étincelante, marmonna quelque chose, et les figures de cire s'arrêtèrent. Au lieu de continuer à marcher vers nous, elles se rapprochèrent les unes des autres.

— Qu'est-ce que ça veut dire ? demanda Fée avec inquiétude, son nez bandé collé à la vitre de la nacelle. Elles vont danser le quadrille ?

Adolf Hitler toucha le Dalaï Lama et, à ce contact, ils se fondirent tous deux en un amas de cire. Puis Franz Beckenbauer toucha le tas de cire et se fondit à son tour en lui. Et ils contiquèrent, un personnage après l'autre, jusqu'à ce que Baba Yaga ait devant elle une boule de cire de plusieurs mètres de diamètre. Sous ses invocations, la boule se mit à pousser vers le haut, s'étirant toujours davantage jusqu'à atteindre pratiquement la taille de la grande roue. Alors, la cire commença à prendre la forme d'une nouvelle créature monstrueuse, une sorte d'immense lézard...

— Gopfzmilla, dit Frank d'une voix blanche.

Le monstrueux lézard s'avança lentement vers la roue. Comment la sorcière avait-elle pu avoir cette idée ? Cela convenait mieux à Tokyo qu'à Vienne. En même temps, un monstre en forme de crêpe fourrée n'aurait sans doute pas fait aussi peur.

— Cette vieille commence à me courir sur le haricot, gémit Fée.

— Ghidorah n'est jamais là quand on a besoin de lui, dit Max, mort de peur.

— Qui c'est, celui-là ? demanda Jacqueline.

— Un dragon à trois têtes qui échauffe un peu Godzilla.

— Merde, tu en connais, des trucs ! fit-elle, impressionnée. Les ennemis de Godzilla, cette histoire de câble et de nœuds magiques...

— La Kabbale, rectifia Max.

— Vous ne croyez pas qu'on s'en fiche pour le moment ? dit Fée.

— Elle a raison, déclara Cheyenne qui avait repris conscience dans les bras de Frank. Ce monstre m'a tout l'air d'envisager de se bricoler un cerceau avec la grande roue.

— Je préférais les zombies, déclara Max.

Il se cacha sous un siège, de nouveau terrifié, ce qui agaça un peu Jacqueline.

Godzilla ne vint pas aussitôt vers nous, il nous montra d'abord ce qu'il savait faire en soufflant avec un grondement de tonnerre un jet de flammes qui réduisit en cendres un stand de loterie.

— Aïe aïe aïe, gémit Fée avec angoisse, je préfère ne pas savoir ce qu'il a mangé pour avoir des renvois pareils.

Notre nacelle était déjà presque au sommet de la grande roue et nous pouvions regarder droit dans les yeux jaunes de Godzilla, dont chacun avait presque la taille d'une nacelle. Notre dernière heure avait sonné, c'était certain. En regardant en bas, je vis Baba Yaga rire comme une petite folle. Frank suivit mon regard et murmura :

— Pfmale pffieille !

Je hochai la tête, puis me penchai vers Max, toujours réfugié sous son banc, et lui demandai :

— Tu n'aurais pas une bonne idée, comme celle du déodorant ? Si c'est le cas, c'est le moment ou jamais de nous la dire.

Mais Max, paralysé par la peur, avait perdu tous ses moyens. Je me tournai vers Fée.

— Essaie de l'hypnotiser pour qu'il se remette à penser.

— C'est sans effet sur les monstres. Ça n'a marché ni avec Baba Yaga, ni avec toi.

A cet instant, Godzilla anéantit d'un souffle assourdissant la caisse de la grande roue.

— Essaie quand même ! criai-je, affolée.

Fée se pencha très vite vers Max et le supplia :

— Je veux que tu oublies ta peur et que tu trouves un plan pour vaincre Godzilla.

Le fait est que Max cessa aussitôt de geindre. Si les pouvoirs de Fée n'avaient pas fonctionné avec la sorcière ni avec moi, ce n'était donc pas parce que nous étions immunisées, mais pour

une autre raison. Quoi qu'il en soit, ce n'était pas le moment de
penser à ça.

Max sortit de sous son banc, réfléchit un court instant et dit :

— Il faut que papa démolisse la vitre de la nacelle.

— Mais pourquoi ? questionna Fée. Pour que nous puissions
mieux sentir la mauvaise haleine de Godzilla ?

— Faites-le, c'est tout !

Frank me regarda d'un air interrogateur. Je n'avais aucune
idée de ce que Max envisageait, mais je demandai à mon mari :

— Fais ce qu'il dit.

Frank posa Cheyenne sur le plancher, prit son élan et déglin-
gua la vitre d'un seul coup de ses poings puissants. Le verre
tinta et les débris tombèrent trente mètres plus bas, ce qui
troubla Godzilla un instant.

— Maintenant, soulève maman… dit Max à son père.

— Quoi ? fis-je, stupéfaite.

— … et lance-la par la fenêtre.

— QUOI ! m'écriai-je.

— Eh bien, dit Fée étonnée, ça m'arrive parfois d'avoir envie
de passer maman par la fenêtre, mais plutôt au sens figuré.

— C'est charmant, répondis-je avec amertume.

— Le corps de maman est le plus solide après celui de papa,
expliqua Max. Elle pourra supporter la chute, si elle tombe sur
quelque chose de mou.

— Et sur quoi de mou suis-je censée tomber ?

Je n'y comprenais absolument rien.

— Sur la sorcière ! Quand elle sera K-O, le sortilège sera
rompu, Godzilla s'arrêtera, et nous serons sauvés.

— Merde, c'est vraiment pas con, ça, Fifi ! s'exclama Jacqueline.

A cet instant, Godzilla donna un petit coup de sa grosse patte
de lézard contre la grande roue, qui se mit à osciller dangereu-

sement. Sans compter toute une série de craquements et de grincements infernaux.

— VITE ! hurla Max.

J'hésitais. S'envoler trente mètres plus bas n'était certes pas une partie de plaisir. Puis je me souvins de ma chute du toit à Berlin. Oui, j'avais des chances de survivre, à condition de bien atterrir sur Baba Yaga.

Godzilla donna un nouveau coup de patte, cette fois plus violent. La grande roue se balança un peu plus et grinça très fort.

— Mais qu'est-ce que vous attendez encore ? dit Fée d'une voix pressante.

— Crois-tu pouvoir réussir à viser la sorcière ? demandai-je à Frank.

Il hocha la tête et je l'encourageai :

— Alors, vas-y !

Il me souleva et me porta à la fenêtre cassée, par où entrait la puanteur de brûlé causée par les jets de flamme de Godzilla.

Baba Yaga se tenait à une dizaine de mètres des pieds monstrueux de la créature, qui s'apprêtait maintenant à frapper des deux pattes. Il était évident que la grande roue n'y résisterait pas.

Frank me donna un dernier baiser sur la joue. A l'approche d'une mort possible, cela aurait pu être très romantique si ses lèvres avaient été un peu plus douces que des pare-chocs.

Puis il me lança dehors de toutes ses forces. Je volai dans les airs, tel un acrobate sortant d'un canon de cirque, et passai juste à côté de la tête de Godzilla. Etonné, le monstre se tourna et envoya l'un de ses jets de feu assourdissants. Qui ne me manqua que d'un cheveu, mais grilla entièrement un stand de mailloche.

Mon vol plané me menait tout droit sur Baba Yaga. Quand elle s'en aperçut, il était trop tard pour esquiver.

— Croûte de bock ! s'écria-t-elle.

J'eus encore le temps de lui lancer :

— On dit crotte de bouc, hé, dyslexique !

Et je m'aplatis sur elle. Cela me fit un mal de chien, mais sans doute beaucoup moins qu'à elle. Tandis qu'elle restait allongée pour le compte, les personnages de cire sans vie commencèrent à pleuvoir autour de nous. Le sortilège était bien rompu, et Godzilla, ainsi que Max l'avait prédit, se dissolvait en ses éléments d'origine. J'avais décidément mis au monde un sacré petit malin.

Cette pluie de cire était encore dangereuse, car je faillis recevoir Helmut Kohl sur la tête. C'est seulement quand le dernier personnage fut tombé que je respirai enfin. Non seulement nous avions écarté le danger et même capturé Baba Yaga, mais nous l'avions tous ensemble, nous, les Wünschmann : Fée avait hypnotisé Max, qui avait eu l'idée de me catapulter, Frank m'avait lancée depuis la nacelle, et moi, j'avais assommé la sorcière. C'était une victoire de toute la famille monstre !

Quand Baba Yaga se réveilla sur le pavage devant la grande roue, nous étions tous debout autour d'elle. A part Frank, qui lui maintenait fermement les épaules au sol avec ses grosses mains pour qu'elle ne s'enfuie pas. Contre la famille monstre, personne n'avait aucune chance !

Comme la sorcière regardait frénétiquement de tous côtés, je lui demandai, triomphante :

— Tu cherches quelque chose ?

En disant cela, j'agitai son amulette, dont je supposais qu'elle avait besoin pour ses incantations magiques. Ses yeux lancèrent un éclair de colère. J'avais vu juste.

— Toi donner ça à moi ! fulmina-t-elle.

— C'est totalement exclu.

La sorcière tenta de s'arracher aux mains de Frank, mais, sans son amulette, elle ne pouvait lutter contre sa force.

— Hé oui, commentai-je d'un air suffisant, quand on crée des monstres, c'est difficile ensuite de s'en débarrasser.

L'expression de son visage se fit soudain plus douce, presque amicale, et elle murmura :

— Je pas être ennemie de toi. Je être amie.

— Bien sûr. Tu as ensorcelé ma famille et tu as voulu nous tuer, c'est normal entre amis.

— Nous avoir ennemi commun, poursuivit-elle sans se laisser démonter.

— Ha ! ha ! rétorquai-je. Et qui est cet ennemi ?

— Dracula !

Je restai un instant interdite. Jusque-là, j'avais envisagé Dracula comme la plus douce tentation depuis que les hommes existent, mais certainement pas comme un ennemi. Avec sa pilule rouge, il m'avait même empêchée de commettre un massacre.

— Lui avoir chassé moi de notre pays commun, Transylvanie

— Comment a-t-il pu faire cela ? demanda Max, qui se tenait à distance prudente. N'es-tu pas une puissante sorcière ?

— Mais même puissante sorcière pas pouvoir lutter contre sa garde de vampires, expliqua-t-elle avec tristesse. Je avoir créé toi pour Dracula, reprit-elle à mon intention. Vampiresse avec âme était plus grand désir de lui. En récompense, lui laisser moi mourir au pays.

— Mais maintenant, tu vas nous rendre notre forme d'origine, sans quoi je détruis ton amulette ! répliquai-je.

Cela l'effraya visiblement. Sans amulette, pas de magie, sans magie, pas de retour au pays, et elle mourrait dans les rues de Vienne. C'était peut-être mieux que de mourir dans les rues de Bagdad, de Kaboul ou de Wuppertal, mais ce n'était pas ce qu'elle souhaitait.

— Lâche-la, dis-je à Frank.

Il obéit, et la sorcière se releva péniblement.

— Tu dois donner amulette à moi, pour transformation.

Voyant que j'allais la lui rendre, Max s'écria :

— Ne fais pas ça ! Tu ne peux pas te fier à elle !

Cela me fit hésiter. Baba Yaga sourit.

— Si toi pas faire confiance à moi, vous rester monstres.

Oups. Dilemme.

— Jure que tu vas nous retransformer, exigeai-je.

— Je jure sur vie de mon enfant, déclara-t-elle avec un indéniable accent de sincérité.

Elle avait un enfant ? C'était surprenant. Je préférai ne pas imaginer quelle sorte d'enfant pouvait naître d'une telle mère. Sûrement pas un de ceux qui font aller les enseignants de bon cœur aux rencontres avec les parents d'élèves. En tout cas, une chose était certaine : aucune mère au monde, sorcière ou pas, ne jurerait à la légère sur la vie de son enfant.

— Bon, dis-je.

— Toi prendre sage décision, apprécia Baba en me souriant d'un air tout à fait aimable.

Elle ne semblait vraiment plus présenter aucun danger, au point que même Max osa se rapprocher. J'allais lui donner l'amulette, quand Fée la saisit au passage.

— Qu'est-ce que ça veut dire ? fis-je, surprise.

— J'ai autre chose à lui demander.

Elle s'approcha de Baba Yaga et lui murmura quelque chose à l'oreille. La vieille lui répondit gentiment :

— Toi avoir nouvelle vie que tu souhaites.

— Quel genre de nouvelle vie ? demandai-je à Fée avec étonnement.

— Une vie qui vaudra mieux pour toutes les deux, répondit-elle en souriant. Une vie où nous ne nous disputerons plus.

Devais-je comprendre que ma fille désirait davantage d'harmonie entre nous ? Eh bien, si la magie de Baba Yaga le permettait, pourquoi pas ? Après tout, peu importait le moyen pour trouver la clé du cœur de ma fille. L'essentiel était d'y parvenir.

Fée tendit l'amulette à Baba Yaga, qui se mit à marmotter :

— *Envir nici, bar nici...*

Comme lors de notre transformation à Berlin, des éclairs apparurent dans le ciel.

— *Bar mort, bar nici mort...*

A chaque nouvelle phrase, les yeux de la sorcière s'illuminaient d'un vert émeraude plus intense, tandis que les éclairs se rassemblaient en une boule de feu. Au lieu de la panique que j'avais éprouvée à Berlin, je me sentais cette fois bien différente, pleine d'espoir. Le cauchemar allait prendre fin. Nous, les Wünschmann, nous redeviendrions des êtres humains.

— *Bargaci, veni, vidi...*

Cheyenne dit avec angoisse :

— Juste quand on croit avoir vraiment tout vu dans la vie...

— ... il arrive encore autre chose qui te fait pisser dans ton froc, acheva Jacqueline.

Instinctivement, Cheyenne saisit le bras de la jeune fille et courut se mettre à l'abri avec elle derrière les décombres de la grande roue.

Quant à Max, il regardait le ciel, plein d'espoir. Il n'avait visiblement plus envie d'être un loup-garou. Frank aussi attendait les éclairs avec bonne humeur. Mais Fée semblait être la plus heureuse de nous tous. Savoir que nous aurions bientôt une vie plus harmonieuse toutes les deux lui faisait réellement plaisir. Au moins autant qu'à moi.

— *VICI !* s'écria la sorcière.

A ce mot, les rayons vert émeraude jaillirent de ses yeux et partirent à la rencontre de la boule de feu dans le ciel.

Nous étions debout tous les quatre, les uns à côté des autres.

Personne ne serrait personne dans ses bras.

Nous ne nous touchions même pas.

Attendant seulement notre transformation.

Chacun de nous y aspirant pour lui-même de tout son cœur.

C'est alors que la foudre s'abattit sur les Wünschmann.

A mon réveil, je ressentis une chaleur intense. Tout mon corps me brûlait. Etait-ce l'effet de l'éclair ? L'impression de la première fois avait pourtant été bien différente.

J'ouvris les yeux : l'air était vibrant de chaleur, un soleil au zénith dardait sur nous ses rayons impitoyables. Je constatai que j'étais couchée sur le sable, à côté des autres Wünschmann. Max était toujours un loup-garou, Frank un monstre et Fée une momie. Il n'y avait plus trace de Jacqueline ni de Cheyenne. Je fis un effort pour me relever, mais ce fut horriblement difficile. La chaleur du soleil était épouvantable, il me brûlait littéralement. A l'évidence, j'étais toujours un vampire. Affolée, je

regardai autour de moi et, dans le miroitement de l'air, distin-
guai au loin... des pyramides.

Fée, qui reprenait ses esprits à côté de moi, déclara :

— Je crois que la vieille s'est foutue de nous.

— Et bien comme il faut, balbutiai-je avec une forte envie de
pleurer en repensant à son faux serment.

Incrédule, Frank faisait couler le sable égyptien entre ses
doigts, regardant les grains comme une vache un accélérateur
de particules.

— Les mots me manquent, balbutia Max.

— A moi, même les lettres, dit Fée.

— Tu veux dire, les lttrs ?

— Qlq chs cmm ça, dit Fée.

— Preil pr m.

Je considérai les mines découragées de mes enfants. Je
regardai Frank, qui continuait à jouer avec le sable sans comprendre ce qui se passait, et la conclusion m'apparut clairement. Je devais être forte. Qui d'autre, sinon moi ? C'était moi
qui nous avais mis dans cette situation, je m'étais laissé embo-
biner par la sorcière, c'était à moi de nous sauver. Il fallait que
je sois la mère et l'épouse combative que je n'avais jamais été
dans la vie ordinaire. J'oubliai la brûlure cuisante du soleil du
désert. Je savais qu'il ne pouvait que me blesser, non me
détruire. D'une voix pénétrée, j'annonçai :

— N'ayez pas peur, je vais vous sortir de ce désert !

— Et comment comptes-tu t'y prendre, Moïse ? demanda
Fée.

Max aussi me regardait d'un air sceptique, tandis que Frank
faisait toujours couler le sable entre ses doigts. J'avais espéré
une réaction un peu plus enthousiaste. D'un autre côté, pouvais-
je m'attendre à ce qu'ils me fassent subitement confiance en

tant que mère et épouse forte ? Qui plus est, dans une situation aussi évidemment sans issue ?

— Je nous sauverai, affirmai-je d'une voix résolue dont la fermeté me surprit moi-même.

Frank cessa de jouer avec le sable. Ils me regardaient tous, pleins de doute, mais avec un commencement d'espoir.

— Si vous me faites confiance, repris-je, nous réussirons tout ce que nous voudrons. Nous sommes des monstres doués de pouvoirs extraordinaires !

L'espoir grandissait.

— Alors, qu'en dites-vous ? Nous renonçons, ou nous combattons ?

— Oufta ! répondit Frank avec décision.

— Tout vaut mieux que rester là à pleurnicher, dit Fée.

— Ou à faire dans son pantalon, quand en plus on n'en a même pas, acheva Max courageusement.

C'est ainsi que les Wünschmann se mirent en marche pour la traversée du désert.

DRACULA

La vénérable Egypte… C'était donc là que mon adorable Emma avait été jetée, comme je pus le reconnaître sur les vues que les satellites de mon consortium projetaient sur l'écran de mon château transylvanien. Cette sournoise Baba Yaga n'avait pas voulu courir le risque de rompre notre accord : un sauf-conduit pour la Transylvanie où elle pourrait mourir auprès de son hideux enfant, en échange d'une vampiresse pourvue d'une âme.

Je pressai le bouton de l'interphone pour appeler Renfield, mon serviteur ou, comme on disait en ce siècle, mon assistant personnel. « Renfield » n'était bien sûr pas son nom véritable, mais j'appelais ainsi tous mes serviteurs, car ils arrivaient et repartaient si vite depuis des siècles que c'eût été une vraie perte de temps que de retenir leurs noms. Renfield, donc, était un jeune ambitieux en costume noir et chemise blanche que je n'avais pas encore, d'une morsure, changé en créature maudite. Dans mes sociétés comme dans toutes celles de la planète, les postes importants étaient souvent occupés par des non-vampires sans âme.

Oh, comme je méprisais les humains !

Un monde sans eux ne pouvait être que merveilleux !

Un vrai paradis !

— Votre bain de jouvence est prêt, annonça dévotement Renfield.

Ce bain quotidien était certes de la plus haute importance pour ma survie, mais je fis signe que je le prendrais plus tard. Pour l'heure, j'observais la famille d'Emma sur l'écran. J'avais sous-estimé la force des liens du sang, je m'étais attendu à ce qu'Emma, subjuguée par mon charme indiscutable, accoure bannière au vent. Mais elle ne l'avait pas fait. Autrement dit, si je voulais conquérir Emma, il fallait agir.

— Renfield, dis-je à mon serviteur, nous devons liquider la famille d'Emma Wünschmann.

— Dois-je envoyer nos gens de la CIA ? demanda-t-il.

— Non, je tiens à une action compétente.

— Les milices tchétchènes ?

— Non, ils ne sont pas assez cruels.

— Tout de même pas vos gardes du corps ? fit-il avec effroi.

Même les hommes sans âme craignaient terriblement ma garde de vampires.

— Non, pas eux non plus. Parle avec notre ami le pharaon Imhotep. Dis-lui que des créatures sont arrivées dans son pays, et que l'une d'elles a pris l'apparence de la momie de sa défunte bien-aimée Anck-Su Namun, afin de tourner sa mort en dérision.

Renfield frémit de tout son corps. Il savait de quelle terrible vengeance Imhotep était capable. Je donnai un dernier ordre :

— Il ne doit épargner que la femme vampire. Quant aux autres, qu'il veuille bien les torturer à mort, selon son style éprouvé.

EMMA

Aïe aïe aïe, quelle chaleur ! C'est vrai, j'avais désiré voir le monde, mais pas forcément le désert égyptien par une température ressentie de 273 °C. Ma peau brûlait, et je comprenais tout à coup pourquoi les vampires avaient un faible pour les cercueils capitonnés de terre du pays. En ce moment, j'aurais bien voulu moi aussi être couchée là-dedans, environnée d'ombre et de fraîche humidité.

Max sautillait à côté de moi, mais pas de joie : il faisait des bonds sur le sable brûlant comme la chatte sur un toit de tôle au mois d'août. Quant à Frank, il avait bien du mal à avancer, car, à cause de son poids, il s'enfonçait profondément à chaque pas. Il ne cessait de jurer :

— Pffalopferie de chmable !

La seule à s'en tirer à bon compte était Fée. En tant que momie égyptienne, elle était mieux préparée que nous à affronter ces températures – elle jouait même sur son terrain, en quelque sorte. Mais son moral n'était évidemment pas pour autant au beau fixe, et je me demandais donc comment réconforter mes petits Wünschmann, malgré mes propres souffrances. Je me souvins de mon prof de quatrième, qui, un jour de sortie, alors que les plus gros de la classe étaient proches du collapsus après avoir marché sept kilomètres, s'était mis à chanter avec eux. Oui, mais quel chant entonner avec ma famille dans la situation présente ? Il valait mieux éviter *Vamos a la playa* ou *It never rains in California*, ou même *La Madrague* (avec Frank, « coquillages et crustacés » avaient toutes les chances de se transformer en « cochonnaille et cruche cassée »…).

C'est alors que j'eus une illumination sous l'affreux cagnard. L'idée paraîtrait sans doute un peu dingue, mais j'annonçai :

— Nous allons chanter !

— Quoi ? fit Max.

— Oufta ? demanda Frank.

— Ton cerveau a définitivement fondu, dit Fée.

— Nous allons chanter cette vieille chanson punk, *Marcher comme un Egyptien* ! décrétai-je.

C'était tellement bête que les enfants éclatèrent de rire. Frank ne comprenait pas pourquoi ils riaient, mais, tout heureux de les voir de bonne humeur, il se mit à rire aussi, par contagion. Nous reprîmes donc presque gaiement notre marche en direction des pyramides, les enfants chantant avec moi :

« Je suis allé à Gizeh, où les trois pyramides pointent vers le haut. J'ai vu le Sphinx et croyez-moi, j'ai jamais rien vu de plus beau. Mais y a un truc que j'ai trouvé très dur : marcher comme un Egyptien… »

Pendant ce temps, Frank marquait le rythme par des « Oufta » en cadence. Emportés par notre élan, nous enchaînâmes avec d'autres chansons, parmi lesquelles Frank apprécia tout particulièrement celle sur Anton le Tyrolien (« *Ich bin so schön, ich bin so toll, ich bin der Anton aus Tirol…* »). Ce qui entraîna cette remarque de Fée :

— Papa est probablement la seule personne au monde à aimer cette chanson sans être bourré.

Cependant, par une telle chaleur, l'enthousiasme ne pouvait guère durer au-delà du quatrième morceau. Je m'efforçai de sauver l'ambiance en chantant très fort *Life is Life*, mais j'étais à peu près la seule à articuler les paroles tandis que les enfants les marmonnaient avec agacement, et que les « Oufta » de Frank s'espaçaient de plus en plus.

Au milieu de la chanson, j'aperçus tout à coup une oasis : un lac à l'ombre des palmiers, des arbres fruitiers, des quantités de fleurs… D'abord, je n'en crus pas mes yeux. C'était comme un miracle, le salut était soudain proche. Si j'avais eu un cœur, il aurait bondi de joie.

— Plus besoin de chanter ! criai-je aux autres, qui n'avaient pas encore remarqué l'oasis.

— Ouf, soupirèrent les enfants soulagés.

— Ta, compléta Frank, qui ne supportait apparemment pas de laisser un « Ouf » tout seul.

Je tendis le doigt vers l'oasis en souriant. A cette vue, Max et Frank poussèrent des cris joyeux et se mirent à courir, oubliant l'un ses pattes sensibles, l'autre le sable profond, pour être le plus tôt possible au bord de l'eau tant désirée. De mon côté, je brûlais surtout d'être à l'ombre. J'allais m'élancer à mon tour, quand Fée me retint par le bras et balbutia, troublée :

— Maman… il n'y a rien ici ?

— Mais si ! Une oasis ! répondis-je en riant.

— Non, il n'y a que du sable.

Elle disait cela d'un ton tout à fait sérieux. Elle ne voyait vraiment pas l'oasis, je me demandais bien pourquoi. Etait-ce une baisse d'acuité visuelle due à son âge de momie ? Oh, et puis tant pis ! Dans un moment pareil, savoir si elle avait besoin de lentilles de contact ou si on pouvait en obtenir sans ordonnance dans une pharmacie égyptienne était le cadet de mes soucis. Je me dégageai et me mis à courir à mon tour vers l'oasis. Plus vite. Toujours plus vite. Jusqu'à ce que Frank et Max s'arrêtent net devant moi. Je les rejoignis, m'apprêtant à leur demander ce qui leur arrivait. Mais je compris toute seule : l'oasis devenait floue. Encore quelque pas, et elle disparut tout à fait. Ce n'était qu'un de ces satanés mirages !

Les deux autres avaient l'air déconfit, et je suis sûre que si j'avais eu un miroir et que mon image de vampire ait pu s'y refléter, j'y aurais vu un visage tout aussi déprimé.

Puis je me souvins que j'avais décidé d'être une femme et une mère nouvelle, forte et dispensatrice d'espoir. J'arborai mon sourire le plus rayonnant et me remis en marche à travers le désert en chantant de plus belle *Life is Life* :

— « *When we all give the power, we all give the best... »*

Les autres me suivirent avec nettement moins d'enthousiasme, car il n'y a rien de pire pour le moral qu'un espoir déçu.

Au début, nous nous laissâmes prendre à d'autres mirages – une caravane, un club Robinson, un marchand de glaces – avant de nous habituer aux tours que nous jouait le miroitement de l'air et de devenir capables d'ignorer les piscines, les centres Oasis Wellness et les attroupements d'ours blancs sur la banquise. Plus personne ne chantait avec moi, et je me sentais moi-même plus ou moins à bout de ressources, car les seules chansons qui me venaient encore à l'esprit étaient du style *This is the end, my friend.*

— Je suis en train de me déshydrater, gémit Max.

Son pelage était humide de sueur et, malgré ses brûlures aux pattes, il commençait à avoir de la peine à sauter.

— Cette fois, nous allons vraiment y passer, constata Fée d'une voix brisée.

De nous tous, elle était la moins affaiblie, mais même une momie ne pouvait survivre longtemps dans un endroit pareil. Quant à moi, j'avais la peau toute parcheminée et les yeux enflammés sous mes lunettes de soleil. Je ne parvenais plus à formuler une pensée claire. Je tâchai pourtant de m'en fabriquer une, inspirée à la fois de Barack Obama et de Bob le Bricoleur.

— Oui, nous y arriverons ! m'écriai-je.

— Tu as des arguments à l'appui de cette thèse ? me demanda Max.

A voir sa mine de chien battu, il était clair que les paroles d'encouragement ne suffisaient plus. Je regardai autour de moi avec désespoir. Nous n'avions pour ainsi dire pas progressé en direction des pyramides, et elles ne semblaient pas vouloir nous faire le plaisir de se rapprocher de nous. En revanche, j'aperçus une chose qui ranima en moi la flamme presque éteinte. Cette fois, ce n'était pas un mirage à l'horizon, mais du concret, à quelques mètres de nous.

— Regardez ! m'écriai-je en montrant le sol.

— Des traces de pas ! se réjouit Fée.

— Nous n'avons plus qu'à les suivre !

Mais nous n'eûmes pas le temps de nous étreindre avec soulagement, car Max avait une objection à formuler :

— Ce sont les traces de deux femmes, d'un homme très grand et de quatre pattes. Que devons-nous en conclure ?

— Oh, non ! s'écria Fée avec désespoir.

— Nous avons tourné en rond, constatai-je en me laissant tomber sur le sable.

— Vous avez bien compris, conclut tristement Max. Alors, je vais continuer à me déshydrater.

— Je vais faire comme toi, dit Fée.

Assise dans le sable, je me sentais à bout de forces. Mais je n'avais pas le droit de laisser ma famille périr dans le désert. Je me ressaisis et commençai :

— Dans ce cas…

— Si tu te remets à chanter, m'interrompit Fée, je t'enterre dans le sable ici même.

— Je m'associe à elle des quatre pattes, renchérit Max.

— Pour une fois que vous êtes d'accord entre vous, ce n'est même pas agréable, dis-je faiblement.

Je me tournai vers Frank pour quêter son soutien, et il dessina sur le sable ce qu'il me ferait si je me remettais à chanter :

— Eh bien, pour changer, nous pourrions raconter une histoire ensemble ? suggérai-je d'une toute petite voix.

Fée répondit doucement, mais fermement :

— Nous n'allons ni chanter, ni raconter des histoires, ni jouer à des jeux, ni faire la roue vivante…

— … juste continuer à nous déshydrater, acheva Max.

Non, ce n'était vraiment pas sympa quand ils se mettaient d'accord entre eux. Je me rabattis sur une proposition plus modeste :

— Nous pourrions aussi nous taire.

Celle-ci fut adoptée à l'unanimité.

Nous repartîmes, avançant toujours plus lentement, plus péniblement, plus désespérément. Je défaillis à plusieurs reprises. La quatrième fois que je m'écroulai dans le sable, je me dis qu'à l'évidence, je ne survivrais pas une demi-heure de plus.

Je fis encore quelques pas, et c'est alors qu'un nouveau mirage m'apparut : une caravane de touristes en safari photo. J'ignorai ces jeux de miroir, jusqu'à ce que j'entende une voix s'élever :

— *Do you need help ?*

— Oh, les mirages, ça ne vous suffit pas de nous énerver ? Vous n'êtes pas obligés de nous balancer des âneries en prime ! leur criai-je avec désespoir.

— Maman, les mirages ne créent pas de phénomènes acoustiques ! s'exclama mon fils.

Fée aussi réagit immédiatement :

— *Yes, we need help !*

Cela me prit un peu de temps, mais, en voyant la caravane s'avancer vers nous, je réalisai enfin ce qui se passait. Trop faible pour sauter de joie, je me tins immobile, rassemblant mes dernières forces dans un sourire. Ma famille était sauvée ! Par chance et par hasard, certes. Mais aussi parce que je l'avais encouragée à ne pas renoncer, parce que j'avais été la mère et la femme de la situation. A mon intense soulagement se mêlait donc une part de légitime fierté.

La caravane était entièrement composée de touristes que je soupçonnai de s'appeler tous Klaus ou Bärbel et d'être originaires de Böblingen dans le Bade-Wurtemberg. En voyant leurs mollets rougis par le soleil, on comprenait mieux pourquoi certains musulmans voulaient interdire aux visiteurs de se balader en tenue légère. (La religion n'étant sans doute qu'un prétexte pour ne pas avoir à leur dire carrément : « Nous ne voulons pas voir vos gros mollets flasques ici. ») Mais pour l'heure, ces Klaus et ces Bärbel étaient le plus beau spectacle que je puisse imaginer. Pas aussi sensationnel cependant que celui de leur guide, une beauté arabe qu'on aurait crue sortie tout droit des *Mille et Une Nuits*. En temps normal, cette femme m'aurait causé un complexe d'infériorité, mais dans ces circonstances, elle m'apparut comme une sainte. Du moins jusqu'à ce que Frank déclare en la contemplant d'un air charmé :

— Schmuleika ?

J'eus la vague impression qu'il l'avait déjà vue quelque part, et je me demandai avec perplexité : « Schmuleika ? Comment ça, Schmuleika ? »

La caravane se remit en route vers la civilisation, avec nous ·mme supplément de bagages. Au début, je vécus ce voyage .ns une sorte d'état de transe. Accablée par la chaleur, je par-geais un dromadaire avec un gros Klaus dont l'hygiène corpo-lle ne paraissait pas figurer au sommet de la liste de ses 'iorités. Pour tout dire, son odeur devait pouvoir abattre un .nglier à la course. Mais au moins, il ne sentait pas l'ail.

Notre apparence inquiétait quelque peu les touristes .uabes. Sans vouloir l'exprimer trop directement, certains ˉaient cherché des prétextes pour nous laisser sur place, par xemple : « Oï, si on contuit ces chens à l'hôbidal, on arrifera ˉop dard pour le puffet. »

Cependant, Schmuleika, qui s'appelait en réalité Zuleika, leur ˉait fait comprendre en peu de mots qu'il n'était pas question 'abandonner qui que ce soit en plein désert. Après ce discours 1 elle avait montré l'autorité d'une reine arabe, plus personne 'avait osé la contredire.

Max avait droit à un dromadaire pour lui tout seul. Comme il ≥ taisait, les touristes, ne sachant pas qu'il pouvait parler, vaient moins peur de lui que des autres Wünschmann. (« Oï, odre gien te percher ne verait qu'une pouchée te cette pes-ole. »)

Pour lui libérer un dromadaire, on avait dû faire asseoir une ·ärbel derrière un Klaus, et celui-ci ne manifestait aucun nthousiasme. (« Oï, on a payé pour teux jameaux. J'm'en fa .re teux mots à l'organisadeur ! »)

Fée avait pris place derrière Zuleika. Quant à Frank, il devait ·hanger régulièrement de dromadaire, car ils avaient tendance s'écrouler au bout de quelques centaines de mètres. Vers la .n, une Bärbel commenta d'un ton acerbe :

— On tevrait appeler Animal International.

— On dit Amnesty International, trésor, corrigea Klaus, (
était très pointilleux.

— Chais pas foulu tire ça, Klaus, rétorqua Bärbel, piquée.

— Alors, tis juste c'que t'as foulu tire.

— Animal International.

— Mais ça existe pas, Animal International. C'est Amnes
International.

— Klaus, et toi, tu bourrais aller foir chez Che-sais-to
International, répliqua vertement Bärbel.

— Et toi chez Ignorante International, répondit Klaus to
aussi furieux.

— Et toi chez Prétentieux International.

— Et toi chez Zellulite International.

— Et toi chez Envoiré International !

D'une certaine manière, c'était apaisant d'entendre de
gens dont le couple allait encore plus mal que le nôtre. A c
propos, je remarquai une chose entre les hauts et les bas d
balancement de mon dromadaire : Frank ne cessait de lorgne
Zuleika. Ainsi d'ailleurs que la plupart des Klaus – ce qu
n'avait rien d'étonnant quand on voyait leurs Bärbel. Mais cel
énervait aussi les Bärbel, qui regardaient leurs Klaus comm
si elles allaient très vite téléphoner à un avocat de Böblinge
spécialisé dans les divorces et déclencher une guerre de
Rose aussi sanglante que possible. L'une d'elles siffla même
entre ses dents :

— Si tu recartes engore une vois cette zalope, che t'en golle
une.

En tout cas, j'étais certaine que Frank avait déjà vu cette
Zuleika quelque part, même si elle ne l'avait pas identifié sous
sa forme actuelle. Peut-être lors de ses vacances en Egypte
avec ses copains ? Une question traversa ma cervelle brûlante :
n'avait-elle été que son guide, ou s'était-il passé quelque

chose entre eux ? A Berlin, pendant son séjour en Egypte, j'avais eu quelques insomnies accompagnées de crampes d'estomac, et j'avais cru reconnaître là un pressentiment d'adultère.

Mais non, c'était absurde ! Pas parce que Frank ne ferait jamais une chose pareille – de cela, je n'étais pas très sûre –, mais parce que Zuleika était une telle beauté, alors que Frank... enfin, Frank, c'était Frank. Du moins, il l'était encore quand il avait fait ce voyage en Egypte.

Décidée à ne pas m'inquiéter davantage, je me cramponnai à mon Klaus puant en priant pour que nous sortions au plus vite du désert, afin que je ne finisse pas mes jours avec son odeur dans le nez. Le dromadaire sur lequel Max était sanglé rejoignit le nôtre et se mit à marcher à sa hauteur. Nous gardâmes le silence un moment, puis Max me dit avec tristesse :

— J'ai peur que nous ne restions toujours ainsi.

— Il ne faut pas avoir peur, répondis-je par réflexe maternel.

— Après analyse des faits, cette réponse est marquée du sceau de l'absurdité, répliqua-t-il.

De toute évidence, les phrases routinières d'une mère n'étaient pas adaptées à la situation. Si je voulais trouver la clé du cœur de Max, je devais l'aider à surmonter ses peurs.

— Moi aussi, j'ai très peur... commençai-je.

— Ça non plus, ce n'est pas fait pour me tranquilliser.

— Je veux seulement dire par là qu'il est tout à fait normal d'avoir peur...

— Dans les livres, les héros triomphent toujours de leur peur, comme moi avec les zombies, mais ils ne recommencent pas à la première occasion.

— C'est parce que les héros de livres ne vivent rien d'autre une fois l'histoire terminée. Mais toi, tu continueras à vivre. Tu connaîtras toujours de nouvelles peurs, comme tout être humain, mais tu les surmonteras à chaque fois !

— Qu'est-ce qui te permet d'arriver à cette conclusion ?

— Tu surmonteras tes peurs, parce que tu sais maintenant que tu en es capable.

Max me jeta un regard dubitatif.

— Tu le penses vraiment ?

— Celui qui a vaincu les zombies une fois les vaincra toujours.

— Dans le cas présent, les zombies sont donc une métaphore de mes peurs ?

— Exactement, dis-je en souriant. Et les filles trouvent formidables les garçons qui affrontent leurs propres zombies.

Cela le fit rougir.

— Je ne suis pas la seule créature féminine à te trouver génial, ajoutai-je.

— Tu veux dire… Jacqueline ?

Je fis oui de la tête.

— Tu crois qu'elle et moi… ?

Nouveau signe de tête affirmatif.

— Ouaouh ! s'écria-t-il tandis que je hochais de nouveau la tête.

Max avait maintenant un air radieux et plein d'assurance. Il semblait donc que j'aie aussi trouvé la clé de ce cœur-là.

Comme nous n'étions plus très loin des pyramides, Zuleika, qui, en plus de l'anglais, parlait un allemand impeccable, déclara :

— Vous serez bientôt en sûreté.

Un court instant, j'eus l'impression que les choses allaient un peu mieux pour nous, les Wünschmann. Un court instant seulement. Car le ciel s'assombrit tout à coup. Une tempête de sable se levait. Et pas du genre ordinaire.

Le sable qui tourbillonnait dans les airs avec un vacarme assourdissant, obscurcissant le ciel, n'était pas jaune, mais noir. Il nous cinglait le visage en rafales et attaquait les poumons lorsqu'on avait le malheur d'en respirer. Mais tout cela n'était rien à côté de ce qui allait suivre.

Dans le ciel, l'ouragan transforma les tourbillons de sable en un visage sombre et terrifiant, où le nez, la bouche et les yeux étaient figurés par de profonds trous noirs. Et ce visage cria soudain d'une voix de tonnerre, terrible et surnaturelle :

— **Je suis Imhotep !**

Tous les Klaus et les Bärbel furent saisis de frayeur, et l'un des Klaus murmura :

— Ce goup-là, c'est pour Che-fais-tans-mon-froc International.

J'étais tentée moi aussi de rejoindre cette organisation.

— **Imhotep est le maître de l'Egypte !** s'écria alors le visage de sable.

— Son nom sonne comme « impotent[1] », remarqua Fée à voix basse.

— **Tu oses te moquer d'Imhotep !** cria Imhotep.

— Je crains qu'il ne t'ait entendue, balbutia Max.

— Je le crains aussi, dit Fée en déglutissant péniblement.

— **La vengeance d'Imhotep sera terrible !** hurla le visage dans le ciel.

---

1. Comprendre : « impuissant » (en allemand *impotent*).

Aussitôt, une partie de la tornade se changea en une gigantesque main noire qui s'abattit sur la caravane. Rapide comme l'éclair, elle empoigna Fée et se referma sur elle. Je vis Fée crier, sans pouvoir l'entendre au milieu du vacarme de la tempête. Un instant, j'eus très peur qu'elle ne soit broyée, mais la main noire se contenta de la tenir fermement... et l'emporta dans les airs ! Là, elle jeta ma fille dans le gouffre noir de la bouche d'Imhotep, qui se referma sur elle. Fée disparut dans les nuages sombres et ne reparut pas.

A présent, le visage se dissolvait à son tour dans l'énorme nuage de sable noir. Puis la tempête s'éloigna à la vitesse d'un ouragan.

A peine une demi-minute plus tard, c'était de nouveau le calme plat, et le soleil brillait d'un éclat renouvelé. Le cauchemar était passé. Mais un cauchemar bien pire commençait : ma fille avait disparu !

Désespérée, je me mis à hurler :

— FÉEEEE !!!

Pour toute réponse, j'entendis une Bärbel déclarer :

— L'an brochain, che bréférerais qu'on reste à Böblingen.

CHEYENNE

Les Wünschmann avaient disparu par magie, à la fois du Prater et de la surface de la terre, et la sorcière aussi. Après ça, je me hâtai de prendre le large avec Jacqueline. Je n'avais aucune envie que les flics relèvent mon identité, car s'ils entraient les données dans leurs fichiers informatiques, ils ne tarderaient bas à s'apercevoir qu'il y avait encore quelques mandats d'arrêt en cours contre moi. Par exemple à cause de la fois où, pour bloquer un convoi de déchets nucléaires à Gorleben, je m'étais menottée au ministre fédéral de l'Environnement avant de nous enchaîner tous les deux aux rails du chemin de fer par une autre paire de menottes. Pendant tout ce temps-là, j'étais restée couchée sur le ministre, et, selon ses propres dires, ç'avaient été les quatre plus longues heures de sa vie. Oui, eh bien, il n'avait qu'à boire moins de bière avant.

J'arrêtai le minibus VW, que j'appelais Charly (en l'honneur de Charles de Gaulle, qui s'y était caché en mai 68), dans un quartier périphérique de Vienne. Je m'assis par terre à l'arrière de Charly avec Jacqueline, que les événements avaient pas mal secouée, et commençai par allumer le narguilé. Il m'avait été offert par Yasser Arafat, à qui j'avais conseillé de cacher sa tonsure en se mettant sur la tête un foulard palestinien un peu chic lorsqu'il apparaissait en public.

— Y a de l'herbe là-dedans ? demanda Jacqueline en montrant du doigt le narguilé.

— Non, du chou-rave.

Jacqueline haussa les épaules avec impatience.

— Mais bien sûr que c'est de la marijuana, dis-je avec un grand sourire.

— En tant qu'adulte, tu ne tombes pas sous le coup de la loi en me donnant ça ? demanda-t-elle d'un air méfiant.

— J'ai l'air de quelqu'un qui s'intéresse à ce genre de chose ?

Jacqueline ne put s'empêcher de sourire.

— Non, pas vraiment.

— Nous avons bien mérité une petite pipe, dis-je en aspirant une bouffée.

Je tendis le tuyau à Jacqueline, qui tira une bouffée à son tour. Puis elle me demanda d'un air soucieux :

— Tu crois que la sorcière a tué les Wünschmann ?

— Non, sans quoi nous aurions vu des restes, répondis-je avec conviction.

Jacqueline tira une nouvelle bouffée, puis déclara doucement :

— J'aime bien ces Wünschmann.

— Tu as des goûts bizarres…

— Surtout Max.

— C'est bien ce que je disais.

— Tu crois que je le reverrai, le petit ? demanda Jacqueline, partagée entre l'espoir et l'angoisse.

Je n'en étais pas trop sûre moi-même, car nous n'avions aucune idée de l'endroit où la sorcière avait envoyé les Wünschmann. Peut-être les avait-elle changés en fourmis, raison pour laquelle nous ne les voyions plus ? Comment savoir ? Cependant, si j'avais appris une seule chose utile dans ma vie, c'était qu'un beau mensonge vaut souvent mieux qu'une dure vérité. Alors, je répondis :

— Bien sûr que tu le reverras !

En disant cela, je regardai Jacqueline avec un sourire presque détendu, l'effet du narguilé aidant. Elle me sourit à son tour – sur elle aussi, l'herbe commençait à agir. Après un moment de silence, elle aspira une grande bouffée et déclara :

— J'aurais bien aimé avoir une grand-mère comme toi.

— Une grand-mère ? dis-je en faisant mine d'être vexée.

— Ou une tante, rectifia-t-elle.

— Ça sonne déjà mieux.

Elle tira encore une bouffée, s'allongea mollement sur les coussins de velours et dit en souriant :

— Une mère, ce serait pas mal non plus.

Cela réveilla la douleur enfouie au plus profond de mon cœur. Malgré ce que j'avais raconté à Emma, j'avais deux grands regrets dans ma vie : n'avoir pas été auprès de Jim Morrison la nuit où il était mort. Et ne pas avoir eu d'enfants avec lui. Pourtant, il en avait tellement envie ! Mais je lui avais répondu : « Oh, nous avons toute la vie devant nous. »

Depuis, j'allais chaque année au Père-Lachaise mettre des graffitis sur sa tombe, comme les fans des Doors. J'écrivais chaque fois la même phrase : « Je t'aimerai toujours. »

Les larmes me vinrent aux yeux.

Le pire quand on vieillit, ce sont les regrets.

A côté de ça, les problèmes de vessie sont une vraie fête.

Je regardai Jacqueline blottie sur les coussins. Elle avait encore toute la vie devant elle. Une vie sans regrets, je l'espérais.

— Tu pleures ? demanda-t-elle.

— Non, j'ai juste reçu de la vapeur dans les yeux, mentis-je.

J'essuyai mes larmes et dis :

— Ce serait un honneur pour moi d'être ta mère.

— Tu ne te fous pas de moi ?

Elle paraissait réellement surprise. Je fis non de la tête, et elle reprit à voix basse, l'air soudain très fragile :

— Tu es la première personne à me dire que tu voudrais être ma mère.

C'était la phrase la plus triste que j'aie jamais entendue. Et pourtant, j'en avais beaucoup entendu dans ma vie.

Je lui pris la main, la caressai tendrement et dis en plaisantant :

— Mais malheur à toi si jamais tu m'appelles « maman » !

Et, comme nous planions toutes les deux, nous nous mîmes à ricaner comme des hyènes.

EMMA

Fée.

Elle avait disparu.

Avalée par un tourbillon. Probablement morte.

Non, je n'avais pas le droit de penser cela ! Le penser, c'étai renoncer ! Et il ne fallait pas ! A aucun prix !

D'ailleurs, il était peu vraisemblable qu'elle soit morte Imhotep nous avait promis une vengeance terrible, et ce n'était pas compatible avec une mort rapide. Pas avec des monstres de son espèce. Une vengeance terrible demandai du temps.

Non que cette idée me tranquillise tellement. C'était plutô l'inverse.

— Que sais-tu d'Imhotep ? demandai-je à Zuleika.

Son dromadaire marchait à côté du mien – celui où j'étais assise derrière mon Klaus puant qui ne pipait plus mot, et on le comprenait étant donné la situation. Elle se tourna vers moi et balbutia :

— Je… je croyais que ce n'était qu'une légende.

— Visiblement pas ! rétorquai-je un peu sèchement, car je m'inquiétais terriblement pour Fée. Mais, selon la légende, où devrait se trouver Imhotep ?

— Dans la pyramide du pharaon Seti.

— Est-ce loin d'ici ?

A cet instant, l'une des Bärbel de Böblingen se mit à ron-chonner :

— Oï, il faut fraiment que che prenne une touche, j'ai tu saple tans la raie tes fesses.

Zuleika me regarda d'un air décidé.

— Ramenons d'abord les touristes à la station, dit-elle. Ce soir, ils iront tous au cirque qui vient de s'installer juste à côté. J'aurai alors le temps de vous emmener à la pyramide.

Cette femme n'était pas seulement belle, elle était courageuse. Beaucoup, à sa place, auraient cherché à se débarrasser de nous au plus vite, même s'il avait fallu pour cela nous envoyer en mer Egée à bord d'un bateau bourré de clandestins. Mais pas elle.

Pressée de partir à la recherche de Fée, j'hésitais à me ranger à l'avis de Zuleika. Elle s'en aperçut et ajouta :

— Là-bas, il y a une infirmerie. Nous pourrions y passer rapidement pour soigner vos blessures.

Je regardai les pattes brûlées de Max, puis levai les yeux et constatai que le soleil ne tarderait pas à se coucher. Avec la nuit, j'allais reprendre des forces, et j'en aurais bien besoin pour avoir une chance contre Imhotep. A supposer qu'il soit possible de vaincre sans aspirateur surdimensionné un type déguisé en tempête de sable… J'approuvai donc la proposition de Zuleika, et nous poursuivîmes en direction de l'hôtel. Frank s'approcha alors de moi sur son dromadaire gémissant et demanda avec un regard à fendre le cœur :

— Fmée… ?

— Nous la retrouverons ! affirmai-je bravement.

Ma vaillance devait être communicative, car il hocha la tête avec résolution.

Zuleika, qui l'avait observé attentivement pendant tout ce temps, déclara enfin d'une voix hésitante :

— Je… je crois que nous nous connaissons… mais je ne sais pas…

— Pff'est mfoi, Pffrank ! répondit-il.

— Quoi ? demanda-t-elle.

Je faillis poser la même question. Il se souvenait de son prénom, maintenant ?

— Pffrank ! répéta-t-il, s'efforçant en vain de mieux prononcer.

Cette fois, Zuleika le regarda dans les yeux, et elle parut y reconnaître quelque chose, son âme, je suppose. Elle s'écria avec surprise :

— Frank Wünschmann ?

Frank hocha vigoureusement la tête. Visiblement, il se souvenait aussi de son nom de famille. J'aurais peut-être dû m'en réjouir, mais cela ne me plaisait guère qu'il ait retrouvé la mémoire grâce à Zuleika. Mon inquiétude pour Fée avait beau éclipser tout le reste, je sentis tout de même comme une pointe de jalousie.

— Co... comment es-tu devenu ainsi ? demanda Zuleika.

Frank bafouilla :

— Pfmorpfière, pfmapfgie, émpflairs...

Comme de juste, Zuleika n'y comprit que pfouic. Je lui expliquai donc ce qui nous était arrivé, et cela m'aida à penser un peu moins à Fée. A la fin de mon récit, Zuleika était évidemment stupéfaite. Mais, au lieu de poser les questions que j'aurais posées à sa place – « Comment une chose aussi extraordinaire peut-elle arriver ? », « Etes-vous dangereux pour les gens normaux ? », ou même : « Le loup-garou est-il propre ? » –, elle me demanda simplement :

— Alors... alors, tu es la femme de Frank ?

Comme j'acquiesçais, elle poursuivit :

— Tu dois être une femme très, très heureuse.

Je n'en avais pas spécialement l'impression.

— Frank est un homme remarquable, très courageux, déclara-t-elle.

Parlions-nous bien du même ?

— Il a sauvé de la prison mon frère Mohammed.

Elle me raconta alors comment son jeune frère, un adolescent qui travaillait comme garçon d'étage au centre de vacances « La Pyramide », avait été accusé de vol et arrêté sans preuves, et comment Frank, au lieu de profiter de ses vacances, avait mis à son service toutes ses compétences juridiques, sans se laisser intimider par la brutalité des policiers égyptiens.

— Il s'est battu comme un lion, dit Zuleika d'une voix admirative.

Frank avait toujours voulu aider les pauvres, et il avait fallu ces vacances pour qu'il puisse vivre son rêve pendant un court moment. Cela lui avait même valu l'admiration d'une femme comme Zuleika. Mais pourquoi ne m'en avait-il rien dit ? Etait-ce parce que je ne l'admirais pas suffisamment dans la vie ordinaire ? Ou bien parce qu'il avait obtenu de Zuleika autre chose que de l'admiration ?

Nous atteignîmes le complexe hôtelier, qui n'avait visiblement pas été rénové depuis sa construction autour des années 1980. Un petit cirque ambulant avait monté son chapiteau à cinquante mètres à peine. Pour les touristes, cela devait représenter un changement agréable par rapport aux animations habituelles avec représentations minables du *Roi Lion*.

Avant que les Böblingais et Böblingaises ne disparaissent dans leurs chambres, j'eus le temps d'entendre une Bärbel déclarer :

— Oï, la brochaine fois, che bréférerais un foyache à Hanoï.

Zuleika nous emmena à l'infirmerie, où elle banda les pattes de Max et me donna une pommade pour soigner ma peau brûlée. Elle jetait sans cesse à Frank des regards à la dérobée. Malgré son apparence monstrueuse, elle voyait encore en lui ce que j'avais cessé de voir depuis des années : un homme digne d'admiration. Un héros radieux.

S'il s'était réellement évanoui devant un tel regard, venant d'une jeune femme aussi belle et aussi courageuse… je pouvais le comprendre. Le pardonner, non. Mais le comprendre, oui.

J'aurais bien voulu tirer l'affaire au clair sans plus attendre, leur demander s'il s'était passé quelque chose entre eux. Mais je redoutais la réponse. Et j'avais besoin de tous mes moyens pour sauver la vie de Fée.

#

C'était la première fois de ma vie qu'on me mangeait. Et je dois dire que c'était encore plus dégoûtant que ce qu'on peut imaginer. Au moins aussi dégoûtant que de recevoir tout ce sable dans la bouche, les yeux et le nez. Je volais à travers les airs dans la tornade noire en tournoyant sans cesse sur mon axe, tantôt la tête la première, tantôt comme une toupie. En même temps, je n'arrêtais pas de monter et de descendre comme un Yo-Yo. Ma dernière pensée avant d'être K-O fut : « Heureusement que je n'avais pas petit-déjeuné. »

A mon réveil, j'étais couchée sur les dalles froides d'une grande salle aux murs de pierre ornés d'une quantité de hiéroglyphes. Le long des murs se dressaient des statues à corps d'homme et à tête d'animal : chacals, faucons, chats, rats, et même une vache. Les corps étaient nus, mais portaient des pagnes, Dieu merci. Je n'avais pas besoin d'être égyptologue pour comprendre que je me trouvais dans une

pyramide, et que c'était sans doute le repaire de ce bon vieil
Imhotep.

Maintenant que je voyageais à travers le monde comme
Cheyenne et comme j'avais rêvé de le faire depuis ma chute du
toit de l'hôtel, je n'étais tout à coup plus aussi sûre de trouver
ce projet de vie vraiment intéressant.

— Tu vas connaître la vengeance d'Imhotep ! fit une voix
derrière moi.

Elle résonnait moins que pendant la tempête de sable et
paraissait bien plus humaine, mais j'eus quand même très peur.
En me retournant, je vis un grand Egyptien un peu déplumé
sur le dessus, et vachement baraqué. Pour avoir des muscles
pareils, un homme ordinaire aurait dû faire un bon paquet
d'heures de gonflette et prendre encore plus de substances
cancérigènes.

Il avait l'air assez vieux, au moins trente-cinq ans. Il était nu
comme les statues, mais lui aussi avait été assez sympa pour
mettre un pagne. J'eus bien envie de lui demander s'il n'y avait
pas trop de courants d'air là-dessous, mais ce n'était peut-être
pas un bon sujet à aborder si je voulais ressortir vivante un jour
de cette pyramide.

— Je suis Imhotep ! proclama-t-il.

Je ne pus retenir un sourire.

— Qu'y a-t-il de comique à cela ? demanda-t-il.

Je n'allais quand même pas lui dire que ça sonnait comme
« impotent ».

— Je suis Imhotep ! répéta-t-il.

Je m'abstins de lui suggérer de prendre du Viagra.

Il s'avança vers moi, furieux.

— Je suis sur cette terre depuis trois mille ans !

Je ne pus m'empêcher de répondre en souriant :

— Pas étonnant que tu sois Imhotep à un âge pareil !

— Tu te moques de moi ! gronda-t-il.

Difficile de nier. Je suppose que j'aurais dû avoir beaucoup plus la trouille devant un type en pagne vieux de trois mille ans et capable de se changer en tempête de sable, mais j'avais du mal à croire qu'il me veuille du mal. Peut-être parce que, malgré sa colère, il ne cessait de me regarder d'un air fasciné.

— Tu lui ressembles exactement, dit-il d'une voix partagée entre la colère et la nostalgie.

— Je ne sais pas de qui tu parles, mais dans ce cas, elle ne doit pas être très jolie, répondis-je.

— **Ne te moque pas d'elle !**

Pendant qu'il criait cela, son visage se transforma à nouveau en une immense face de sable noir. Je me hâtai de l'apaiser :

— OK, OK, comme tu voudras…

Son numéro de sable était assez intimidant, et je me demandai tout à coup s'il n'allait pas me faire du mal quand même.

Lorsque son visage eut repris sa forme habituelle, il me demanda en tremblant de rage :

— Comment oses-tu souiller son image ?

— Je ne sais même pas de qui tu parles.

— Ne mens pas ! hurla-t-il en me prenant le menton pour me regarder, une lueur meurtrière dans les yeux.

Ce type était aussi équilibré que la plupart des profs après dix ans d'enseignement.

— Mais je ne mens pas ! fis-je, affolée.

— Veux-tu dire que tu n'as jamais entendu parler de mon grand amour, Anck-Su Namun ?

— Absolument, parole de momie !

Durant ce qui me parut une petite éternité, Immo scruta mon regard avant de me lâcher enfin, l'air troublé. Il observa une minute de silence, puis commença son récit d'une voix triste et douloureuse. Il me fixait sans me voir, comme s'il était retourné dans le passé.

— Anck-Su Namun était l'épouse du pharaon Seti, et moi le magicien de la cour. Mais Anck-Su Namun m'aimait, et je l'aimais. Notre amour était plus grand que celui d'Isis et d'Osiris.

Je ne connaissais pas ces deux-là, mais, à sa façon d'en parler, j'eus l'impression que ç'avait dû être quelque chose d'énorme.

— Nous voulions nous enfuir du palais la nuit où Seti avait décidé de concevoir un héritier avec Anck-Su Namun. Anck avait le cœur très pur et plein de flamme. Elle voulait fomenter une révolution afin de renverser le pharaon et d'offrir au peuple une existence paisible et juste. Pour cela, elle avait déjà rassemblé en secret des alliés et des braves.

C'était donc une femme vraiment courageuse. Qui savait ce qu'elle voulait dans la vie et était prête à tout donner pour ça. Ah, pourquoi nous ennuyait-on en classe avec les polypes marins, les logarithmes et la construction des forteresses du Moyen Age, au lieu de nous parler des femmes formidables qui avaient existé dans le monde ? Ça, au moins, ça m'aurait inspirée, et pour une fois, l'école m'aurait appris quelque chose d'utile pour ma vie.

— Mais cette nuit-là, poursuivit Imhotep, nous avons été trahis par la servante d'Anck. Nous étions encore dans sa chambre quand les gardes nous ont saisis. Le pharaon a prononcé sur-le-champ sa cruelle sentence. Il nous a fait traîner dans ce tombeau et momifier vivants dans ces sarcophages.

Il me les montra. L'un des deux était ouvert et vide, l'autre fermé. La fameuse Anck devait encore s'y trouver. C'était franchement glauque. J'avalai ma salive et déclarai impulsivement :

— Ce pharaon n'était pas très sympa.

— On peut le dire de cette façon, répondit Imhotep avec un petit rire.

Son rire était douloureux et plein d'amertume. Etre le héros d'une grande histoire d'amour tragique n'était visiblement pas la joie.

— Juste avant que les gardes de Seti ne scellent les sarcophages, je prononçai une incantation qui devait nous permettre de survivre jusqu'à ce que quelqu'un nous délivre. Nous sommes restés couchés là pendant trois mille ans. Il y a quelques décennies, des pillards ont ouvert le tombeau...

Il dut s'interrompre, car les larmes lui venaient aux yeux. Je n'avais pas besoin de beaucoup d'imagination pour comprendre que le charme magique n'avait fonctionné que pour lui. Et qu'il se sentait coupable de la mort d'Anck.

— J'ai tué sur-le-champ les pilleurs de tombes, reprit-il en désignant dans un coin de la salle un tas d'ossements qui me donna des frissons dans le dos. Et depuis, je veille sur le sarcophage d'Anck.

Il se mit à caresser avec douleur et amour le couvercle du sarcophage. Tout cela ne me plaisait guère. Il devait quand même avoir le cerveau un peu dérangé.

Surprenant mon air sceptique, il se ressaisit et m'attrapa de nouveau le menton en grondant :

— Tu souilles son image ! Cela mérite la mort !

Il me regarda dans les yeux et murmura d'une voix grave :

— Je veux que tu t'exécutes toi-même.

De toute évidence, Imhotep essayait de m'hypnotiser. Mais je soutins son regard, le fixai à mon tour et susurrai :

— Et moi, je veux que tu me fasses une démonstration de breakdance !

— Je n'ai aucune idée de ce que cela signifie, répondit-il, peu impressionné par mes pouvoirs, mais impressionné que je résiste aux siens.

— Cela signifie que nous ne pouvons pas nous hypnotiser mutuellement, expliquai-je.

— Tu… tu as les mêmes pouvoirs que moi ? bafouilla-t-il en reculant d'un pas.

— Enfin… je ne peux pas me transformer en tempête de sable.

Imhotep me regardait à présent avec curiosité, sa colère ayant visiblement fait place à l'intérêt.

— As-tu déjà essayé ? demanda-t-il.

— Euh… non.

Soudain, son visage s'éclaira et il me sourit aimablement.

— Tu devrais, suggéra-t-il.

Je le regardai, puis jetai un coup d'œil au cercueil d'Anck-Su Namun, et je sentis alors qu'il avait raison : oui, je pouvais être beaucoup, beaucoup plus qu'une simple globe-trotter comme Cheyenne.

MAX

Ma sœur avait été kidnappée, mes pattes étaient brûlées au degré plus l'infini, et pourtant, je n'avais qu'une pensée : Jacqueline. Elle me manquait trop. Autrefois, du temps où elle me plongeait la tête dans les toilettes, je n'aurais jamais cru pouvoir éprouver ce sentiment un jour.

Il fallait absolument que je sache comment elle allait, si elle était toujours à Vienne. Mais surtout, j'avais envie d'être avec elle, et je souffrais terriblement de ne pas y être. Si c'était ça l'amour, qui avait besoin d'une chose dont l'absurdité paraissait aussi difficilement surpassable ? A quoi pensait l'évolution lorsqu'elle l'avait inventée ? Tout ça uniquement pour la reproduction ? Il aurait sans doute mieux valu la laisser se poursuivre sur la base de la division cellulaire et épargner les nerfs de toutes les parties en présence.

J'avais absolument besoin d'entendre la voix de Jacqueline, ses intonations rauques qui rappelaient un peu une otarie – bien que pas aussi paisible que celle des livres de la série Petzi. (Mon préféré était *Petzi rencontre maman perche*, jusqu'à ce que Fée, alors que j'avais quatre ans, me fasse remarquer qu'on pouvait remplacer le « p » par un « d ». Et, comme je savais déjà lire et écrire, je n'ai plus jamais pu, par la suite, considérer avec la même innocence la gentille maman perche.)

— As-tu un téléphone ? demandai-je à Zuleika, qui me passait de la pommade sur les pattes.

— Oui, mais toi, as-tu des doigts pour t'en servir ?

— Excellente objection, soupirai-je.

— Mais je veux bien faire le numéro pour toi, ajouta-t-elle en souriant.

Cela avait de gros avantages d'être doué d'une intelligence exceptionnelle : j'étais capable de me souvenir du numéro de l'iPhone volé de Jacqueline, alors que je ne l'avais vu qu'une seule fois, dans la procédure d'installation du système, le jour où je l'avais aidée à configurer l'appareil de façon optimale. Je dictai le numéro à Zuleika. Elle le composa et j'attendis, le cœur battant la chamade.

Pendant que la liaison s'établissait, il me vint à l'esprit que je n'avais qu'à confesser mon amour à Jacqueline. C'était bien ce que ferait un vrai héros ! Il n'a peur de rien. Ou plutôt, par amour, il surmonte sa peur. Et mon amour était plus grand que tous ceux jamais ressentis par un garçon ou par un loup, y compris les stupides loups-garous de roman.

Zuleika m'accompagna dans une petite salle annexe de l'infirmerie, afin que je puisse parler sans être dérangé. Elle actionna le haut-parleur et posa le téléphone sur le sol, parce que je ne pouvais guère plus facilement le tenir à l'oreille, puis elle quitta la pièce. Enfin, la liaison fut établie et j'entendis la sonnerie. J'étais si impatient que Jacqueline décroche ! Et j'avais très peur qu'elle ne le fasse pas.

Les bips s'éternisaient. Je n'avais jamais remarqué jusque-là que l'intervalle entre deux bips était si long. Enfin, je l'entendis glousser :

— Ici Jacqueline...

J'aurais peut-être dû m'étonner de l'entendre glousser de rire en un moment pareil, mais j'étais bien trop impatient.

— C'est moi ! Max ! m'écriai-je.

— Tu es vivant ! se réjouit-elle.

— Oui, et toi, qu'est-ce que tu fais ? Comment vas-tu ?

— Je fume du hasch avec Cheyenne, répondit-elle en s'esclaffant de plus belle.

Cela aussi aurait peut-être dû m'étonner. Ou alors, ç'aurait été le moment de lui expliquer que j'étais en Egypte, que les autres Wünschmann avaient également survécu. Mais je senais qu'il fallait absolument que je lui avoue mon amour. J'avais une peur terrible, mais maman n'avait-elle pas dit que j'étais capable de surmonter toutes mes peurs ?

Puisqu'il en était ainsi, je m'abandonnai à l'ivresse des héros et criai :

— Je t'aime !

Jacqueline cessa brusquement de glousser.

— Quoi ?

— Je t'aime ! répétai-je avec force.

Même un « Quoi ? » ne pouvait entamer mon courage de héros.

— Quoi ? fit-elle encore.

C'était quand même un « Quoi ? » de trop...

— Je t'aime ! dis-je à nouveau, cette fois d'une voix légèrement tremblante et qui devait donc paraître beaucoup moins héroïque.

A l'autre bout de la liaison intercontinentale, j'entendis faiblement la voix de Cheyenne demander :

— Qu'est-ce qu'il veut ?

— Le petit dit qu'il m'aime, répondit Jacqueline, perplexe.

Cheyenne éclata de rire. J'aurais encore pu avaler ça. A la rigueur.

— Arrête ! lui cria Jacqueline.

Mais Cheyenne ne s'arrêta pas. Finalement c'est Jacqueline qui se mit à glousser avec elle. Et là, je ne pus digérer ce rire. Il me déchira le cœur.

De ma patte, je tapai violemment sur la touche « Raccrocher ». Je dus m'y reprendre à plusieurs fois avant que la communication ne soit réellement coupée et que je cesse d'entendre le rire de Jacqueline.

Mais je l'entendais toujours dans ma tête.

Bruyant.

Retentissant.

Je lançai à maman un regard furieux. Au lieu de me dire que je réussirais toujours à surmonter mes peurs, elle aurait mieux fait de m'expliquer autre chose : que la peur avait aussi une fonction biologique. Celle de vous préserver du danger d'être blessé.

EMMA

Les étoiles et la lune illuminaient la pyramide du pharaon Seti, sans compter les projecteurs des autorités touristiques égyptiennes, qui fonctionnaient même une nuit comme celle-ci, où personne n'avait rien à faire à cet endroit, mis à part quelques monstres et une Zuleika. Une fraîcheur agréable régnait maintenant dans le désert que nous traversions, Frank sur le dos d'un dromadaire particulièrement costaud portant le nom de Hulk, Max marchant à côté de nous sur ses pattes bandées, l'air de mauvaise humeur. Mais qui aurait pu être de bonne humeur dans notre situation, ou même apprécier le spectacle à couper le souffle des pyramides illuminées ?

Nous n'avions pas prononcé un mot de tout le trajet, quand Zuleika demanda soudain :

— Qu'avez-vous l'intention de faire, si Imhotep demeure vraiment dans cette pyramide ?

Sa voix ne trahissait aucune peur, ce qui aurait dû m'impressionner d'autant plus chez cette jeune femme. En réalité, elle me déplaisait davantage de minute en minute, parce que je comprenais de mieux en mieux Frank, s'il avait vraiment fait « oufta » avec une fille aussi formidable.

— Nous entrerons dans la pyramide, et nous flanquerons à cet Immo une bonne tèpe là où je pense.

— Bravo pour la complexité du plan ! persifla Max.

Il me regardait avec un mélange de douleur et de colère, comme si je lui avais fait quelque chose de grave. J'en conclus qu'il avait choisi cette nuit entre toutes pour faire son entrée dans la puberté. Super !

— Quant à redevenir des êtres humains, ce n'est même plus la peine d'en parler,

Il avait raison, hélas. Cela faisait quarante-huit heures que Baba Yaga nous avait changés en attractions pour Halloween, et il ne nous en restait donc que vingt-quatre pour sauver Fée et trouver un moyen de retourner en Transylvanie. Un pays non seulement lointain, mais dont je me souvenais tout à coup avec une bouffée de chaleur que c'était aussi, selon la légende, celui d'un homme qui faisait battre très vite mon cœur absent.

— Dracula, soupirai-je tout bas.

— Comment ? fit Zuleika étonnée.

— Grr ? demanda Frank jalousement.

— Rien, rien, dis-je évasivement.

Je me sentais coupable, mais j'en voulais malgré tout à Frank : de quel droit se montrait-il jaloux ? Si quelqu'un devait l'être, c'était plutôt moi, à cause de son idiote de Chouleika. De toute façon, la jalousie était totalement déplacée eu égard à la gigantesque masse de problèmes que nous avions à résoudre. Mon Dieu, qu'est-ce qu'Imhotep avait pu faire à Fée pendant ce temps-là ?

Avant que j'aie pu imaginer toutes sortes de choses horribles, Max demanda :

— Comment ferons-nous pour rejoindre la Transylvanie sans machine à téléporter ?

— Une chose à la fois, répondis-je.

— Tes plans sont décidément de plus en plus complexes, se moqua-t-il.

Cela se confirmait : il était entré dans la puberté. Youpi, youpi !

— Nous sommes arrivés, dit Zuleika en s'arrêtant devant la pyramide.

— Au cas où on n'aurait pas remarqué, répliqua Max.

Sa brusquerie étonna Zuleika, et Frank le gronda parce qu'il avait été insolent avec elle. Ce qui me mit de nouveau en colère, parce que j'avais l'impression que Frank cherchait surtout à protéger sa brave Gnouleika.

— Ne l'engueule pas comme ça ! lui dis-je agressivement.

Mais mon ado frais émoulu s'en prit à moi et non à son père :

— Maman, je peux me défendre tout seul !

— Ça pourrait nous être bien utile pour affronter Imhotep, répondis-je avec gravité.

Car il était temps de revenir à l'essentiel : le sauvetage de ma fille. Tandis que nous mettions pied à terre, Zuleika demanda.

— Pensez-vous réellement pouvoir résister à Imhotep ?

— Nous avons déjà survécu aux zombies et à Godzilla. Il ne nous surprendra pas aussi facilement.

— A moins d'utiliser des grenouilles, dit Max.

— Comment ça, des grenouilles ? m'étonnai-je.

C'est alors que la première grenouille atterrit sur ma tête.

D'où elle tomba sur le sable avant de s'enfuir en coassant dans le désert.

— Comme ça, répondit Max.

— Mais il n'y en a eu qu'une seule…

Sauf que les suivantes s'abattaient déjà sur nous. Je levai les yeux vers le ciel : il pleuvait des grenouilles ! Et cette pluie, qui surprenait les bestioles au moins autant que nous, faisait joliment mal.

— Par ici ! cria Zuleika en courant se réfugier sous l'auvent d'une petite boutique de souvenirs.

Nous la suivîmes sans perdre un instant. Les dromadaires aussi. Nous nous retrouvâmes donc tendrement blottis les uns contre les autres, les trois monstres, les trois dromadaires et la Gnouleika. De sous notre auvent, nous pûmes assister à ce phénomène dont la vue aurait sans doute forcé les spécialistes du climat à revoir tous leurs modèles.

— Imhotep semble capable de déclencher les fléaux bibliques, commenta Max.

Sa queue s'agitait de frayeur (un spectacle auquel je ne pouvais décidément pas m'habituer, même dans la situation présente). Comme j'étais à peu près aussi calée en religion que la plupart des Allemands, c'est-à-dire nulle, je lui demandai :

— Quels sont les autres fléaux bibliques ?

A cet instant, une énorme nuée de moustiques fonça sur nous.

— Je n'ai rien demandé ! Je n'ai rien demandé ! criai-je.

De ses grosses pattes, Frank arracha à ses gonds la porte verrouillée de la boutique. Nous courûmes nous réfugier à l'intérieur, passant devant des pyramides et des sphinx en plastique avant d'entrer dans ce qui paraissait être la réserve et de refermer très vite derrière nous. Les moustiques se précipitèrent vers la porte en vrombissant furieusement, mais sans pouvoir la franchir, même par le trou de la serrure, car elle était pourvue d'une moustiquaire.

Nous avions donc trouvé un refuge, bien qu'un peu étriqué. En effet, les dromadaires nous avaient suivis et, dans ce petit espace, ils nous marchaient quasiment sur les pieds. Autour de nous, les étagères étaient pleines à craquer de bibelots souvenirs, dont certains étonnants, comme des assiettes du mariage de Charles et Diana (peut-être les Klaus et les Bärbel achetaient-ils ces fonds de tiroirs pour se rappeler qu'il existait des mariages pires que les leurs ?).

Au bout d'un moment, nous entendîmes la nuée de moustiques s'éloigner.

— Oufta, soupira Frank avec soulagement.

— J'allais le dire, renchérit Max.

234

Les dromadaires aussi respirèrent un bon coup.

En regardant par la fenêtre fermée de la réserve, je vis qu'il ne tombait plus que quelques grenouilles, à peine une petite bruine. En revanche, une nouvelle tempête de sable approchait, un nuage noir aussi énorme que celui de l'après-midi. Imhotep rentrait au bercail !

J'avais une peur bleue de ses plaies d'Egypte. Pourtant, j'ouvris la porte de la réserve, courus dehors et lui criai avec colère :

— Si tu ne libères pas ma fille tout de suite, je te fourre tes grenouilles à un endroit où le soleil ne luit jamais !

Avec un grondement sourd, la tempête de sable reprit la forme d'un visage. Nous n'allions pas tarder à entendre la réponse à ma menace, et je me doutais qu'elle n'allait pas nous plaire.

— Peut-être une approche diplomatique aurait-elle été plus indiquée, dit Max.

Frank et Zuleika, qui venaient de sortir sur le pas de la porte, hochèrent la tête. Et, en regardant derrière eux, il me sembla voir les dromadaires, dans la réserve, hocher eux aussi la tête avec approbation.

— Les piqûres de moustique sont-elles la pire chose qui puisse arriver avec les fléaux bibliques ? demandai-je à Max, un peu inquiète.

— Eh bien, il y a aussi les ulcères.

— Très sympa.

— Et la peste.

— Euh, j'aurais peut-être dû me montrer un peu plus diplomate.

Cette fois, je fus presque certaine d'avoir vu les dromadaires hocher la tête.

— Je crains seulement qu'il ne soit un peu tard, dit Max.

Les moustiques avaient certes disparu et il ne bruinait plus des grenouilles, mais le visage noir avait fini de se former et cachait les étoiles. Pourtant, il était un peu différent de la première fois, avec des sortes de cheveux de sable noir – comme si Imhotep avait tout à coup décidé de mettre une perruque.

Le trou qui lui servait de bouche se mit à parler. Et les paroles qui en sortirent nous étonnèrent bien plus encore que la pluie de grenouilles. Car ce visage nous dit :

— Alors, comment ça va, vous ?

La voix grondait certes férocement, mais elle avait quelque chose de plus doux que celle de l'après-midi. Ce n'était pas la même, j'en étais sûre. Elle me rappelait vaguement celle... celle de...

— Fée... c'est toi ? demandai-je, stupéfaite.

— Oui ! C'est pas super, tous les trucs que je peux faire ? répondit le visage dans le ciel qu'était devenue ma fille.

— Ce serait encore plus super si tu nous expliquais ce que cela signifie. Qu'est-ce qu'il t'a fait ?

— Rien du tout.

Ce que je voyais au-dessus de moi me paraissait difficile à qualifier de « rien du tout ».

— Immo a été super sympa avec moi, déclara Fée.

— Tu... tu l'appelles « Immo » ?

— « Impotent » l'amuse moins.

— On le comprend, dit Max.

— Mais qu'est-ce qu'il t'a fait ? insistai-je, préoccupée.

— Il m'a montré tout ce que je pouvais être ! exulta-t-elle.

— Une tempête de sable... ?

— Et plein d'autres choses !

— Une tempête de sable qui fait pleuvoir des grenouilles et venir les moustiques ?

Ce n'étaient pas là les dons qu'une mère souhaitait à sa fille.

— Oui ! répondit gaiement Fée. Et je peux aussi provoquer les autres fléaux bibliques !

— Ne fais pas ça ! s'écria Max en levant la tête vers le ciel.

— T'inquiète pas, plaisanta-t-elle, je ne ferai jamais un truc comme le meurtre des premiers-nés.

— Heureuse de te l'entendre dire, fis-je craintivement.

Cela ne m'enchantait pas spécialement que ma fille aborde des sujets pareils. Je lui demandai avec précaution :

— Et... peux-tu aussi te retransformer ? Ça, ce serait une faculté intéressante.

— Bien sûr qu'elle le peut, répondit une voix de basse.

Un grand chauve musclé se tenait à côté de moi, vêtu d'un pagne, et je ne pus m'empêcher de penser aux maladies que j'attraperais certainement si je me promenais dans une telle tenue.

— Je suis Imhotep ! proclama quelque peu théâtralement le porteur de pagne.

Dans le ciel, Fée pouffa de rire. Sans se fâcher, il lui cria d'une voix presque amusée :

— Ne seras-tu jamais lasse de te moquer de mon nom ?

— Pas jusqu'à présent.

Dans le ciel nocturne, le visage de sable de Fée se fendit d'un sourire, et le chauve lui sourit affectueusement en retour.

Qu'est-ce que c'était que cette histoire ?

— As-tu hypnotisé ma fille ? demandai-je, furieuse, à Monsieur Propre.

Il continua de sourire sans me répondre.

— Parle, ou je te rétrécis ton pagne et tu vas faire des bonds !

— Tout à fait sa fille, commenta Imhotep avec un rire toni-truant.

— Ne dis pas ça ! lui cria Fée d'en haut.

Même devenue une monstrueuse tempête de sable, elle ne voulait pas être comparée à moi.

— Vas-tu te retransformer, à la fin ? lui criai-je.

Je n'arrivais décidément pas à parler avec elle sous cette forme-là.

— Comment on dit ?

— Fais-le, sinon, tu vas voir !

— La bonne réponse était : « S'il te plaît », dit-elle avec un grand sourire.

Et le visage commença à se désintégrer en une pluie de sable. Quand le dernier grain eut rejoint les autres sur le tas, celui-ci se retransforma sous mes yeux en Fée. Ou plutôt, en la version momie de ma fille.

— N'est-elle pas merveilleuse ? dit Imhotep en la contemplant avec amour.

C'est déjà assez gênant quand des jeunes gens regardent de cette façon votre fille de quinze ans. Encore pire quand ce sont des hommes d'âge mûr. Mais ce type avait carrément trois mille ans ! Avec lui, l'expression « vieux cochon » prenait une dimension tout à fait nouvelle.

— Tu l'as hypnotisée ? redemandai-je à Mister Pagne.

— Non. On ne peut pas hypnotiser les personnes qui ont une volonté forte.

C'était donc là le secret. La raison pour laquelle Fée n'avait pu hypnotiser ni Baba Yaga, ni moi. Ainsi, ma fille possédait la même volonté inflexible. Je m'en serais réjouie, si cette volonté n'avait pas été aussi souvent au service de l'entêtement.

— Je ne suis donc pas un esprit fort, conclut tristement Max en pensant à ce qui s'était passé sur la grande roue.

Il me fit de la peine, et j'essayai de le réconforter :

— Toi aussi, tu auras un jour une volonté forte...

— Ah, arrête avec tes pieux mensonges, aboya-t-il. A cause de tes discours, ma vie est devenue encore plus catastrophique qu'avant !

A cause de mes discours ? Que lui avais-je dit ? Quand ? Je ne voyais absolument pas en quoi sa vie avait pu empirer depuis une heure. Un instant, je me demandai si j'allais lui poser la question. Puis je me souvins que je devais d'abord remettre Fée sur la bonne voie. Je la pris par le bras et déclarai :

— Maintenant, tu viens avec nous !

— Où veux-tu l'emmener ? demanda Imhotep, visiblement mécontent de mes manières expéditives.

— En Transylvanie.

— Et comment veux-tu te rendre là-bas, femme stupide ? dit-il d'un ton moqueur.

— Tu sais quoi ? Il ne me manquait plus que ça, qu'un monsieur Je-sais-tout vieux de trois mille ans vienne encore me casser les pieds !

Il cessa aussitôt de rire.

— On s'en va, maintenant ! ordonnai-je à Fée en la tirant violemment par le bras.

Mais, sans bouger d'un pas, elle me répondit d'une voix très calme :

— Je reste avec Immo.

— Quoi ?

— Je reste avec Immo.

— Ça, j'avais entendu, fis-je, déconcertée.

— Alors, tu as bien compris.

— Mais c'est toi que je ne comprends pas !

— Et qu'est-ce qu'il y a que tu ne comprends pas ?

— Tout !

— Pourquoi devrais-je redevenir comme avant ?

— Je croyais que tu détestais ce corps de momie.

— C'était avant que je sache ce que je pouvais faire avec. Hypnotiser les gens. Me transformer en tempête. Et même déclencher les fléaux bibliques…

— Sans oublier, intervint le porteur de pagne, que tu disposes de la terrible malédiction de la momie.

— L'arme du dernier recours, approuva Fée. Car elle peut nous être fatale.

— Je ne veux pas savoir de quelles malédictions tu disposes ou pas, coupai-je. Tu n'as pas le droit de rester comme ça.

— Et pourquoi pas ? Je ne veux pas retourner à l'école. Imagine donc tout ce que je peux faire avec mes pouvoirs. Renverser des dictateurs. Aider les gens. Les pauvres. Les opprimés.

J'en restai bouche bée. A cause de ce qu'elle disait, bien sûr, mais aussi de la voir aussi rayonnante. Elle qui avait toujours été si apathique, elle avait enfin un projet. Et un projet pour lequel elle était capable de renoncer à son corps d'adolescente pour rester à jamais une momie.

J'aurais pu trouver cela fascinant, car c'était vraiment courageux, idéaliste, altruiste. Chez n'importe qui d'autre, cela m'aurait impressionnée. Tant qu'il ne s'agissait pas de ma propre fille. Mais je ne pouvais pas la laisser sacrifier sa vie d'être humain.

— Qu'as-tu à me regarder comme ça ? dit-elle. Toi qui voulais toujours que je m'inquiète de mon avenir ! Maintenant, j'ai trouvé quelque chose. Qui me permettra d'avoir une véritable influence sur le monde.

— N'est-elle pas merveilleuse ? déclara Imhotep, radieux. Comme ma chère Anck. Elle veut sauver les humains.

Ce type commençait vraiment à me taper sur les nerfs. J'essayai de faire appel à la conscience de Fée :

— Fée, tu ne peux pas rester momie…

— Et comment, que je peux !

C'est alors que Max, laissant libre cours à son imagination, intervint en faveur de sa sœur :

— Peut-être Fée est-elle une sorte d'élue, comme dans les grandes épopées – comme Luke Skywalker ou Frodon Sacquet… Peut-être même est-elle appelée à sauver l'humanité…

— Max ? dis-je.

— Oui ?

— Assis !

Il s'assit et se tut.

Je regardai à nouveau dans les yeux de Fée. Devant son air résolu, je ne sus que dire. Désemparée, je me tournai vers Frank.

— Dis-lui quelque chose, toi !

— Oufta ! tonna-t-il d'une voix décidée.

— Formidable, soupirai-je. Tu m'aides beaucoup.

— OUFTA, OUFTA, OUFTA !

On n'y arriverait pas comme ça. J'essayai à nouveau de parler à Fée :

— S'il te plaît… viens avec nous… sois raisonnable.

— Je suis plus raisonnable que jamais.

— Laisse-moi quand même te dire…

— Tu n'as plus rien à me dire, rétorqua Fée. Tu as toujours voulu avoir une autre fille, eh bien, maintenant, tu l'as.

— Mais ce n'est pas du tout ce que je voulais dire !

— Oh si, c'était bien ça, répondit-elle, les yeux étincelants de rage morne.

C'était tellement injuste que j'éprouvai une douleur terrible. Et aussi de la colère. Dans mon désarroi, je la menaçai :

— Cesse de me parler comme ça, sinon…

— Et toi, vas-tu cesser un jour de me donner des ordres, tout cela uniquement parce que tu te sens frustrée ?

— Je me sens quoi ?

— Totalement frustrée. Parce que tu n'as rien fait de ta vie.

Instinctivement, je levai la main. Je ne voulais pas la frapper. Bien sûr que non. Juste la menacer. Qu'elle ne me dise plus des choses pareilles.

— Tu veux me frapper ? demanda-t-elle, bouleversée.

— Non... Je voudrais seulement te ramener à la raison, balbutiai-je.

— Disparais de ma vie, dit-elle à voix basse.

— Mais...

— Je ne veux plus jamais te revoir, murmura-t-elle.

Incapable de supporter le mépris que je lisais dans ses yeux, je me détournai. Je n'avais tout simplement pas la force de résister. Et puis, j'avais tellement honte d'avoir levé la main sur elle.

Triste et désespérée, je regardai les autres. Max, qui fixait le sol d'un air gêné. Les dromadaires, qui n'osaient toujours pas sortir de la boutique. Frank et Zuleika, dont je soupçonnais qu'il s'était peut-être passé quelque chose entre eux. Et cela me faisait au moins aussi mal que le mépris de Fée. Je ne pouvais pas vivre plus longtemps avec ce soupçon, il fallait que je sache. Que ce soit oui ou non !

Toute retournée, je m'approchai de Frank et lui demandai sans trop réfléchir :

— Vous deux, cette fois-là, vous n'auriez pas...

— Oufta ?

Frank n'avait pas compris l'allusion. Zuleika, oui. Sans me regarder en face, elle dit :

— Je... je vais m'occuper des dromadaires.

Cela valait une réponse.

Quand Zuleika eut disparu dans le magasin, je reposai ma question à Frank un peu plus clairement :

— Cette fois-là, quand tu es venu en Egypte... vous n'auriez pas couché ensemble, par hasard ?

Frank secoua la tête.

Ouf ! C'était comme si on ôtait de mon cœur absent le poids d'énormes pierres. Dieu merci, mes soupçons n'étaient dictés que par une stupide jalousie !

J'allais serrer Frank dans mes bras, quand il se pencha et, de son énorme index, traça un signe dans le sable :

Tout d'abord, je ne compris pas. Puis je sursautai avec horreur :

— Tu veux dire… huit fois ?

Frank hocha la tête, honteux.

— HUIT FOIS ?

Il hocha de nouveau la tête, encore plus honteux.

— Tu n'as pas couché avec elle juste une fois par hasard, mais huit ?

Il avait tellement honte qu'il cessa même de hocher la tête.

Oh, mon Dieu, c'était donc bien pire que ce que j'avais imaginé ! Il ne m'avait pas seulement trompée sous le coup d'une impulsion subite, mais durablement, de façon délibérée. On ne fait pas cela à quelqu'un qu'on aime.

Alors, il ne m'aimait plus.

Depuis longtemps, peut-être.

Je me sentis très, très mal. Comme si on m'arrachait les entrailles. Je regardai autour de moi. C'était une idée absurde de vouloir chercher les clés des cœurs de ma famille. Leurs cœurs m'étaient fermés.

— Je sais que je suis loin d'être parfaite, fis-je d'une voix brisée. Je ne suis ni une maman super, ni une épouse formidable…

Je me tus un instant, cherchant mes mots.

— Je suis juste moi… rien de plus…

Ils gardaient tous un silence embarrassé.

Même Imhotep.

Même les dromadaires.

— Et si cela ne suffit pas pour que vous restiez avec moi…

Je regardai Fée.

— … si cela ne suffit pas à rendre votre vie meilleure…

Je regardai Max.

— … et surtout, si cela ne suffit pas pour qu'on me reste fidèle…

Je regardai Frank.

— … alors… alors, il vaut mieux que je m'en aille.

Tristement, j'entrai dans la boutique et pris des mains de Zuleika la bride d'un dromadaire. Passant devant ma famille, je fis sortir l'animal, puis montai sur son dos et lui donnai l'ordre de partir.

En quittant ma famille, je constatai que les vampires aussi pouvaient pleurer.

FÉE

— Tu n'as pas honte de tromper maman ? criai-je à papa quand elle fut partie.

— Oufta.

Il paraissait sincèrement honteux, mais je m'en fichais à présent. Je continuai à l'engueuler :

— Et en plus, avec une pauvre poulette du tiers-monde !

— Pardon ? protesta la poulette en question.

— Y a pas de « pardon ». Celui avec qui tu es allée au plumard était un homme marié. Si tu cherches à obtenir la *green card* pour l'Allemagne, choisis un touriste single.

— Il n'y a pas de *green card* en Allemagne… voulut-elle rectifier.

— Je me fous complètement de savoir quelles sont les formalités pour immigrer en République fédérale !

Zuleika ferma son clapet et je poursuivis d'un ton méprisant :

— Dire que pour un truc pareil, tu t'es pieutée avec un type de son âge… avec un vieux débris !

Cette fois, papa protesta :

— Oufta !

— Oh, arrête de dire « Oufta » tout le temps !

— Iffta ? fit-il, désemparé.

— C'est pas mieux, vieux bouc !

— Oufta ! protesta-t-il en reprenant son ton normal.

— Je… j'aime ton père, dit soudain Zuleika.

Et, au regard qu'elle lui jeta en disant cela, on aurait presque pu la croire. Même si on avait du mal à comprendre.

— Si c'est la vérité, alors, il faut vraiment être idiote pour tomber amoureuse d'un type capable de tromper sa femme !

Elle baissa les yeux.

— Et toi ? demandai-je à papa. Jusqu'à quel point faut-il être idiot pour tromper sa femme quand on a des enfants ?

Il regarda le sol à son tour.

— Ce n'est pas par terre que vous trouverez une réponse.

Ils regardèrent de côté.

— Là non plus.

Ils se taisaient toujours et, très franchement, je ne pouvais plus supporter de les voir. Alors, je dis à Imhotep :

— Viens, Immo, on s'en va.

— Personne ne dit à Imhotep ce qu'il doit faire ! protesta-t-il.

— Ne m'énerve pas.

Et je commençai à me transformer en tempête de sable. D'abord, mon bras droit se mit à tourbillonner. Cela démangeait très fort, comme si on avait le bras endormi et qu'il se réveille petit à petit, et qu'on s'aperçoive en même temps que des milliers de fourmis sont en train de courir dessus.

— Que fais-tu ? demanda Max avec inquiétude.

— A ton avis, ça ressemble à quoi ? répliquai-je tandis que mon autre bras se changeait en tourbillon de sable.

— A une fuite, constata-t-il tristement.

Cela me troubla un court instant. Puis me mit encore plus en colère : s'il y avait une situation qu'il était permis de fuir, c'était bien celle-là ! De plus, j'avais enfin un projet pour ma vie, et j'avais hâte de m'y mettre.

Tout le reste de mon corps se mit à tournoyer et à fourmiller, sauf ma bouche, que je laissai sous sa vraie forme, suspendue en l'air et portée par le tourbillon de sable, le temps de demander :

— Qu'est-ce qu'il y a, Immo ? Tu ne viens pas ?

— Personne ne commande à Immo…

— Oh, ça va ! le coupai-je.

Puis ma bouche se changea en sable elle aussi, et je m'élevai dans le ciel en tournoyant. La vache, quelle sensation ! C'était fantastique de tourbillonner comme ça. De voler. De monter dans le ciel. D'être une force de la nature !

Je regardai en bas, où les autres devenaient tout petits, sauf Immo, qui s'était enfin décidé à se changer en tempête de sable pour me suivre. Personne ne dit à Imhotep ce qu'il doit faire… tu parles !

A travers le vacarme de ma course folle, j'entendis encore papa hurler au loin :

— Fmée !

Je formai une gigantesque bouche de sable – soit dit en passant, la sensation était un peu celle d'une envie de bâiller, le fourmillement en plus – et lui criai de ma voix de tempête :

— Y a plus de « Fmée » ! Je ne suis plus votre petite Fée, une fois pour toutes, je suis Félicité !

Puis j'allai souffler ailleurs, et réfléchir à quel dictateur stupide j'allais pouvoir montrer comment la nouvelle Félicité savait lui botter les fesses.

MAX

Toute cette histoire devenait vraiment n'importe quoi. Et « n'importe quoi » était encore trop poli. C'était le genre de « n'importe quoi » qui pouvait servir à qualifier les compétences en navigation du capitaine du Titanic. Ou la situation des soldats allemands devant Stalingrad. Ou la moralité de Silvio Berlusconi. Ou ma compréhension des filles.

Maman était partie. Fée aussi. Avec l'intention de devenir une version combattante de Nelson Mandela. Et pour comble, papa avait trompé maman. Maintenant, je les détestais tous les trois.

J'aurais tant voulu être auprès de Jacqueline ! Du moins une Jacqueline qui ne se moquerait pas de moi quand je lui avouerais mon amour. Mais hélas, cette Jacqueline-là n'existait pas. Finalement, je n'avais donc même plus envie d'être avec Jacqueline.

Surtout, j'aurais voulu ne jamais lui avoir dit que je l'aimais. A quoi pensais-je donc quand j'avais fait cela ? Comment aurait-elle pu aimer un loup-garou ? Sans même parler d'un Max ?

D'ailleurs, à quoi bon me demander comment elle aurait pu aimer un Max, puisque je ne serais plus jamais Max ? Les Wünschmann n'avaient plus aucune chance de redevenir des êtres humains normaux, encore moins une famille normale – ce que nous n'avions d'ailleurs jamais été, à bien y réfléchir.

Qu'allais-je faire de ma vie à présent ? Rester avec papa ? Un homme qui peinait à effectuer les additions à un seul chiffre, et que je méprisais désormais profondément ? Un homme à qui j'avais surtout envie de pisser sur la jambe avant de la mordre ? (Quoique, du point de vue du goût, il valait sans doute mieux inverser l'ordre de ces actions.)

Non, je ne pouvais pas rester auprès d'un tel homme ! Je devais donc réfléchir aux moyens de survivre seul en tant que loup-garou. Mais comment m'y prendre ? Gagner de l'argent en me faisant inviter dans des talk-shows ? Combien de temps cela marcherait-il ? Combien de temps ferais-je sensation dans les médias jusqu'à ce qu'on m'expédie dans un camp en pleine jungle, ma demi-vie d'élément radioactif terminée ?

Cela me rappela que je courais des risques à me faire reconnaître comme loup-garou parlant. J'entrerais certainement dans le collimateur des scientifiques. Ils s'arrangeraient pour qu'un tribunal me déclare animal et non Homo sapiens, et je disparaîtrais dans un laboratoire d'expériences pour les cinquante prochaines années. Si je survivais aussi longtemps.

Il ne fallait pas que cela arrive ! De toute évidence, je devais garder l'incognito. Mais comment ? Devais-je rejoindre une meute de loups ? Il n'y en avait pas dans la faune égyptienne. Et les renards du désert ne s'y laisseraient certainement pas prendre si je faisais semblant d'être l'un d'entre eux. D'ailleurs, même si les renards du désert tombaient dans le panneau, ils étaient un peu trop au-dessous de mon niveau intellectuel pour que je puisse avoir envie de m'associer à eux.

Il ne me restait donc qu'une solution pour m'assurer le gîte et le couvert en tant que loup-garou tout en échappant au radar des scientifiques : rejoindre un petit cirque. Par exemple celui qui était en ce moment à côté de l'hôtel. J'avais enfin une stratégie ! Pas très attrayante, il est vrai. Mais réalisable.

Je courus vers papa et lui pissai sur la jambe. Puis la mordis. En me maudissant d'avoir oublié, dans ma colère, de respecter l'ordre des facteurs. Puis je m'enfuis en courant – avec un mauvais goût dans la bouche. Direction le cirque !

EMMA

Dans les grands films d'aventures, lorsqu'on voit quelqu'un pleurer sur l'écran dans un splendide paysage – la jungle, le Tibet, ou, comme moi, dans le désert –, on se dit avec émotion : « Ahh... les grands sentiments, que c'est beau ! »

Mais en cet instant, je pensais surtout : beauté des grands sentiments, mon cul !

Que n'aurais-je donné pour être vautrée devant la télé à manger des chips en regardant un truc ennuyeux sur la chaîne parlementaire Phoenix, genre débat au Bundestag sur les péages autoroutiers !

Et que n'aurais-je donné juste pour pouvoir apaiser ma faim avec un paquet de chips ! Car, pendant cette chevauchée pleine d'émotions à travers le désert, mon estomac s'était mis à gargouiller. Au début, je n'y fis pas attention, étant bien trop occupée à pleurer. Mais il grondait de plus en plus fort, au point que je ne pus bientôt plus ignorer la signification de ce cri : « J'ai les crocs ! Et pas pour bouffer des haricots ! »

L'effet de la pilule de Dracula s'estompait, et à la vitesse grand V. Je ne tardai pas à me ficher complètement de savoir si Frank avait fauté avec Zuleika huit fois dans un lit ou dix-sept fois sur un trapèze.

Je n'avais aucune idée de l'endroit où j'allais, mais j'étais si affamée que je m'en fichais aussi. D'ailleurs, mon dromadaire semblait avoir décidé de retourner à l'hôtel, ce qu'on ne pouvait songer à lui reprocher étant donné les récents événements. Avant que j'aie eu le temps de me demander si je souhaitais moi-même aller là-bas, nous passions devant le cirque, dont la représentation était depuis longtemps terminée, et arrivions au portail du parc de l'hôtel. Un Klaus et une Bärbel étaient en train de se disputer à l'entrée :

— Oï, tu bourrais aller chez Che-pue-tu-pec International, rouspétait Bärbel.

— Et toi, tu serais pien chez Moche-à-vaire-beur International, répliquait Klaus.

Ces deux-là tombaient à pic. Pour moi, ils n'étaient plus des touristes, mais des repas.

Je sautai à bas de mon dromadaire, qui continua sans moi et entra par le portail ouvert. Pendant ce temps, les deux repas continuaient à se quereller sans même me voir :

— Tu tefrais aller chez Ch'estourbis-les-animaux-afec-mes-pieds-qui-puent International ! fit Bärbel.

— Hello, tentai-je d'intervenir dans la conversation.

— Et toi chez Femmes-à-barbe International, répliqua Klaus sans se soucier de moi.

— HELLO ! répétai-je un ton plus haut.

— Oï, fous ne foyez pas qu'on est en train te parler ? grogna Klaus.

— Et vous, vous ne voyez pas que je m'en fiche complètement ? rétorquai-je.

Klaus me jeta un coup d'œil, lut sur mon visage la soif de sang et frémit.

— Si… si… che le fois…

— Parfait !

— Pourquoi… demanda Bärbel en tremblant… pourquoi afez-fous te si grandes dents ?

— Tu ne t'attends tout de même pas à ce que je réponde : « C'est pour mieux te manger » ?

Bärbel secoua la tête avec angoisse. J'éprouvais à présent une envie démesurée de planter mes canines dans sa carotide.

— Hem… fit Klaus. Che crois qu'il est temps pour Che-fiche-le-camp International.

— Klausinet ! s'écria Bärbel avec épouvante.

Comprenant qu'il la laissait là, elle voulut s'enfuir elle aussi, mais je la tenais déjà.

— Che fais chercher te l'aite ! lui cria Klaus de façon assez peu crédible juste avant de disparaître dans l'hôtel.

— Un vrai héros, dis-je en souriant.

— KLAUUUSSS ! hurla Bärbel, paniquée.

Son mari l'avait abandonnée, mais je n'avais pas pitié d'elle. Qui a pitié d'un repas ?

— Klaus, au secours ! Che… che retire ce que ch'ais dit sur les pieds qui puent, geignit-elle.

— Bärbel… intervins-je.

— Oui ? fit-elle avec inquiétude.

— Je préfère quand mon déjeuner ne parle pas.

Elle se tut et se contenta dès lors de gémir doucement. J'ouvris la bouche, approchai mes dents de son cou. Peu m'importait qu'elle gémisse. Plus rien ne m'importait que le sang. Le sang sucré, parfumé, tentateur !

Comme éperdue, j'entamai tout doucement la peau de son cou. J'allais enfin pouvoir apaiser mon désir insatiable. Mais je n'eus pas le temps de m'y abandonner, car je m'entendis soudain appeler :

— Emma !

De toute évidence, ce n'était pas la voix d'un Klausinet.

Sans lâcher ma Bärbel, j'éloignai mes dents de son cou, et c'est alors que je le vis. Dracula.

Le décor du désert sous la lune le mettait admirablement en valeur. Il paraissait plus beau, plus superbe encore qu'avant. Terriblement désirable. Et pourtant beaucoup moins, en cet instant, que la carotide de ma Bärbel.

— Tu n'as tout de même pas l'intention de boire son sang ? demanda doucement Dracula.

— Oh, que si !

— Tu vas t'attirer des ennuis !

— Peut-être, mais en attendant, ça me fera du bien, répliquai-je.

— Ne fais pas cela, dit-il d'une voix pressante.

— Ecoutez-le ! renchérit Bärbel.

— Je croyais que nous étions d'accord pour que le repas se taise ! la rabrouai-je.

Elle se le tint pour dit. Dracula me tendit l'une des pilules rouges qu'il utilisait comme succédané de nourriture pour vampires.

— Prends ce comprimé, me pria-t-il.

Mais de petites gouttes de sang perlaient déjà sur le cou de Bärbel, aux deux endroits où mes canines avaient entamé la peau.

— Je préfère l'original à la copie ! m'écriai-je, bien décidée à en finir.

Au lieu de répondre, Dracula lança tout à coup la pilule dans ma direction. Avec une force et une précision extraordinaires. Entrant dans ma bouche ouverte, elle passa directement de ma trachée à mon œsophage. Je m'étranglai, toussai, mais trop tard : la pilule était avalée, et son effet se fit immédiatement sentir : la soif ardente disparut. Je lâchai Bärbel.

— Va-t'en, lui dis-je d'une voix morne.

Elle resta muette.

— Tu n'es plus un repas, lui expliquai-je. Tu es redevenue une Bärbel.

— Che m'appelle Charlotte, pas Bärbel, dit-elle.

— Sais-tu ce que ça me fait ?

— Fous fous en fichez ?

— Tu comprends vite, ma petite Charlotte. Et maintenant, disparais, sans quoi je vais te faire…

— … pan-pan ?

— La petite Charlotte comprend décidément très, très vite.

La dame souabe fonça vers l'hôtel, où j'eus encore le temps de l'entendre s'écrier :

— Oï, tès nodre redour, ch'appelle l'afocat tes tiforces !

— Ah, que les humains sont superflus… soupira Dracula.

Mon ivresse meurtrière s'était dissipée. Grâce à Dracula, je n'étais pas devenue une criminelle. Avait-on jamais rien fait d'aussi extraordinaire pour moi ? Je lui devais une fière chandelle.

Etre dégrisée n'avait pourtant pas que des avantages, car je retrouvais d'un seul coup tous mes sentiments. Et penser à ma famille me donnait à nouveau envie de pleurer.

— As-tu des projets pour ce soir ? demanda Dracula. Sinon nous pouvons nous envoler d'ici dès maintenant.

— Les vampires peuvent aussi voler ?

J'en aurais presque oublié les larmes contre lesquelles je luttais.

— Quand nous nous changeons en chauves-souris, répondit Dracula.

— Brr, fis-je, désagréablement impressionnée.

— Mais je propose que nous prenions plutôt mon jet privé, reprit Dracula en souriant.

Et il me montra du doigt un splendide biréacteur posé à moins d'une centaine de mètres.

Je n'eus pas à réfléchir longtemps avant de répondre :

— C'est une sacrée bonne idée !

MAX

Un biréacteur passa dans le ciel au-dessus de moi tandis que je longeais furtivement le chapiteau du cirque Maximus, car tel était son nom. Deux vieux tigres et un énorme gorille visiblement adipeux ronflaient dans des cages proches. Au milieu de la petite portion de désert réservée au cirque, je vis une caravane qui devait appartenir au directeur – car elle portait en lettres immenses l'inscription : « Der Große Maximus ». D'où je conclus en outre que ce directeur parlait l'allemand. Et qu'un homme qui se faisait appeler « le Grand Maxime » ne souffrait certainement pas d'un ego défaillant. Il parlait sans doute de lui-même à la troisième personne.

Mais peu importaient les caractéristiques psychologiques du spécimen d'humanité qu'était ce Maximus : je devais lui parler. Car si un être tel que moi pouvait trouver refuge quelque part, c'était bien dans un lieu pareil. Plusieurs créatures bizarres y vivaient déjà : par la fenêtre d'une caravane éclairée, je vis se déshabiller une femme dont la peau ressemblait à celle d'un serpent. Les seins de cette femme-serpent étaient les premiers que je voyais « en vrai », et je ne sus trop que penser de ce spectacle.

Sur une autre caravane, une pancarte annonçait : « Jo et Bob, les frères siamois trapézistes ». Et devant le chapiteau vide dormait, appuyée contre un poteau, une grosse femme soûle porteuse d'une belle barbe. Dans un tel environnement, je ne me ferais décidément pas remarquer !

Je montai le petit escalier vermoulu. Un puissant ronflement me parvenait à travers la porte. Une chose au moins était certaine : Maximus avait un organe maximal.

Une fois en haut des marches, je frappai à la porte avec ma patte. Maximus ne fit que ronfler un peu plus fort. Je continuai à marteler la porte avec de plus en plus d'insistance, jusqu'à ce que le ronflement soit remplacé par un :

— Merde, qui ose déranger Maximus en pleine nuit ?

C'était bien ce que j'avais pensé : Maximus parlait de lui-même à la troisième personne.

— Si c'est encore les deux idiots de siamois bourrés, je vous préviens, je botterai votre cul commun jusqu'à ce que vous ne sachiez plus où est ce satané Siam !

Cet homme ne me paraissait pas être un employeur très aimable.

— Je viens pour un travail ! criai-je courageusement à travers la porte fermée.

— Je n'ai pas besoin de personnel ! aboya-t-il en guise de réponse.

— Je viens comme attraction !

— Qu'as-tu à proposer ?

— Il faut que vous voyiez par vous-même.

Après un instant de réflexion, le grand Maximus répondit :

— Bon, d'accord. Mais si je ne suis pas convaincu, je te fais casser la figure par les frères siamois. Ils ont deux poings gauches sensationnels !

J'attendis, la gorge nouée. Le directeur devait sans doute s'habiller. Au bout de ce qui me parut une éternité, la porte s'ouvrit et le grand Maximus se dressa devant moi, en peignoir et... moins grand que je ne m'y attendais. Pour être précis, c'était un nain. Du genre mauvais – de ceux qui, dans les combats, tirent les cheveux de l'adversaire et lui mordent l'oreille.

— Je vois que le nom de « Grand Maxime » est une autoréférence ironique, dis-je courageusement.

— Comment ça, ironique ? répondit-il d'un ton agressif, comme s'il l'entendait au contraire tout à fait sérieusement. Et que diable veut dire « autoréférence » ?

— C'est lorsque...

— La ferme ! m'interrompit-il.

Puis il commença à m'examiner, sans paraître étonné d'avoir en face de lui un loup-garou doué de la parole. Visiblement, il avait l'habitude des créatures dans mon genre.

— Comment t'appelles-tu ? demanda-t-il.

— Max.

— Si tu veux travailler au cirque Maxime, tu ne peux pas garder ce nom !

— Ça veut dire... que je peux rester ?

— Tu seras nourri, logé, et tu auras vingt-cinq dollars par mois.

— Seulement vingt-cinq dollars ?

— Tu connais des endroits où un loup gagne beaucoup d'argent ?

C'était un argument massue. Pourtant, je voulais discuter. S'il fallait que je devienne un chien errant, qu'au moins je ne me laisse pas acheter à si bon compte. Rassemblant tout mon courage, je déclarai :

— Je veux cinquante dollars !

— Je suis Maximus le Grand, pas Maximus Crésus ! rétorqua le lilliputien en tirant un gros cigare de la poche de son peignoir de bain.

— Cinquante dollars, ou je m'en vais, insistai-je.

— Je ne suis pas non plus le Maximus qui cherche des types dans ton genre, répliqua-t-il en allumant voluptueusement son cigare.

J'hésitai. Devais-je réellement partir ? Mais pour aller où ?

— Tu n'as pas l'air d'avoir tellement le choix, constata-t-il.

C'était probablement le seul nain au monde capable de vous parler de haut.

— Bon, d'accord, vingt-cinq dollars, consentis-je en grinçant des dents.

— Vingt, rectifia-t-il froidement.

— Mais vous aviez dit vingt-cinq ?

— Oui, mais tu n'avais pas encore osé me contredire, répliqua Maximus en me soufflant la fumée de son cigare dans la figure.

— Mais… m'étranglai-je.

— Tu me contredis encore. Maintenant, ce sera quinze.

— Hé !

— Treize.

— C'est…

— Dix.

— Je ne dirai plus rien, me résignai-je.

— Tu as enfin compris comment ça se passait avec Maximus, plaisanta-t-il en tapotant sans douceur ma tête de loup. Maintenant, je vais te montrer ta piaule.

— Aurai-je une caravane particulière ? demandai-je avec espoir en descendant l'escalier.

L'idée d'avoir un coin à moi me plaisait beaucoup. Maximus se mit à rire.

— Une caravane particulière… T'es un marrant, toi ! Tu pourrais peut-être aussi faire le clown. Le nôtre fait toujours pleurer les enfants…

A la vue du nain hilare, je frissonnai en songeant que je verrais désormais cet homme chaque jour. Je me sentais tout à coup comme ces pauvres orphelins qui, dans les livres pour enfants, sont forcés de rester chez des méchants pour la seule raison qu'ils manquent cruellement d'alternative.

Quand Maximus eut ri tout son soûl, il me demanda tandis que nous traversions le campement :

— Comment vas-tu t'appeler maintenant ?

A la réflexion, prendre un nouveau nom n'était pas une mauvaise façon d'entamer une nouvelle vie. Pourquoi pas Harry, ou Oliver, ou un autre nom d'orphelin devenu un grand héros ? Même si j'avais eu le temps de me convaincre que je n'étais décidément pas de l'étoffe dont on les fait.

Puis un autre nom d'orphelin devenu un héros célèbre me vint à l'esprit, celui d'un certain capitaine Kirk.

— Je veux m'appeler James Tiberius ! dis-je à Maximus.

Comme il me regardait d'un air sceptique, je m'efforçai de rendre l'idée attrayante :

— Tiberius, ça sonne bien avec Maximus.

Cela le fit sourire. Super ! Au moins, j'allais pouvoir commencer ma nouvelle vie sous un nom héroïque : James Tiberius Wünschmann.

Euh, je ferais peut-être mieux de renoncer à « Wünschmann » ?

— Qu'en pensez-vous ? demandai-je avec espoir.

— Pas question. A partir de maintenant, tu t'appelles Rex !

— REX ? fis-je avec épouvante.

— C'est ce qui te va le mieux, répliqua Maximus. Tu dormiras ici, Rex, ajouta-t-il.

L'épouvante causée par mon nouveau nom fut immédiatement remplacée par celle que me causa mon nouveau gîte :

— La cage du gorille ? Je dois dormir dans la cage du gorille ?

— Ici, c'est un cirque, pas un hôtel de luxe, Rexi-Boy.

— REXI-BOY ?

Cette fois, j'eus du mal à ne pas fondre en larmes. La seule chose qui me retint fut la crainte que Maximus ne recommence à se tordre de rire.

Il ouvrit la porte de la cage, dont le grincement réveilla le gorille, qui grogna d'une voix encore plus grave que celle de mon Frankenstein de père.

— Vous allez bien vous entendre ! ricana Maximus.

J'en doutais fort.

— Vous avez beaucoup de points communs, ajouta-t-il.

J'en doutais plus encore.

— Tu vas te décider à entrer dans la cage ? ordonna mon nouveau directeur. J'ai pas l'intention de passer la journée ici, Rexi-Boy.

Découragé, j'obéis. Maximus referma la grille sur moi et s'en alla gaiement en tirant de grosses bouffées de son cigare.

Je me recroquevillai dans l'angle de la cage opposé à celui où était couché le gorille, qui m'observait à présent avec beaucoup d'intérêt. Réfugié dans mon coin, j'allais enfin pouvoir pleurer. Mais à peine avais-je versé quelques larmes que le gorille se mit à parler :

— Moi, c'est Gorr.

— Tu… tu parles ? fis-je avec stupéfaction.

— Et alors, toi aussi, Rexi-Boy, répliqua le gorille parlant.

J'étais si étonné que je ne sus que répondre. L'animal poursuivit à ma place :

— On dirait bien que cette punaise de nain avait raison : nous avons au moins un point commun. Es-tu toi aussi un humain ensorcelé ? Ou bien un loup ensorcelé ?

— Un humain. Une sorcière m'a jeté un sort, expliquai-je.

— Et moi, un prêtre vaudou du Congo !

Gorr était donc un être humain, victime comme moi d'un sortilège. Je repris un peu espoir : peut-être ce gorille deviendrait-il pour moi une sorte de mentor bienveillant ? Il m'apporterait les informations dont j'avais besoin pour comprendre ce monde hostile… Il serait l'Obi-Wan Kenobi qui ferait de moi un vrai chevalier Jedi !

— Le prêtre vaudou était en colère contre moi, reprit le gorille, parce que j'avais rasé son village avec mes mercenaires.

Visiblement, je pouvais faire une croix sur mon idée de « mentor bienveillant ».

Gorr se leva et, s'avançant à pas lents, se planta devant moi avec un sourire qui découvrit ses grandes dents de gorille.

— A partir de maintenant, j'imagine très bien lequel de nous deux servira l'autre !

— Ah bon ? fis-je avec angoisse.

— Je vais te donner un petit indice : de nous deux, ce n'est pas le gorille qui sera le serviteur.

En disant cela, il montra ses dents jaunes, et cette fois, je ne pus m'en empêcher : je fondis en larmes et me mis à hurler :

— MAMAAAAAAN !

EMMA

Je trouvais drôlement chic de voyager comme ça en jet privé. Moi qui avais l'habitude des charters où tout est compté en supplément, même l'air qu'on respire…

L'avion de Dracula était non seulement spacieux, mais remarquablement silencieux, un rêve meublé de bois précieux, de sièges en cuir et de majordomes. Tandis que je me prélassais dans un fauteuil d'un confort merveilleux, le maître d'hôtel m'offrit un vin rouge qui révolutionna tous mes circuits nerveux du goût.

— C'est un château-farfernac de 1978, m'expliqua Dracula.

— Je n'en ai jamais entendu parler, dis-je.

Ce qui n'avait rien d'étonnant, puisque je m'y connaissais à peu près autant en grands crus qu'un rhinocéros en danse-théâtre.

— Il provient de mon vignoble privé.

Dracula avait un vignoble privé ? C'était la classe. La grande classe.

— As-tu de l'appétit, adorable Emma ?

— Mais tu m'as fais avaler ta pilule, répondis-je en reprenant une gorgée de château-machin.

Je sentais que je pourrais m'habituer sans peine à ce genre de bibine.

— Je parlais d'appétit, pas de faim, dit-il en souriant. Nous autres vampires, nous avons certes le désir du sang, mais cela ne nous dégoûte pas pour autant des joies de la gastronomie. Ai-je déjà mentionné que j'avais à bord un chef cuisinier trois étoiles ?

— Non, tu ne l'as pas dit, fis-je avec un sourire béat.

— J'ai à bord un chef cuisinier trois étoiles.

En disant cela, il sourit de telle façon que mes genoux flageolèrent. Ce vampire faisait de l'effet aux femmes. Tout particulièrement aux vampiresses pourvues d'une âme.

Peu après, nous étions attablés devant le plus fantastique menu de tous les temps : il y avait entre autres de la viande de buffle du Mozambique, du fromage de chèvre tibétain, et un tiramisu andalou ayant un tel parfum d'interdit que je ne pourrais plus jamais en manger d'italien. Tout était délicieux à couper le souffle du critique gastronomique le plus blasé.

Pendant le repas, Dracula me parla des lieux pleins de beauté et de mystère qu'il avait l'intention de me faire visiter, comme la cité perdue de B'wana, dont les ruines se cachaient dans la jungle congolaise, ou, en Birmanie, le temple des Fleurs de lotus, entouré de légendes. Dracula décrivait la beauté de ces endroits de façon si émouvante que j'en oubliais presque les merveilles qu'on nous servait. Je n'avais jamais imaginé qu'il pût encore exister, dans un monde moderne entièrement délimité, tant de lieux cachés où la beauté et le mystère avaient trouvé refuge. Ce serait tout à fait magique de m'y rendre en compagnie de Dracula. En comparaison, un voyage à l'île Maurice avec Hugh Grant comme celui qu'avait fait mon ex-collègue Lena devait ressembler à une visite au zoo de Bad Salzuflen.

Je n'étais déjà plus à table avec Dracula dans son jet privé. Je me voyais marchant avec lui dans le temple, respirant les fleurs de lotus.

— A quoi penses-tu ? demanda Dracula, interrompant ma rêverie.

Au lieu de répondre, je posai ma fourchette et me mis à le contempler. On pouvait facilement se perdre dans ses yeux. Si merveilleusement assortis à ses lèvres sensuelles. Et à son beau visage pâle. Et à son corps musclé. J'imaginais les tablettes de chocolat sous sa fine chemise : sa balance à impédance pour calculer la masse graisseuse était certainement au chômage. Ne serait-ce pas extraordinaire de faire l'amour avec Dracula dans le temple aux fleurs de lotus ? Cheyenne m'avait bien dit qu'il était un virtuose au lit...

Stop ! Minute ! Je n'avais pas le droit de penser à ça !

Oh, et puis, pourquoi ne pas rêver un peu ? Envers qui devrais-je me sentir coupable si je couchais avec Dracula ? Sûrement pas envers Frank et sa Zuleika !

J'avais envie de cet homme... de ce vampire... de ce propriétaire d'un jet privé... Et lui de moi ! On le voyait à son regard. Qui n'était pas concupiscent, mais énamouré. Incroyable ! Un tel homme pouvait m'aimer, moi, Emma Wünschmann ?

Hé, ho ! Stop ! Minute ! Tout cela n'était-il pas une ruse pour me circonvenir ? Il avait peut-être assaisonné la nourriture de substances destinées à me rendre docile. Sinon, comment expliquer que je le désire au point d'en oublier presque complètement ma famille ? Même s'il n'avait été que le patron de « Gugel » et non Dracula en personne, je le croyais capable de n'importe quel forfait.

— A quoi penses-tu ? répéta-t-il.

— As-tu mis quelque chose dans ma nourriture ? répondis-je sans réfléchir.

— Pourquoi ferais-je cela ?

— Pour que je m'entiche de toi.

— Cela signifie donc que tu me désires ? se réjouit-il.

Oups. Il fallait faire marche arrière très vite !

— Hem... non, non, qu'est-ce qui te fait dire une chose pareille ?

— Tu as supposé que j'aurais pu verser en secret une substance aphrodisiaque dans la nourriture.

— Euh... oui, on doit pouvoir le comprendre comme ça, admis-je.

— Mais si j'en avais versé...

— ... elle n'aurait eu aucun effet ! complétai-je en hâte.

Dracula me dévisagea d'un air amusé. Il ne me croyait pas du tout. Puis il me dit avec un gentil sourire :

— Si tu devais jamais me désirer, adorable Emma, il faudrait que ce soit en toute liberté, et non parce que j'aurais recouru à la magie. Un véritable amour ne peut reposer que sur la loyauté et la sincérité.

— B... bien, balbutiai-je.

Mais ce n'était pas bien du tout. Car dans ce cas, Dracula me faisait envie parce qu'il me faisait envie, non parce qu'il avait mis quelque chose dans la nourriture ! Et si je ne pensais pas à ma famille, c'était parce que je ne pensais pas à ma famille, non parce qu'il cherchait à me duper. Et si, en ce moment, je n'en éprouvais pas de remords... c'était tout simplement parce que je n'avais aucun remords.

Oui, mais... si Dracula mentait, et qu'il ait tout de même trafiqué la nourriture ? Je lui posai carrément la question :

— Est-ce que tu me mens ?

— Non, répondit-il d'une voix nette et sans un battement de cils.

Ayant médité un peu cette réponse, je redemandai :

— Et ça, était-ce un mensonge ?

— Non.

— Et ça ?

— Tu ne parviendras jamais à le savoir de cette façon, dit-il en souriant aimablement.

Il n'avait pas tout à fait tort.

— Tu dois sentir toi-même si ton désir pour moi est authentique ou non, m'expliqua-t-il avec douceur.

Je me sondai et dus bien le constater : mon désir était réel. Non seulement réel, mais diablement agréable. Dracula m'aimait, je le désirais, et j'étais seule. Loin de mon mari infidèle, de mes enfants ingrats. Je pouvais vivre ma vie. J'avais le droit d'en profiter ! Personne ne pouvait m'en empêcher !

Je voulais goûter tout de suite à ma nouvelle liberté. Je demandai à Dracula sans détour :

— Aurais-tu une objection si je t'embrassais, là, maintenant ?

Je n'attendis même pas la réponse. Me penchant par-dessus le tiramisu andalou, je posai doucement mes lèvres sur les siennes. Elles étaient aussi froides que les miennes. Mais – qu'on me pardonne la formule kitsch, mais le kitsch est parfois ce qui se rapproche le plus de la réalité –, quand nos lèvres froides se touchèrent, la passion se déchaîna en nous comme un incendie. Dracula avait visiblement employé une partie de sa vie immortelle à perfectionner sa technique du baiser. Nos lèvres restèrent soudées pendant de longues minutes (par bonheur, les vampires n'ont pas besoin de respirer).

Quand Dracula se détacha de moi, j'eus du mal à le laisser partir. Mais il alla simplement à l'interphone du bord et donna à l'équipage cet ordre aimable :

— Qu'on ne nous dérange plus jusqu'à l'atterrissage.

Puis il recommença à m'embrasser, tout en me déshabillant lentement. Mon corps de vampiresse étant bien plus séduisant que le précédent, je n'eus même pas besoin de m'inquiéter des parties que j'aurais pu préférer dévoiler sous un éclairage tamisé lors d'une première rencontre. Je me contentai donc de penser : « Atterrir ? Qui diable songe à atterrir ? »

FÉE

Le soleil se levait sur le désert au-dessus duquel je tournoyais. Immo volait derrière moi à la distance de sécurité – je lui avais expliqué que j'entendais par là qu'il devait pas s'aviser de mélanger son sable avec le mien.

Je fonçai à toute allure sur une mer dont je ne savais pas si c'était la mer Rouge, la mer Morte ou la mer Michel – j'aurais dû mieux suivre en cours de géographie. Puis je filai à nouveau vers la terre. Mais j'eus beau souffler et souffler sur les villes du monde arabe, je ne pus découvrir, de mon point de vue Google-Earth, ni armée d'oppresseurs, ni policiers tabassant des manifestants. Personne à qui montrer ce que c'était qu'un fléau biblique.

Enfin, en survolant une petite ville portuaire, j'aperçus, dans une ruelle sordide aux maisons penchées, deux jeunes types qui frappaient un homme en costume portant une grosse moustache. C'était mieux que rien.

Je montai très haut, puis fonçai en tourbillonnant vers les deux types, qui tentèrent de se cacher derrière des poubelles. Leur victime moustachue gisait à terre, n'ayant plus la force de se relever. Je me laissai pleuvoir sur la ruelle et repris ma forme de momie. Les deux types se recroquevillèrent davantage derrière leurs tonneaux, ce qui prouvait qu'ils n'étaient pas totalement idiots.

— Vous auriez mieux fait de rester couchés aujourd'hui, criai-je en leur envoyant d'abord la peste.

En quelques secondes, les types avaient le visage couvert de pustules et ressemblaient aux créatures que doit affronter Frodon dans *Le Seigneur des anneaux*. Puis je lançai sur eux un essaim de moustiques et, pour couronner le tout, une petite pluie de grenouilles. Quand j'en eus terminé avec eux, ils gisaient sur le sol, enflés et sans connaissance.

Je ne sais pas pourquoi, cela ne me fit pas autant plaisir que je l'aurais cru. J'avais espéré éprouver une certaine satisfaction à mettre des malfaiteurs hors d'état de nuire. Or, c'était moi qui me sentais mal à la vue de ce que je leur avais fait.

Revenu à lui, le moustachu se releva lentement et me dit avec une crainte respectueuse :

— Qui que tu sois, étrange créature, tu as accompli une bonne action.

Un des avantages d'être une momie égyptienne était que je comprenais et parlais super bien l'arabe.

— J'en suis ravie, répondis-je donc en arabe, un peu triste de ne pas me sentir aussi bien que le bien que j'étais censée avoir fait.

— Tu m'as sauvé de ces deux porcs révolutionnaires.

— Des porcs révolutionnaires ? demandai-je avec étonnement. Comment ça, des porcs révolutionnaires ?

— Je suis un agent des services secrets. Ils m'ont attaqué par surprise, mais maintenant, ils sont bons pour la salle de torture.

Holà !

— Euh... qui gouverne ce pays, déjà ?

— Le Président !

— Et... il a été élu ? demandai-je avec espoir.

— Pas directement.

— Indirectement ?

— Non plus.

Cela ne me paraissait pas superdémocratique.

— Quelqu'un peut-il reprendre ses fonctions ?

— Son fils lui succédera, après sa mort.

Non, la démocratie, c'était autre chose.

Je m'étais trompée, c'était à lui que j'aurais dû envoyer la peste, et pas aux deux autres types. Alors, je regardai le moustachu dans les yeux et l'hypnotisai :

— Je veux que tu oublies que ces deux hommes sont des révolutionnaires.

— C'est déjà fait ! répondit-il avec empressement.

Immo se laissa pleuvoir à côté de moi et se transforma en sa version à pagne.

— Ce n'est pas facile de distinguer le bien du mal, commenta-t-il.

— Tu l'as dit, soupirai-je.

— Pas même dans sa propre vie, ajouta Immo.

Ces sages paroles me mirent mal à l'aise. Je jetai un coup d'œil vers les deux pauvres gars que j'avais esquintés. Je n'étais malheureusement pas capable de les guérir, et cela leur prendrait sans doute plusieurs semaines. Quelle tête de linotte j'étais ! Je me précipitais dans une situation sans rien y comprendre. Anck, elle, savait parfaitement ce qu'elle faisait, alors que moi, j'étais très loin du compte.

Mais peut-être était-ce là mon erreur ? De vouloir lui ressembler ?

Et avant cela, je voulais faire comme Cheyenne.

Il faudrait pourtant bien que je trouve ma propre voie.

Que je sois moi-même.

Qui que je sois.

De retour dans le tombeau d'Immo, je ne parvenais toujours pas à oublier les deux révolutionnaires que je n'avais pas su aider. Ma seule consolation était que le moustachu ne les livrerait pas et qu'il ne nuirait d'ailleurs plus à personne (je l'avais aussi hypnotisé pour qu'il gagne désormais sa vie comme clown de rue).

J'étais bourrelée de remords. C'était maintenant que j'aurais eu besoin de quelqu'un pour me remonter le moral. Mais qui pouvait le faire ? Mon père adultère, sûrement pas. Immo ? Il ne me voyait que comme la réincarnation de son Anck. Maman ? Peut-être aurait-elle une bonne idée à me souffler pour l'avenir. Peut-être aussi sans me répéter quinze fois qu'elle m'avait dit depuis le début de rester avec elle.

Peut-être que oui.

Mais plus probablement non.

Où pouvait-elle être à présent ?

Elle devait être très triste, toute seule et perdue…

EMMA

Cheyenne avait raison : l'amour avec Dracula, c'était FOOOOOOUUUUUU !!!!!!!!!!!

FÉE

Interrompant mes pensées, Immo prononça la phrase que j'avais toujours voulu m'entendre dire par un être humain :

— Je t'aime !

C'était tout moi. Pour une fois que quelqu'un m'aimait – réellement, sans que je l'aie hypnotisé –, il fallait que ce soit un vieil Egyptien de trois mille ans vêtu d'un pagne.

— Après tant de souffrances, j'ai enfin surmonté la perte d'Anck, poursuivit-il.

— Tant mieux pour toi.

Et dommage que je ne puisse pas en dire autant. Même avec beaucoup de bonne volonté, je n'arrivais pas à m'imaginer en couple avec lui. Alors que lui, pas de problème : il s'agenouilla tout à coup devant moi sur les dalles de pierre et me prit la main. Mon Dieu, avait-il l'intention de… ?

— Veux-tu devenir ma femme ?

Il l'avait fait !

Pour moi, c'était évidemment hors de question.

Il me regardait, plein d'espoir. Il fallait réagir. D'une façon ou d'une autre. Je bafouillai :

— Euh… Immo, tu es très gentil et tout ça… Mais je crois que l'idée n'est pas vraiment terrible.

— Comment cela ?

Qu'est-ce qui lui prenait ? Quand quelqu'un répond à votre demande en mariage : « Je ne crois pas que ce soit une super idée », on va pleurer dans son oreiller, on ne demande pas pourquoi !

Je m'efforçai d'expliquer en le ménageant autant que possible :

— Eh bien, il y a quand même une certaine différence d'âge entre nous. Tu as trois mille ans, moi quinze…

— Mais tu es déjà pubère, objecta-t-il.

Aïe ! Je n'avais vraiment pas envie de discuter de ma maturité sexuelle avec lui.

— Nous pouvons donc concevoir des enfants, poursuivit-il.

D'abord, je n'étais pas du tout sûre que ce soit possible avec mon corps de momie. Ensuite, je ne voulais même pas commencer à penser à un truc pareil.

J'essayai de me diminuer à ses yeux :

— Je suis beaucoup trop impulsive.

— Je dois pouvoir supporter cela.

— Si on me réveille trop tôt, je deviens odieuse…

— Alors, je ne te réveillerai qu'à midi, répondit-il gaiement.

— Et quand j'ai mes règles, même l'après-midi, je tuerais tout le monde.

— L'amour pardonne tout.

La vérité ne menant visiblement à rien, il fallait recourir au mensonge. On verrait bien s'il encaisserait aussi facilement :

— Je… je n'aime que les femmes !

— Je te convaincrai du contraire, dit-il sans se décourager. J'aime les défis.

Il m'attira vers lui et essaya de m'embrasser. Contre mon gré. Ça, c'était vraiment dégoûtant. En plus, comme il avait parlé de ma puberté, je me doutais bien de ce qu'il voulait, et j'étais encore plus dégoûtée. Je le repoussai de toutes mes forces et criai :

— Eh bien, puisqu'il faut te le dire carrément, je ne t'aime pas ! Et je ne pourrai jamais aimer un type dans ton genre !

— Quoi ? dit-il, horrifié.

— Qu'est-ce que tu croyais ? Un type qui a passé trois mille ans dans un tombeau, à penser tout le temps à une femme, tu n'imagines quand même pas qu'on va dire aussitôt : Ouah, il est super !

Son visage se contracta de colère.

— Et puis, tu te balades avec ce pagne idiot, et tes pieds puent !

— Mes pieds ne sentent pas !

— « Sentir » n'est effectivement plus le mot.

— Tu... tu me réprouves ? constata-t-il en rougissant légèrement.

— Bingo !

— Que veut dire « bingo » ?

— Que je te « réprouve », et pas qu'un peu ! Je te trouve même encore plus nul que le mot « réprouver » !

Cette fois, le rouge de la colère lui monta au visage et il se mit à trembler. Je me demandai si je n'avais pas un tantinet exagéré.

— S'il en est ainsi, je vais te faire ce que Dracula m'avait demandé ! dit-il d'une voix frémissante.

— Dracula... ?

Que venait-il faire là-dedans, celui-là ?

— Il voulait que je tue ton frère et ton père. Et toi !

Pas très sympa.

— Et c'est ce que je vais faire. Maintenant !

Pas sympa du tout.

Un instant, je crus qu'Immo allait recourir à la « malédiction de la momie », même si, selon la règle, cela devait mettre en danger sa propre vie. Mais, au lieu de me jeter un sort, il se transforma en un énorme insecte bleu. Un scaba... scabra... scarabée, si c'est bien le nom. En tout cas, quelque chose qui ne faisait pas très peur et me paraissait même plutôt ridicule, comparé aux zombies et à Godzilla. Jusqu'à ce qu'un liquide noir jaillisse de la bestiole et, en frappant le mur juste à côté de moi, réduise instantanément les pierres en miettes.

EMMA

Tendresse. Sensualité. Emotion.

J'avais trompé mon mari, et j'en avais goûté chaque minute, sans penser à lui une seconde. A présent, dans la limousine qui, à travers les montagnes de Transylvanie, nous conduisait au château de Dracula, je commençais seulement à réfléchir à ce que j'avais fait. Le soleil était haut dans le ciel, mais, grâce aux vitres teintées, ma peau de vampire n'en souffrait pas. Devais-je avoir des remords envers Frank ? Le fait est que j'en avais. Un peu. Un peu beaucoup.

Mais le devais-je vraiment ? Après tout, le score était 1-1 en matière d'adultère. Ou plutôt : 1-8. Car Frank était allé au plumard huit fois avec sa guide en érotisme, une femme plus jeune, plus belle que moi. C'était donc pour le moins un juste retour des choses si je m'étais allongée sur un futon (et sous une couette en duvet qui était une pure merveille !) dans un jet privé, avec un homme plus beau et bien moins jeune que lui. J'aurais même pu le faire sept fois de plus avant que nous soyons quittes, Frank et moi.

Mon Dieu, j'étais encore furieuse contre lui ! Comment avait-il pu me faire ça ?

Dracula, qui m'avait tenu la main pendant tout le trajet comme un adolescent amoureux, interrompit mes réflexions coléreuses :

— Je voudrais te montrer un spectacle fantastique.

— Quoi donc ?

— Ma demeure !

Il tendit le doigt vers le majestueux château qui venait d'apparaître au sommet d'une colline, d'une beauté à couper le souffle avec ses tours innombrables. A côté, le cottage de Lena et de son amoureux anglais aurait fait piètre figure.

— Ouah ! m'écriai-je.

— Attends seulement d'avoir vu le temple du bien-être, dit Dracula en souriant.

— Tu as un temple du bien-être ?

Je trouvais cela encore plus formidable que d'avoir son propre vignoble.

— Avec bains romains, thermes grecs, sauna ayurvédique. Et le plus beau, ce sont les toitures en verre spécial, qui filtrent la lumière solaire de telle sorte qu'elle ne peut pas nous faire de mal quand nous sommes allongés au bord de la piscine d'eau de mer. Nous profitons du soleil sans en souffrir.

— Cela paraît merveilleux, soupirai-je avec envie.

— Ça l'est. Mais tu connaîtras quelque chose de plus merveilleux encore.

— Quoi donc ? fis-je avec curiosité.

— Mon art du massage.

274

« Merveilleux » était plutôt en dessous de la vérité.

Dans le jardin d'orchidées de son château (je ne me demandais même plus comment il pouvait faire pousser cela en pleine montagne transylvanienne), Dracula me fit goûter ses massages sensuels. Ses mains étaient d'une douceur si fabuleuse que même mes rotules devenaient une zone érogène. Après le massage, nous nous aimâmes dans la piscine romaine parfumée d'arômes exquis. Puis dans le bain à remous délicieusement aromatisé. Par bonheur, mon nouveau corps était très endurant !

Si nous continuions comme cela, je ne tarderais pas à égaliser 8-8 avec Frank. Et je devrais peut-être envisager à nouveau d'avoir des remords. Mais jusque-là, j'étais bien décidée à ne pas laisser parler ma conscience.

Quand nous sortîmes du bain à remous au début de l'après-midi, Dracula posa sur mes épaules un peignoir moelleux et me fit servir un thé délicieusement parfumé avant de déclarer :

— Je te prie de m'excuser, je dois aller régler quelques affaires.

— Reviens vite ! fis-je avec un ricanement stupide de collégienne tout en le menaçant d'un index joueur.

Je restai seule au bord de la piscine, le visage caressé par les rayons du soleil agréablement filtrés par le toit de verre.

Soleil, piscine, massages. Menus trois étoiles, voyages vers des pays exotiques. Plus de problèmes de cellulite, mais des parties de jambes en l'air torrides avec un bel homme charmant – et avec tout cela, cerise sur le gâteau, j'étais immortelle. La vie de vampiresse était décidément merveilleuse !

FRANK

EMMA

Dracula se faisait attendre. Au début, ce ne fut pas trop grave, parce que son serviteur Renfield me ravitailla une bonne partie de l'après-midi en revues, chocolats pralinés (là, j'espérai tout de même que les vampires n'avaient pas tendance à attraper des poignées d'amour) et massages crâniens.

Après le départ de Renfield, je me levai pour admirer la piscine, dont l'eau turquoise merveilleusement transparente aurait sans doute inspiré à David Hockney une nouvelle série de tableaux. Le fait de ne pas me refléter dans l'eau ne me dérangeait même plus.

Soudain, le toit de verre qui me protégeait du soleil vola en éclats avec fracas, et un gros objet fonça sur moi. Instinctivement, je fis un bond de côté. L'objet – qui ressemblait fort à un corps humain – s'aplatit sur le rebord avant de glisser dans le bassin et de descendre, inerte, jusqu'au fond. Tout cela était assez terrifiant. De plus, le toit étant brisé, le soleil me brûlait maintenant la peau. Certes moins cruellement qu'en Egypte, mais je préférai me jeter à l'eau pour me mettre à l'abri des rayons.

Je me débarrassai de mon peignoir de bain, plongeai en sous-vêtements et nageai lentement vers le fond de la piscine (les vampires n'ayant pas besoin de respirer, je n'étais pas pressée). C'est alors que je reconnus celle qui allait se noyer : Baba Yaga !

Mon Dieu ! Nous avions traversé la moitié de l'Europe à sa poursuite, et voici qu'elle gisait devant moi, inconsciente, des bulles d'air sortant de sa bouche. Elle ne me faisait pas vraiment pitié. C'était plutôt comme lorsque, devant un reportage à la télévision sur les enfants dans la guerre, on se demande s'il

277

n'y aurait pas *Dr House* sur une autre chaîne. Etais-je devenue un monstre sans cœur en devenant vampire ? Ou étais-je simplement comme la plupart des gens ordinaires ?

Les bulles d'air ne montaient plus. Baba n'allait pas tarder à mourir maintenant, et cela ne me posait aucun problème de la laisser là. Mais c'en serait un pour ma famille. Si Fée n'avait pas plus envie que moi de retrouver son corps humain, Frank et Max n'étaient certainement pas de cet avis.

Pour Frank, je me fichais bien de ce qu'il pensait : j'étais encore si furieuse contre lui que la sorcière aurait aussi bien pu le transformer en punching-ball dans la salle de boxe des frères Klitschko. Mais Max, c'était différent. Il me manquait. Avais-je eu raison de le laisser seul avec Frank et Zuleika ? me demandai-je. Et je ne pus me formuler qu'une seule réponse : « Non, pauvre idiote, c'était évidemment très mal ! »

Je soulevai le corps de la sorcière et passai mes bras autour d'elle pour la remonter à la surface, puis je la déposai sur le bord avant de sortir moi-même de la piscine. Les gouttes d'eau sur ma peau rendaient le soleil plus brûlant encore. Je jetai en hâte le peignoir sur mes épaules et traînai Baba à l'ombre d'un palmier, où elle reprit peu à peu conscience. Après avoir crachoté de l'eau comme une fontaine défectueuse, elle finit par demander :

— Toi... toi sauver moi ?

— J'espère ne pas avoir à le regretter.

— Une créature stupide comme toi sauver moi, reprit-elle d'une voix déconcertée.

— D'accord, je commence déjà à le regretter, fis-je, vexée.

Baba se redressa en tremblant, se leva sur ses jambes flageolantes et regarda autour d'elle.

— Je être dans château de Dracula. Enfin je arrive au but.

Puis elle m'examina et, me voyant en sous-vêtements, me questionna sans détour :

— Toi aimer Dracula, peut-être ?

La question était intéressante, et justement, je ne me l'étais pas encore posée. Aimer Dracula ? C'était un bien grand mot. J'étais fascinée par lui, séduite sans aucun doute par la vie excitante qu'il me promettait. Mais de là à l'aimer ? J'aurais plutôt dit que je m'en étais entichée. Pourtant, on sait que l'amour peut naître d'un simple béguin. Eh bien, si cela arrivait, nous formerions avec Max la plus étonnante famille recomposée de toute l'histoire mondiale.

— Ça ne te regarde pas, répondis-je à la sorcière.

— Lui pas aimer toi.

— Que... qu'est-ce qui te fait dire ça ? demandai-je, piquée au vif.

Sa bouche se fendit d'un sourire.

— Ben... toi être toi.

— Je te remercie, fis-je d'un ton acide.

— Pourquoi lui aimer femme si stupide ?

— Encore merci.

Voyant son sourire s'élargir, je cherchai à me défendre :

— La prophétie de Haribo...

— Harboor, corrigea-t-elle.

— Peu importe... en tout cas, il a dit que le vampire pourvu d'une âme aimerait la vampiresse qui possède une âme.

— C'est ça que Dracula raconter à toi ?

— Oui.

— Toi encore plus stupide que plus stupide des stupides. Dracula pas posséder âme.

Je ne voulais pas la croire. Pour me faire autant de bien, il fallait qu'il ait une âme. Mais surtout, quelqu'un de qui je m'étais entichée et avec qui j'envisageais éventuellement de fonder une nouvelle famille devait absolument avoir une âme.

— Je montrer à toi.

La sorcière clopina jusqu'au bord de la piscine, prit son amulette, leva un bras tremblant au-dessus de sa tête et cria :

— *Irbraci tempi passanus* !

Des éclairs noirs jaillis de ses dix doigts allèrent frapper la surface de l'eau, qui se mit à bouillonner.

Je m'avançai avec curiosité, et ce que je vis me fit oublier le grésillement de ma peau : dans le miroir bouillonnant apparurent des Néandertaliens assis autour d'un feu, dans une grotte. Devant eux se tenait un vieillard décharné à la barbe blanche. Il leur parlait avec animation, en faisant de grands gestes. Il s'agissait visiblement d'une retransmission en direct du passé, et ce vieux birbe devait être le prophète Haribo. Il avait l'air un peu cinglé, comme ces types qu'on voit parfois dans la zone piétonne, portant des panneaux : « La fin est proche, repentez-vous ! », ou comme ceux qui écrivent des best-sellers sur l'invasion étrangère qui menace notre société. En tout cas, ce que racontait Haribo faisait trembler les Néandertaliens. Pas moi, puisque je ne comprenais pas un traître mot de son baragouin préhistorique.

— Toi entendre choses terribles que lui dire ? demanda Baba en souriant.

— J'entends bien, mais je n'y pige que pouic.

— Oh, pardon.

Faisant jaillir de son index un nouveau rayon noir, Baba s'écria :

— *Translat* !

Cela faisait sans doute basculer sur l'allemand le canal son de sa télévision magique, car je comprenais désormais ce que disait le vieux :

— … et Dracula épousera la vampiresse pourvue d'une âme.

Pour l'instant, ce n'était pas trop effrayant.

— Et Dracula concevra des enfants avec elle, poursuivit Haribo avec agitation.

Des enfants ? Je n'étais pas très sûre d'en vouloir. Je n'étais pas si avancée dans mes projets. Non, très loin de là.

— Mille enfants ! cria le devin.

Mille ?

— Et mille autres encore !

Un utérus pouvait faire une chose pareille ?

— Et ces enfants du vampire sans âme formeront une horde de créatures effroyables avec laquelle il soumettra la terre entière et détruira l'humanité.

J'aurais pu m'inquiéter en pensant que Dracula n'avait pas d'âme.

Ou qu'il avait l'intention de constituer une armée pour conquérir le monde.

Mais mon cerveau était resté en état de choc dès les mots : « mille autres enfants ».

Haribo prophétisa encore pêle-mêle devant ses Néandertaliens d'autres événements terribles contre lesquels il les mit en garde : les armes de destruction massive, la grippe porcine, les chaînes de télévision privées... Pas étonnant que les Néandertaliens aient décidé de s'éteindre.

Quand l'image disparut enfin, la sorcière me demanda :

— Toi voir quoi Dracula veut faire avec toi ?

— Mais ça ne peut pas être vrai ! m'insurgeai-je. Enfin, ce Haribo a quand même une tête à monter des bobards énormes et à les gober lui-même...

Je ne voulais tout simplement pas y croire. Pour commencer j'apprenais que Frank m'avait trompée, et maintenant, l'amour de Dracula devait être un mensonge aussi ? Mais comment allais-je supporter tout cela ? D'avoir perdu d'abord ma famille puis la vie merveilleuse qui m'était promise en échange ?

— Toi avoir besoin autre preuve ? demanda la sorcière.

— Je ne suis pas très sûre...

J'étais totalement dépassée par les événements.

— Toi avoir besoin ! constata-t-elle.

Elle reprit son amulette, marmonna quelques paroles, et cette fois, une fumée à l'odeur de soufre jaillit de sa main et nous enveloppa. A peine le nuage s'était-il refermé sur nous que nous étions parties...

... pour nous retrouver subitement dans des oubliettes tout ce qu'il y a de plus classique, avec des couloirs sombres faiblement éclairés par des torches et sentant le moisi. Des cavités creusées dans la terre et fermées par de lourdes grilles en fer donnaient sur ces couloirs. En revanche, les prisonniers qui végétaient derrière ces grilles de fer n'avaient rien de conventionnel : c'étaient de petits êtres faibles et épuisés, certains hauts d'à peine plus de dix centimètres, et qui gémissaient doucement.

— Qui... qui sont ces créatures ? demandai-je quand j'eus enfin retrouvé ma langue.

— Elfes, fées, anges gardiens... Dracula a enfermé tous. Toutes créatures qui aident les hommes sont ennemies de lui.

J'observai de plus près les petits martyrs et constatai que c'était vrai. Il y avait là de petits anges gardiens affamés à qui on avait arraché les ailes, des elfes dont les oreilles pointues étaient mutilées, des fées autrefois charmantes portant sur tout le corps des marques au fer rouge... Ils regardaient tous fixement devant eux comme s'ils ne nous voyaient pas, leur volonté depuis longtemps brisée. Ces oubliettes étaient une chambre des horreurs à rendre Stephen King insomniaque. Mais il y avait plus horrible encore : j'avais couché avec le responsable de tout cela.

Mon Dieu, que j'aurais aimé pouvoir prendre une douche !

MAX

Toute la matinée, je dus chercher les poux, punaises et autres parasites dans le pelage de Gorr le gorille. Mais en comparaison de ce que je vécus l'après-midi même dans ce cirque d'anormaux, cet épouillage m'apparut rétrospectivement comme presque euphorisant. Le nain, portant toujours son chapeau et son trench-coat à présent totalement inadaptés à la chaleur, m'emmena sous le chapiteau raccommodé un peu partout à la va-vite et me dit :

— Et maintenant, Rexi, nous allons travailler ton numéro.

J'aurais déjà dû me méfier en voyant les frères siamois se balancer au-dessus de nous en ricanant sur leur trapèze. Mais j'étais encore convaincu que, du moins, les spectacles où j'allais désormais me produire comme loup parlant compteraient parmi les grands moments de ma nouvelle carrière d'artiste.

— Hopalong Cassidy, viens ici ! appela Maximus.

Un vieil homme en costume western descendit du haut des gradins.

— Qui est-ce ? demandai-je au directeur.

— Ton nouveau partenaire.

— Et… quel rôle joue-t-il ? fis-je avec inquiétude.

— C'est notre lanceur de couteaux.

— LANCEUR DE COUTEAUX ?

— Tu as bien entendu, Rexi.

— Mais… il ne va quand même pas les lancer sur moi ? dis-je, affolé.

— En tout cas sûrement pas sur moi, répliqua Maximus en souriant.

— Sur nous non plus ! s'écrièrent gaiement en chœur les frères siamois, suspendus la tête en bas à leur trapèze.

Je regardai Cassidy descendre les marches lentement, à tâtons. Pas besoin d'habiter au 221 B, Baker Street et de s'appeler Holmes pour deviner qu'il était pratiquement aveugle.

— Mais… il ne voit rien ! protestai-je.

— Ne t'en fais pas, il lance à l'oreille.

— A L'OREILLE ?

— Ben oui. A l'odeur, même pour lui, c'est un peu difficile.

Les siamois éclatèrent de rire, ainsi que le gorille Gorr et la femme à barbe, qui venaient d'entrer sous le chapiteau.

— Mais… mais… je croyais que nous ferions un numéro où je n'aurais qu'à parler ? balbutiai-je.

— Un vrai numéro de cirque nécessite toujours un peu de drame authentique ! déclara Maximus avec une emphase dont on pouvait conclure qu'il croyait profondément à ce style de dramaturgie. Eh bien, Cassidy, reprit-il en se tournant vers le cow-boy, voilà un remplaçant pour Tanitou l'Indien !

— Depuis notre dernière prestation, Tanitou ne s'appelle plus comme ça, répondit le lanceur de couteaux d'une voix particulièrement affligée.

— Comment s'appelle-t-il maintenant ? demandai-je avec la quasi-certitude que la réponse ne me plairait pas.

— Tanitou l'eunuque.

C'est à ce moment-là que je décidai de m'enfuir.

Moment immédiatement suivi de celui où Gorr me rattrapa par la peau du cou.

Il me traîna en riant vers une grande cible à laquelle il m'enchaîna, aidé par la grosse femme à barbe, qui était presque plus baraquée que lui. Je me retrouvai les quatre pattes écartées, attaché par de solides nœuds.

— Tu peux y aller, Cassidy ! dit Maximus.

— Je commence à être un peu vieux pour ce truc-là, répondit l'autre.

Ce qui ne l'empêcha pas d'empoigner un couteau et de le lancer. Le couteau se ficha dans le bois de la cible, juste à côté de mon oreille.

— AHHHH ! hurlai-je.

— C'est un peu trop tôt pour crier, observa Maximus.

— Qu... qu... quand, alors ? demandai-je en battant la mesure à trois temps avec mes dents.

— Quand nous ferons tourner la cible ! répondit Maximus en riant.

Et il joignit le geste à la parole. Cette fois, je hurlai vraiment :

— AHHHHHHHHHH !

Cassidy prit un deuxième couteau qu'il lança vers la cible en mouvement... et qui me rasa une petite touffe de poils sur la tête. Je fus si terrifié que je cessai de crier. Maximus félicita son lanceur de couteaux :

— Tu vois, Cassidy, tu y arrives encore ! Vas-y, prends l'arc et la flèche enflammée, maintenant.

A cause de la rotation rapide de la cible, je ne vis que confusément le cow-boy saisir la flèche que lui donnait le nain, la placer sur son arc, tendre celui-ci de ses mains tremblantes et viser dans ma direction. La flèche allait partir et, avec un peu de malchance, j'allais devenir « Rexi l'eunuque », ou, avec encore moins de chance : « Rexi repose ici en paix. » On pourrait même ajouter une ligne à cette épitaphe : « ... sans avoir jamais embrassé Jacqueline. »

Je fermai les yeux dans l'attente de la flèche fatale, quand j'entendis un :

— URGHHH !

C'était la voix de papa !

J'ouvris les yeux et, sans cesser de tournoyer, le vis saisir le bras de Cassidy, qui laissa la flèche filer vers le sommet du chapiteau. La toile s'enflamma aussitôt, mais je n'y songeai guère sur le moment. Mon papa était venu me sauver !

— Attrapez-le ! cria Maximus.

— Je vais lui montrer ce que j'ai appris quand j'étais mercenaire ! s'écria Gorr le gorille.

— Et moi dans l'équipe soviétique de lutte féminine ! cria la femme à barbe, qui avait l'accent russe.

Ils se précipitèrent tous sur papa, tandis que la vitesse de rotation de ma cible décroissait peu à peu. Ils eurent quelque difficulté à s'emparer de lui. Du moins jusqu'à ce que les frères siamois lui tombent dessus du haut de leur trapèze. Ils restèrent à califourchon sur son corps, enserrant sa poitrine entre leurs jambes et lui bouchant les yeux avec leurs quatre mains, tandis que le gorille et la femme à barbe le frappaient à bras raccourcis.

Pendant ce temps, ma roue s'immobilisait, me laissant suspendu parallèlement au sol, si bien que je dus suivre le combat sous cet angle.

— Merde ! s'écria soudain Cassidy.

— Qu'est-ce qu'il y a ? demanda Maximus.

— Le chapiteau brûle !

Je levai les yeux depuis ma position horizontale. Ma vision n'était pas encore très nette, mais le type avait raison : la toile flambait joyeusement !

Lâchant papa, les monstres de cirque s'enfuirent aussitôt. Il se précipita vers moi et démolit la cible avec rage, ce qui me permit de me libérer de mes liens. Nous courûmes ensemble vers la sortie, traversant la piste tandis que des morceaux de bâche enflammée commençaient à pleuvoir de tous côtés. Une fois l'enfer derrière nous, nous n'étions toujours pas tirés d'affaire, car la meute du cirque nous attendait dehors. Furieux, Maximus s'avança vers papa.

— Tu as démoli mon cirque !

— Chmenpfous ! répliqua papa.

Puis il empoigna Maximus et l'envoya décrire un arc de cercle au-dessus du désert avant de s'écraser sans douceur sur une dune à au moins cent mètres de là. Les gens du cirque en restèrent stupéfaits. On entendit même la femme à barbe marmonner :

— On dirait une lanceuse de marteau chinoise…

Sans lui laisser le temps de faire ouf, papa l'empoigna à son tour, ainsi que Gorr, et cogna leurs deux crânes l'un contre l'autre avec une telle force que les deux fripouilles s'allongèrent aussitôt pour le compte. Hopalong Cassidy et les frères siamois regardèrent papa avec terreur. Il se pencha vers eux d'un air menaçant et murmura :

— Bouh !

Les siamois s'enfuirent en gesticulant de leurs quatre bras, tandis que Hopalong courait aussi vite que le lui permettaient ses jambes de vieillard, tout en se maudissant :

— J'aurais mieux fait de prendre ma retraite avec Tani-tou !

J'étais enthousiasmé de voir tous mes tortionnaires hors de combat. Mon papa avait réussi à me sauver !

Cela n'avait désormais plus aucune importance pour moi qu'il ait trompé maman. Je me frottai contre sa jambe, puis, sentant que c'était celle sur laquelle j'avais pissé, me pressai plutôt contre l'autre. Visiblement heureux que je l'apprécie de nouveau, papa me dit :

— Chme ftaime.

Quand m'avait-il dit cela pour la dernière fois ?

Bon, d'accord, il n'avait jamais dit « Chme ftaime ». Mais « Je t'aime », ça devait faire très longtemps aussi. Je n'étais sans doute encore qu'un tout petit enfant.

Et à présent, il me caressait même gentiment la tête. Là non plus, je n'avais aucun souvenir de la dernière fois où il m'avait cajolé aussi tendrement.

C'est drôle comme on ne s'aperçoit à quel point on a manqué de quelque chose que lorsqu'on le retrouve enfin.

Ma gorge de loup-garou se serra, et je me sentis soudain plus proche que jamais de papa. C'était le plus beau moment de tout notre voyage de cinglés. Alors, je murmurai :

— Chme ftaime aussi.

Mon papa grand et fort avala sa salive avec émotion. Puis il se pencha vers moi et me serra contre lui. Très doucement et tendrement.

Mais ce beau moment de proximité père-fils ne pouvait pas durer, hélas : une tempête de sable arrivait sur nous. Pas une tempête de sable ordinaire, bien entendu. C'était Fée qui soufflait ainsi au-dessus de nos têtes. Son visage de sable se reforma, et elle cria :

— Papa… Max… au secours !

Puis le sable se mit à pleuvoir et, sous nos yeux, reprit la forme de la momie Fée. Elle s'écroula sur le sol, épuisée, et nous allions nous précipiter vers elle quand une seconde tempête de sable arriva. C'était évidemment Imhotep, qui lui aussi atterrit en se laissant pleuvoir. Mais, au lieu de reprendre forme humaine, il se changea en scarabée géant. Il fut sans doute la première bestiole de cette espèce dans l'histoire de notre planète à déclarer pompeusement :

— Préparez-vous à mourir, misérables chiens !

Je m'aperçus que j'avais inconsciemment ramené ma queue entre mes jambes, tandis que papa se remettait en mode sauvetage des enfants. Il marcha à grands pas furieux vers le scarabée et lui cria :

— Schmale befpfiole, pfma pfmoir !

— Quoi ?

Surpris, Imhotep s'immobilisa un instant. Grave erreur, car papa en profita pour saisir le scarabée géant, qui lança un jet d'acide, mais en vain : papa lui leva brusquement les pattes, et le liquide noir se dispersa en l'air. Je traduisis en souriant ce que mon père avait grogné :

— Mon papa veut dire qu'un certain scarabée va se faire tanner le derrière.

EMMA

Une torche à la main, Baba Yaga me conduisit par un escalier en colimaçon dans les profondeurs des oubliettes. Les plaintes des petits prisonniers me parvenaient certes plus faiblement, mais je me sentais de plus en plus mal à l'aise à mesure que nous descendions. Je commençais aussi à frissonner. Non pas tant de froid – je ne portais qu'un peignoir de bain – qu'à cause de la souffrance que je percevais dans l'atmosphère, et qui devenait plus tangible à chaque pas. C'était presque comme si quelque chose s'enroulait autour de mon cou et m'étranglait à la manière d'un boa constrictor.

— Où allons-nous ? demandai-je avec inquiétude.

— Voir enfant de moi, répondit Baba.

— Il est ici ? fis-je, épouvantée.

— Dracula garder lui en otage, je droit de voir lui seulement quand je créer toi. Maintenant, ses gardes du corps laisser moi passer. C'était marché avec lui.

Je commençais à comprendre comment Baba avait pu nous faire tout ça à nous, les Wünschmann. Elle nous avait sacrifiés par amour maternel de sorcière.

Quand nous atteignîmes enfin le fond des oubliettes, Baba leva sa torche devant une cavité pour en éclairer l'intérieur, et nous vîmes... son enfant.

C'était vraiment un enfant !

Un petit garçon d'environ sept ans, avec des chaînes aux bras et aux jambes et des plaies putrides sur tout le corps. Voilà pourquoi on sentait dans ce lieu une si grande souffrance. C'était celle d'un enfant.

— Golem ! s'écria Baba.

Jetant sa torche à terre, elle courut vers le pauvre petit être gémissant et le prit dans ses bras.

Golem était totalement à l'abandon, et une puanteur insupportable régnait autour de lui. Je ramassai la torche pour l'éclairer. L'enfant poussa un grand cri et leva le bras devant son visage. Après tant d'années dans l'obscurité, la lueur de la torche était trop violente pour lui. Je reculai de quelques pas. Cessant de hurler, Golem se mit alors à pleurer doucement.

— C'est vraiment ton enfant ? demandai-je à Baba. Comment peut-il être... aussi jeune ?

— Je créer lui avec tas d'argile et sorcellerie, répondit Baba tout en caressant tendrement le petit garçon.

— Tu peux créer la vie ? dis-je, décontenancée.

— Toute femme pouvoir ça, non ?

— Pas par la magie.

— Toute naissance être magique, répliqua-t-elle.

Il n'y avait rien à répondre à cela.

— Je créer lui, poursuivit Baba, parce que je compris que seulement amour rendre heureux. Dommage, je compris ça très tard dans la vie. Mais pas trop tard.

Cela me toucha au vif, moi qui venais juste d'abandonner ma famille.

Baba se remit à parler à Golem, cherchant à calmer l'enfant qui geignait toujours :

— Tout aller bien maintenant !

Elle savait comme moi que c'était un mensonge. Mais pouvait-elle dire au petit : « Mon enfant, c'est merveilleux de te revoir... Ah, au fait, je vais mourir dans quelques heures » ?

Baba, les larmes aux yeux, embrassait les plaies du petit. Il gémissait plus doucement à présent, apaisé par l'amour de sa mère. Soulagé à la pensée qu'elle resterait avec lui pour le sauver. Mais elle ne pouvait sauver personne.

Après tout ce que j'avais vu, il m'était impossible de retourner auprès de Dracula. Encore moins de l'aider à faire de toute la terre une prison semblable à celle-ci. Pourtant, il ne servirait à rien de fuir. Dracula me retrouverait n'importe où, il saurait me contraindre à devenir son épouse et à concevoir les vampires avec lesquels il voulait détruire le monde.

La situation paraissait sans issue, jusqu'à ce qu'une idée extraordinaire me vienne : Dracula avait besoin de la vampiresse Emma pour mener à bien ses projets, mais il ne pourrait rien faire avec une Emma humaine.

— Retransforme-moi en être humain ! dis-je à Baba. Ainsi, la terre sera épargnée.

— Je pas pouvoir.

— Euh… comment ça ? demandai-je, surprise.

— Je pas pouvoir faire ça. Pas possible annuler sortilège de transformation par autre sortilège.

— Par quoi, alors ?

Si ce qu'elle disait était vrai, si elle ne pouvait réellement rien pour nous, tout ce temps que nous avions passé à la poursuivre était du temps perdu !

— Sortilège rompu seulement par bonheur.

— Veux-tu dire qu'il faut un coup de chance ? Par bonheur, au sens de : par hasard ?

— Non, bonheur au sens de bonheur. Seulement bonheur profond, parfait, peut annuler sortilège. Seulement quand toi vivre moment de bonheur comme ça, toi redevenir être humain.

— Je ne comprends toujours pas très bien. Comment est-ce possible ?

— Je pouvoir transformer toi parce que tu étais vulnérable. Parce que tu étais dans moment de malheur…

— … et seul un instant de bonheur peut réparer cela, complétai-je.

Je comprenais à présent la logique de ce tour de magie. Mais j'étais bien loin de pouvoir éprouver un tel sentiment. Dans ces oubliettes moins que jamais.

— Pourtant, objectai-je, j'ai connu entre-temps des moments de bonheur parfait. J'aurais donc dû me retransformer depuis longtemps.

Je préférai garder pour moi le fait que je faisais allusion au repas avec Dracula, à ses massages et bien sûr à nos scènes d'amour torrides.

— Ça typique de vous, humains, fit Baba d'un ton moqueur. Vous confondre bonheur et extase.

Là, je ne pus que me sentir coupable.

— Et pas seulement toi devoir sentir bonheur parfait, reprit Baba. Ta famille aussi. Vous transformés par même sort, tous en même temps. Eux étaient malheureux aussi. Vous redevenir tous normaux seulement...

— ... quand nous nous sentirons tous heureux en même temps, achevai-je.

Avec tristesse. Parce que ma famille n'était pas avec moi. Et parce que, même si elle avait été là, nous n'éprouverions certainement plus ces sentiments de bonheur ensemble.

Mais comment faire échouer les plans de Dracula ? Me suicider en absorbant une boîte de dragées à l'ail Ilja Rogoff ? Sacrifier ma vie pour l'humanité, afin d'empêcher Dracula de constituer son armée ? Je ne m'en sentais pas le courage. J'avais beau chercher, je ne trouvais pas en moi le Jésus prêt à mourir pour tous les autres. Cependant, en cherchant bien, je découvris quand même en moi un petit Spartacus courageux dont je ne soupçonnais pas l'existence.

— Il ne reste donc plus qu'une solution, dis-je dans le plus beau style spartakiste. Je dois combattre Dracula.

— Tu veux te battre contre lui ? fit Baba, effrayée. Alors, toi encore plus stupide que plus stupide des stupides...

— Je sais, je sais, soupirai-je. Mais je suis bien obligée d'essayer.

— Toi pas réussir toute seule, dit-elle. Toi avoir besoin alliés.

— Tu en as à me proposer ?

— Oui.

— Qui donc ?

J'étais vraiment curieuse de savoir qui pouvait m'aider dans ce combat impossible.

— Ta famille.

Là, elle me prenait au dépourvu.

— Je faire venir eux ici !

— Mais cela les mettra en danger, protestai-je faiblement.

— Tant que Dracula vivant, vous tous en danger, affirma-t-elle.

Et, levant son amulette, elle se remit à marmonner :

— *Brajanci transportci...*

FRANK

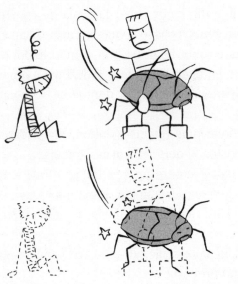

EMMA

Il y eut un grand bruit, pas mal de soufre, et je les vis tous apparaître au fond de notre oubliette : Frank, Fée, Max… mais aussi Cheyenne et Jacqueline ! Tandis qu'ils toussaient encore au milieu des vapeurs de soufre, je questionnai Baba du regard.

— Famille pas être seulement ceux de ton sang, répondit-elle.

Elle n'avait pas tort. Cheyenne et Jacqueline avaient fait une bonne partie du voyage avec nous, d'une certaine manière, elles appartenaient un peu à cette famille déglinguée. Dommage pour elles, car, à cause de nous, elles couraient maintenant un très grand danger.

Pendant que le nuage de soufre se dissipait lentement, je m'efforçai de ne pas regarder Frank en face : me sentir coupable d'adultère me donnait des crampes d'estomac. Lui aussi évitait mon regard, tout comme Max évitait celui de Jacqueline et inversement. Il avait dû se passer quelque chose entre ces deux-là. Mais découvrir de quoi il retournait devait être en ce moment vers la 4 238ᵉ place de ma liste de priorités.

Cheyenne alla tout de suite au point n° 1 de la liste :

— Euh, c'est merveilleux de vous revoir tous, même si cet endroit me rappelle un peu la grotte où j'avais fait l'amour avec Che Guevara en Bolivie… mais que faisons-nous ici ?

— D'ailleurs, où sommes-nous ? ajouta Fée. Et pourquoi te promènes-tu en sous-vêtements, avec juste un peignoir de bain ?

Je préférai ne pas répondre à la dernière question.

— Et qui est cet enfant enchaîné ? demanda Max.

— Ça être mon fils, répondit Baba.

Epuisée, elle se laissa tomber à côté du petit. Nous réunir tous en ce lieu par magie lui avait coûté ses dernières forces.

— Eh bien, il y en a quelques-uns dans ma classe qui ont des mères âgées, mais là, elle exagère vraiment, commenta Fée.

Max pointa son doigt vers Baba Yaga.

— Il faut qu'elle nous retransforme !

Je réfléchis un instant. Fallait-il dire à ma famille que la sorcière ne pouvait pas faire cela ? Que nous ne retrouverions nos anciens corps qu'à condition de vivre ensemble un moment de bonheur partagé ? Je décidai de me taire : pourquoi les tourmenter avec un scénario aussi peu réaliste que la guérison spirituelle selon Charlie Sheen ? De plus, nous avions mieux à faire. Aussi déclarai-je :

— Nous sommes dans les oubliettes de Dracula, et nous devons d'abord sauver l'humanité de lui. Ce n'est possible que sous notre forme de monstres.

— Chaque fois qu'on se dit qu'on ne pourrait pas être davantage dans la merde, on tombe sur une autre, soupira Fée.

Elle exprimait là assurément l'une des lois fondamentales de la nature.

Cependant, Frank me regardait avec des yeux étincelants de jalousie.

— Drfmula ? Fmesi ?

— Il n'a jamais été question de fmesi ! mentis-je avec la hâte du politicien juste avant l'ouverture d'une enquête parlementaire. Et s'il y a quelqu'un ici qui ne devrait pas parler de « fmesi », c'est bien toi, monsieur Fmesi puissance huit !

Les yeux de Frank cessèrent de lancer des étincelles et se détournèrent d'un air coupable. En matière d'infidélité, l'attaque reste la meilleure des défenses.

— Il a envoyé Zuleika se faire voir dans le désert, dit Max.

Surprise, je sentis mon agressivité se dégonfler quelque peu. Max continua à défendre son père :

— S'il te plaît, reprends papa, supplia-t-il avec ses bons yeux de loup-garou fidèle.

Mon regard se dirigea malgré moi vers Frank, qui tourna précautionneusement la tête de mon côté. Il semblait sincèrement espérer que j'allais lui pardonner.

Le voulais-je ?

Le pouvais-je ?

En imagination, je vis Frank – sous sa forme humaine – vautré avec Zuleika. Aussitôt après, je me vis moi-même vautrée avec Dracula, et je maudis mon imagination de ne pas être capable de me proposer des images plus sympathiques.

Fée répondit à ma place :

— Ce salaud l'a quand même trompée !

Je n'en revenais pas : c'était ma fille rebelle qui me défendait ?

— Ne l'engueule pas comme ça, papa n'est pas un salaud ! Il nous a sauvé la vie ! s'écria Max, reprenant la défense de son père.

Fée fit marche arrière, sa colère retombée :

— Bon, d'accord… tu as peut-être raison.

Je crus comprendre que Frank avait réellement sauvé la vie des enfants pendant mon absence. Il en avait donc fait beaucoup plus que moi pour notre famille ces dernières heures. Des heures où je m'étais adonnée tout entière à ma passion pour Dracula.

Mon Dieu, comme j'avais honte !

Les images de moi vautrée avec Dracula défilèrent à nouveau dans mon esprit. Des images qui m'amenèrent à me demander si, au cas improbable où je pardonnerais jamais à Frank, il pourrait, lui, me pardonner.

— Désolée d'interrompre le feuilleton, intervint Jacqueline, mais je n'ai pas entendu quelqu'un, tout à l'heure, parler de sauver l'humanité ? C'est pas que je trouve l'humanité si super, mais bon, s'il n'y a plus d'humanité, il risque de ne plus y avoir de bière non plus. Ni de cigarettes. Là, on serait vraiment dans la merde.

Je leur racontai en hâte la prophétie de Haribo et les sinistres projets de Dracula. Quand j'eus terminé, ils étaient tous un peu ahuris. Jacqueline fut la première à retrouver la parole :

— Je ne peux pas avoir vraiment entendu ça. Je dois être encore dans les vapes de la fumette d'hier soir.

— Tu avais fumé, hier soir ? demanda Max en la regardant d'un air troublé.

Elle le regarda à son tour, l'air au moins aussi troublé, et répondit :

— C'est pour ça que je riais autant.

Max sourit timidement. Jacqueline lui rendit son sourire tout aussi timidement. Je me demandais bien ce qu'ils avaient.

Pendant ce temps, l'idée que Dracula envisageait de me faire deux ou trois mille enfants avait fait son chemin dans les circonvolutions rouillées du cerveau de Frank, et cela le mit très en colère. Il s'accroupit et, de son gros doigt, traça ce dessin dans la terre du sol :

Frank voulait me protéger contre Dracula. Me sauver de lui, de la même façon qu'il avait sauvé les enfants. En tant que créature de Frankenstein, Frank manifestait beaucoup plus de courage qu'il n'en avait jamais eu comme être humain. C'était un aspect de lui qu'il avait bien caché.

Ou que je n'avais tout simplement jamais vu.

Alors, je compris : Zuleika avait vu ce côté de Frank. Et pas moi, qui étais sa femme. Le fait est que je ne regardais plus Frank de près depuis bien longtemps, que je ne me posais plus de questions sur ce qui pouvait dormir en lui, sous sa surface stressée par le travail. Oui, peut-être ne savais-je plus vraiment qui était Frank.

Fée, qui ne perdait pas le nord, m'arracha à mes pensées :

— Quelqu'un a-t-il une idée pour flanquer un bon coup sur la cafetière à Dracula ? Je vous rappelle que nous avons un monde à sauver.

Elle était de nouveau elle-même, ma Fée déterminée et idéaliste. Et cette fois, contrairement à ce qui s'était passé lors de notre affrontement au pied de la pyramide, je me réjouissais de lui voir autant d'énergie.

— Vaincre Dracula pas simple, dit Baba, qui serrait toujours le petit Golem dans ses bras. Mais vous avoir possibilité.

— Laquelle ? demanda Max.

— Dracula obligé prendre chaque jour bain de jouvence. Avec argile et herbes magiques. Lui dans ce bain maintenant.

Alors, contrairement à ce qu'il m'avait dit au bord de la piscine, il n'était pas allé travailler, mais se faire faire un enveloppement à l'argile ?

— Et pourquoi a-t-il besoin de ce bain de boue magique ? s'enquit Fée.

— Lui immortel, mais lui avoir besoin de ça pour pas devenir vieux.

— Autrement dit, sans ce bain, il serait un immortel avec Alzheimer, incontinence et prothèses dentaires, conclut Max.

— Qu'est-ce que ça change pour nous ? dit Fée, qui commençait à s'impatienter.

— Dracula dans son bain, pas pouvoir sortir, alors cible facile, expliqua Baba.

— Et il reste comme ça pendant combien de temps ?

— Jusque coucher de soleil.

Aussitôt, Jacqueline prit son iPhone, fit une recherche sur Internet et annonça :

— C'est-à-dire dans un quart d'heure.

Deux pensées me traversèrent l'esprit : d'abord, que j'aimerais bien avoir moi aussi un mobile avec une aussi bonne réception ; ensuite, qu'il restait quinze minutes à la famille des monstres Wünschmann pour décider du sort du monde.

MAX

L'angoisse me submergeait, car j'étais visiblement le seul à me rendre compte que Dracula avait sans doute à son service d'abominables créatures qui veillaient sur lui pendant son bain régénérant. N'importe quel salaud de troisième catégorie avait ses mercenaires, donc à plus forte raison un salaud de la classe du Prince des damnés. Mais ni ma peur, ni les sbires de Dracula n'étaient la question prioritaire : il fallait d'abord trouver un moyen de détruire le monstre. Je réfléchis à voix haute :

— De l'ail, nous n'en trouverons certainement pas dans ce château. Dracula n'est pas assez bête pour ça. Un vampire stupide ne devient pas un Mathusalem.

— Un m'as-tu-quoi ? demanda Jacqueline.

— Il ne fait pas de vieux os, traduisit Fée.

— Et je serais étonnée aussi que nous trouvions des piquets en bois ici, ajouta Cheyenne.

— Ça me fait penser que je n'ai pas vu une seule bûche dans tout le château, confirma maman.

— Alors, Dracula n'est vraiment pas un crétin, dit Jacqueline.

— Il ne garde sûrement pas non plus d'eau bénite qu'on puisse verser dans son bain, soupira Fée.

Tout le monde paraissait bien déprimé. Plus que quatorze minutes jusqu'au coucher du soleil, et personne n'avait la moindre idée. Je regardai Jacqueline. Si elle avait ri hier, au téléphone, c'était uniquement parce qu'elle avait fumé du hasch… Donc, elle ne s'était pas moquée de moi. Cela ne signifiait certes pas pour autant qu'elle répondait à mes sentiments, mais au moins, elle n'avait pas cherché à me ridiculiser. Et ça, c'était merveilleux.

Oui, mais si l'humanité était balayée de la surface de la terre, il n'y aurait plus de Jacqueline. Quant à nous, aucune idée de ce que nous deviendrions. Mais je ne voulais pas d'un avenir sans Jacqueline, même si elle devait ne pas m'aimer.

Toutes les synapses de mon cerveau se mirent à travailler ensemble au sauvetage de Jacqueline, s'envoyant des signaux les unes aux autres, se reconnectant sans cesse de manières différentes pour parvenir à une solution. Et le résultat arriva :

— Il doit bien y avoir du sel et de l'huile d'olive dans ce château ! m'écriai-je.

Les autres me regardèrent comme si j'avais tout à coup une case en moins.

— Je ne savais pas que le sel pouvait détruire les vampires, dit maman.

— Ils n'ont pourtant pas de problèmes de tension, renchérit Cheyenne.

— Et l'huile d'olive les met rarement en fuite, dit Fée.

Même papa se crut obligé d'ajouter son grain de sel :

— Oufta !

— Oui, fis-je en souriant, mais c'est avec du sel, de l'huile d'olive, de l'eau et quelques gouttes d'huile balsamique qu'on fait l'eau bénite. Et de l'huile balsamique, nous en avons ici. C'est avec cela qu'on enduit les bandelettes des momies. Il n'y a qu'à en gratter un peu.

Les autres restèrent bouche bée, mais Fée sourit.

— Petit frère, tu es quand même loin d'être un idiot, dit-elle en me donnant une bourrade dans le poitrail.

Je ne me souvenais pas de la dernière fois où ma sœur m'avait souri aussi gentiment. Probablement quand, petit garçon, j'avais retrouvé sa chère souris Diddl sous le buffet de la salle à manger. Le sourire de Fée était une autre de ces choses dont on ne s'aperçoit combien elles nous ont manqué que le jour où elles nous reviennent.

De ses grosses pattes, papa libéra de ses chaînes l'enfant-golem de Baba Yaga, et nous partîmes en les laissant tous deux dans la grotte, car la sorcière était trop faible pour nous suivre. Au bout d'une centaine de marches environ, Jacqueline me demanda de m'arrêter un instant avec elle. Nous nous collâmes contre la paroi pour laisser passer les autres, promettant de les rejoindre très vite. Quand ils ne furent plus à portée de voix, Jacqueline me déclara d'une voix douce que je ne lui connaissais pas encore :

— Non seulement tu n'es pas un idiot, mais tu es vachement courageux.

— Oh, non, fis-je en secouant tristement la tête. En ce moment, mon organisme est plein d'adrénaline d'angoisse, parce que nous allons affronter Dracula.

— Je ne parlais pas de ça, dit-elle en souriant. Tu as fait quelque chose de bien plus courageux qu'affronter un vampire.

Je ne comprenais toujours pas ce qu'elle voulait dire. Elle poursuivit tout bas :

— Tu m'as dit que tu m'aimais. Moi, je n'aurais jamais osé faire une chose pareille.

En disant cela, elle avait vraiment l'air d'une petite fille. Mais je préférai ne pas le lui faire remarquer : je ne voulais pas risquer une collision intentionnelle entre son pied et mes parties sensibles.

— Ton courage m'instire, avoua-t-elle doucement.

— On dit : « inspire », corrigeai-je.

Elle grimaça un sourire.

— Tu veux vraiment gâcher ce moment, monsieur Je-sais-tout ?

— Quel moment ? fis-je d'une voix hésitante.

Mon cœur de loup-garou battait la chamade, ce qui n'est pas peu dire, car on sait que le cœur du loup bat 7,83 fois plus vite que celui de l'être humain.

— Ce moment, dit Jacqueline en se penchant vers moi.

Et elle déposa un très tendre baiser sur mon museau de loup.

Oui, parfois dans la vie, on ne sait ce dont on a manqué que lorsque cela vous arrive pour la première fois.

FÉE

Je n'avais pas monté autant de marches depuis le jour où notre idiote d'instit nous avait obligés à faire l'ascension de la cathédrale de Cologne, pour la plus grande joie des fumeurs de la classe. Cheyenne, qui n'en pouvait plus, haleta :

— Si seulement j'avais dix ans de moins…

— … tu en aurais soixante-huit, la taquina maman.

— … et je serais sûrement aussi lessivée, reconnut Cheyenne en s'asseyant sur une marche. Laissez-moi ici… Je ne fais que vous retarder.

— Mais ici, tu n'es pas en sécurité, objecta maman.

— Si je viens avec vous, je ne le serai pas non plus.

— J'aimerais bien pouvoir te contredire, soupira maman.

Elle serra Cheyenne dans ses bras, comme on ne le fait que lorsqu'on n'est absolument pas certain de revoir quelqu'un.

— Je suis contente de ne pas t'avoir licenciée, ajouta-t-elle.

— Moi aussi… Même si c'est à cause de ça que je me retrouve ici, répondit Cheyenne en souriant.

Jacqueline, qui venait de nous rejoindre avec Max, se précipita sur la vieille hippie et lui dit au revoir en l'embrassant. C'était dingue, j'avais toujours cru que ce que Jacqueline savait faire de plus gentil, c'était verser une cannette de bière sur la tête de quelqu'un.

— On va revenir te chercher, maman, promit-elle à Cheyenne. Et après, on ira s'en jeter un toutes les deux.

— Tu l'appelles maman ? fis-je en même temps que maman, ce qui nous surprit vachement.

— Personne ne vous a jamais dit que vous étiez pareilles ? se marra Jacqueline.

— Pfmoi, dit papa en levant la main.

— Nous ne sommes pas pareilles ! protestai-je en chœur avec maman.

— Ben voyons ! fit Jacqueline, encore plus amusée.

— Votre ressemblance est un sujet secondaire pour le moment, intervint Max. Il faut nous dépêcher !

Il avait raison, bien sûr. Laissant là Cheyenne tel un soldat blessé dans un film américain, nous nous mîmes à grimper les marches à toute vitesse, puis à longer au pas de course des galeries où débouchaient une quantité de cachots. La vue des fées, des anges gardiens et des elfes qui y étaient enfermés me remplit d'horreur et de colère. Je n'avais plus qu'une envie, verser moi-même l'eau bénite dans le bain de boue de Dracula – et mélanger ses cendres à la pâtée des cochons.

— Où sont les clés des cellules ? demandai-je.

— Nous n'avons pas le temps de les délivrer, dit maman.

Je la regardai, furieuse. Je ne voulais pas laisser ces petits êtres souffrir plus longtemps.

— Il faut d'abord nous occuper de Dracula, ajouta-t-elle.

Elle avait évidemment raison. Même si cela m'ennuyait. Ça n'avait pas de sens de les libérer si c'était pour laisser le monde disparaître. De plus, dans l'état où elles se trouvaient, ces créatures ne pouvaient pas nous aider à combattre Dracula.

Pourtant, je ne parvenais pas à me les ôter de l'esprit. C'était la première fois que je voyais de mes propres yeux autant de souffrance. Ce n'était pas du tout comme à la télévision. Et je sus tout à coup ce que je voulais faire de ma vie, si jamais nous sortions de là vivants : j'aiderais des personnes en détresse. Il ne s'agissait pas de provoquer des révolutions ni d'abattre des dictateurs, mais de diminuer la souffrance. Pour cela, on n'avait pas besoin de momies dotées de superpouvoirs, mais de gens capables de prendre la défense des autres.

Eh bien, si quelqu'un m'avait dit ça avant-hier encore, je lui aurais demandé s'il n'avait pas respiré un peu trop d'encens.

— Tu viens ? me pressa maman.

Je hochai la tête et la suivis. Tandis que nous sortions des oubliettes pour entrer dans le château proprement dit, maman m'expliqua sans cesser de courir :

— Dracula a un cuisinier trois étoiles.

— S'il travaille pour quelqu'un comme Dracula, c'est surtout un fumier quatre étoiles, répondis-je.

— La plupart des cuisiniers étoilés travaillent pour des gens pas très sympathiques. Il n'y a qu'eux pour pouvoir se les payer, répliqua maman, qui se lançait dans la critique sociale.

— En tout cas, on ne va pas se laisser arrêter par un grand con qui jongle avec des louches, dis-je en poussant la porte battante de la cuisine.

— On pourrait aussi soutenir la thèse inverse, s'étrangla Max en montrant le cuisinier installé aux fourneaux devant ses équipements en inox dernier cri.

C'était un vrai démon de l'enfer, haut de plus de deux mètres et pourvu de tous les accessoires – front cornu et queue terminée par des pointes semblables à celles d'une masse d'armes. Quand on recevait un truc pareil dans la figure, on n'avait plus besoin de s'inquiéter à propos de ses boutons.

Le démon portait une toque de cuisinier sur la tête, mais cela ne le rendait pas inoffensif pour autant, hélas. Il se mit en colère dès qu'il nous aperçut :

— Sortez de ma cuisine ! Il y a ici des règles d'hygiène très strictes !

Papa s'avança vers lui. Il allait sûrement lui faire mordre la poussière, comme au scarabée impotent.

— Oufta ! s'écria-t-il en envoyant son poing dans le menton rouge du démon.

Aussitôt après, il se tint la main en hurlant. Le démon avait apparemment le menton plus dur que l'acier. Il sourit et flanqua un bon coup de poêle à papa, qui vola à travers la cuisine et alla s'écraser contre une étagère pleine d'ustensiles, puis retomba évanoui tandis que les casseroles pleuvaient sur lui en produisant une mélodie qui me fit penser à un carillon désaccordé.

— Ce démon a une force terrible, gémit Max.

— J'avais remarqué, fis-je d'une voix étranglée.

Cependant, le cuisinier diabolique avait d'autres soucis :

— Ma sauce béarnaise déborde !

Le genre de problème que nous aurions aimé avoir, me dis-je.

Maman fit une tentative de communication :

— Ecoutez, nous voudrions seulement un peu de sel et d'huile d'...

Elle n'eut pas le temps d'achever. D'un coup de poêle, le démon l'envoya elle aussi voler contre le mur d'en face, et elle atterrit à côté de papa. Il n'y avait pas moyen de maîtriser cette créature infernale par la force. Il fallait donc voir ce que donnait la volonté. Les jambes flageolantes, je m'approchai de lui alors qu'il retirait du feu sa casserole de sauce. Soit je réussirais à l'hypnotiser, soit il me frapperait comme il avait fait avec papa et maman. Sauf que moi, je n'allais pas seulement rester assommée dans un coin. Un coup pareil m'arracherait carrément la tête du corps. Je m'approchai du fourneau et l'appelai :

— Hé, Tim Mälzer[1]...

_____

1. Jeune cuisinier déjanté, star de la télévision en Allemagne, comme le Britannique Jamie Oliver cité plus loin.

Le démon tourna vers moi ses yeux rouges à l'éclat diabolique, que je fixai aussitôt.

— Je veux que tu nous donnes du sel et de l'huile d'olive.

— Mais bien sûr !

Je poussai un soupir de soulagement. Mon plan avait marché, le démon s'était laissé hypnotiser. Il alla chercher l'huile et le sel… mais ne me les donna pas.

— Qu'est-ce qu'il y a ? demandai-je, surprise.

— Je me suis foutu de toi ! répondit-il avec un grand sourire.

Puis il éclata d'un rire infernal, au sens propre du mot. Derrière moi, j'entendis Max murmurer :

— L'humour de ce démon est carrément minable.

Par contre, le couteau qu'il brandit alors était carrément impressionnant, et pas dans un sens positif.

— Maintenant, je vais te transformer en torchon de cuisine, me dit-il en souriant largement.

Je regardai le grand couteau, qui me terrorisa davantage que tous les événements surnaturels des derniers jours.

Avant cela, je m'étais toujours demandé pourquoi, dans les films d'horreur, les adolescentes en minijupe se mettaient à crier au lieu de s'enfuir en courant quand le serial killer se dressait devant elles avec son couteau. Cette fois, je comprenais : moi aussi, je fus tout juste capable de pousser des cris perçants.

Le démon leva son couteau à découper. J'avais la peur de ma vie, et je ne pouvais pas bouger d'un pouce. En état de choc, j'entendais mon propre hurlement comme un écho lointain.

Le démon frappa…

… et c'est à cet instant que maman se jeta entre nous.

Le couteau l'atteignit en plein cœur.

Elle porta les mains à sa poitrine et s'écroula à mes pieds. Je criai :

— Maman !

Sortant de ma pétrification, je me jetai sur elle. Sa blessure était profonde et elle ne bougeait plus… Mon Dieu, elle ne bougeait plus !

Max se précipita lui aussi vers elle, puis se mit à courir autour de nous frénétiquement en poussant des gémissements plaintifs.

— Par Belzébuth ! se lamenta le démon. J'ai tué la vampiresse ! Si Dracula l'apprend, sa vengeance sera terrible. Il faut filer d'ici en vitesse !

Il posa sa toque de cuisinier en marmonnant :

— J'aime mieux retourner faire rôtir des hommes en enfer plutôt que de lui raconter ça !

Sitôt dit, sitôt fait. On entendit seulement un grand bruit d'explosion : « Crac ! Pouf ! Bang ! », et le démon s'évanouit dans les airs pour ne plus revenir.

Je pris maman dans mes bras, regardai fixement l'immense plaie et me mis à pleurer :

— Maman… maman…

Max m'imita en hurlant à la mort :

— Ouahouououououou !!!

Je n'étais plus capable de penser à rien, ni au fait qu'elle s'était sacrifiée pour moi, ni que c'était ma faute si elle mourait, ni à ce qu'il adviendrait de l'humanité… Je revoyais seulement mes souvenirs d'enfance : quand j'étais assise sur ses genoux, en pyjama, et qu'elle me lisait une histoire… quand elle me bordait dans mon lit et me donnait trois baisers… un sur le front, un sur le bout du nez, un sur la bouche… Et tandis que ces images défilaient dans ma tête, tout mon corps se contractait, n'était plus qu'un énorme sanglot. Je pleurais, pleurais, pleurais…

Tout à coup, j'entendis murmurer tout bas :

— Mon lapin…

C'était maman !

Toujours étendue dans mes bras, elle parlait d'une voix faible. Mais elle parlait !

Max cessa de hululer.

— Y a pas de mal, chuchota maman. Les vampires n'ont pas de cœur.

Elle était vivante ! Mon Dieu, elle était vivante !

Max était si content qu'il fit pipi par terre.

Moi, je pleurais toujours, mais cette fois de soulagement.

Et de honte.

Dire que je lui avais reproché de ne plus vouloir de moi comme fille. Mais quelle idiote ! Alors qu'elle avait risqué sa vie pour moi !

A mesure que je comprenais ce que je représentais vraiment pour elle, un autre sentiment venait remplacer la honte : à présent, je pleurais de bonheur.

EMMA

Ma blessure me faisait certes un mal de chien, mais elle se referma en moins d'une minute, puis il n'y eut plus qu'une cicatrice, qui disparut elle aussi au bout de quelques secondes. Nous autres vampires, nous jouissons d'une santé impressionnante. Pas étonnant qu'il ne soit possible de nous détruire qu'avec des moyens aussi grotesques que l'ail ou l'eau bénite.

Pourtant, à l'instant où le démon avait voulu tuer Fée, je n'avais pas compté sur cette guérison miraculeuse : je n'avais obéi qu'à mon instinct de mère. Peu importait ma propre vie, je voulais sauver ma fille. J'étais si soulagée d'y être parvenue !

Quand je me relevai, Fée me serra dans ses bras et me donna un gros baiser sur la joue qui faillit me renverser à nouveau : ma fille m'embrassait ? Ma fille en pleine puberté ? M'embrassait ? Moi ?

Peut-être étais-je déjà morte et avais-je atterri dans une autre vie particulièrement étrange ?

— Quand vous aurez fini de vous bécoter toutes les deux, intervint Jacqueline, nous avons encore un petit problème d'eau bénite à vaporiser. Et il ne reste pas beaucoup de temps.

Par la fenêtre de la cuisine, elle nous montra le soleil qui se couchait lentement sur les montagnes transylvaniennes.

— Et puis, tu marches dans le pipi de chien, ajouta Jacqueline.

Je regardai mes pieds nus, et de fait, j'étais debout dans une petite flaque tiède.

— Je... je vais réveiller papa ! fit Max en souriant d'un air gêné.

Il courut vers Frank et lui lécha la figure jusqu'à ce qu'il se redresse, un peu abasourdi. Pendant ce temps, suivant les instructions de Max, je préparai l'eau bénite en mélangeant dans une cruche de l'eau, de l'huile d'olive, du sel et ce que nous pûmes récupérer d'essence balsamique sur les bandelettes de Fée. Puis nous sortîmes en courant de la cuisine pour nous précipiter tous dans le hall et entrer dans un vieil ascenseur fermé par une grille et tapissé de velours rouge sombre. Nous étions un peu serrés dans la cabine, où régnait une odeur de moisi, et la tête de Frank touchait presque le plafond. Sur la plaque des commandes, les boutons d'étage étaient numérotés de 1 à 13.

J'appuyai sur le 13, parce qu'un type comme Dracula ne pouvait pas habiter ailleurs. L'ascenseur s'ébranla en grinçant, comme on pouvait s'y attendre à son âge. Pendant la montée,

Max resta collé contre la jambe de Jacqueline tandis qu'elle lui gratouillait l'encolure. Décidément, il s'était passé quelque chose entre ces deux-là.

Au neuvième étage, mon regard croisa par mégarde celui de Frank, et chacun de nous détourna en hâte les yeux. Je cherchai désespérément un point à fixer et choisis l'indicateur d'étage : … 10, 11, 12… qu'allions-nous trouver là-haut ?... 13 !

L'ascenseur s'arrêta en faisant : « Bing ! » Les portes s'ouvrirent avec fracas. Silencieux et tendus, nous nous avançâmes dans un long couloir orné d'une quantité de tableaux. Je serrais un peu plus fort à chaque pas ma cruche d'eau bénite.

Impressionné, Max comptait les tableaux des grands maîtres :

— Rembrandt, Renoir, van Gogh…

— Van Gogh ? C'était pas un entraîneur du Bayern de Munich ? demanda Jacqueline.

Max s'apprêtait à la corriger comme d'habitude, puis il changea d'avis et se contenta de lui sourire. Quand on s'arrange de cette manière pour éviter à quelqu'un de perdre la face, c'est qu'on l'aime d'amour.

Malgré la situation, j'étais curieuse de savoir ce qui se passait vraiment entre eux. Après tout, c'était mon fils ! Je lui demandai à voix basse :

— Vous êtes ensemble ?

— Je… je crois, répondit-il, gêné.

Je m'en réjouis pour lui, car j'avais appris à apprécier Jacqueline pour son courage et sa loyauté. Je préférais une fille comme ça pour mon fils plutôt qu'une poupée qui s'y connaîtrait mieux en maquillage qu'en réalités de la vie. C'est alors que Max me dit une chose plutôt surprenante :

— Tout ça, c'est grâce à toi.

— A moi ? fis-je, étonnée.

— Tu as dit que je serais toujours capable de surmonter ma peur, et ça m'a donné du courage.

Il rayonnait de gratitude. La veille au soir, pourtant, il me maudissait. C'était donc officiel : il était devenu un authentique ado, avec ce que cela comportait de sautes d'humeur. Mais si nous sortions vivants de cette aventure, je supporterais avec plaisir cette nouvelle puberté.

Soudain, Fée s'immobilisa.

— Attendez, quelque chose vient de me tomber dessus.

Tout le monde s'arrêta. Fée passa la main sur sa tête. Elle en ôta quelque chose de brun et dit :

— J'ai de nouveau le pressentiment... que nous allons être dans la merde. Au plein sens du mot, ajouta-t-elle après avoir regardé de plus près ce qu'elle tenait entre ses doigts.

Nous levâmes lentement la tête vers le plafond. Où les chauves-souris étaient accrochées.

FÉE

Une douzaine de bestioles pendaient du plafond, la tête en bas. Tout à coup, elles s'envolèrent et se mirent à tournoyer autour de nous. D'une façon carrément menaçante. En frôlant nos têtes à un cheveu près.

— Je les préfère encore quand elles nous chient dessus, déclara Jacqueline.

J'étais de son avis. Mais cette ronde inquiétante n'était rien en comparaison de ce qui allait suivre : ces chauves-souris bizarres se transformèrent tout à coup en vampires hauts de deux mètres et demi, portant des costumes noirs et des lunettes noires. Des types qui avaient l'air capables de tuer quelqu'un de 1 234 façons différentes sans même laisser le temps à l'adversaire de comprendre qu'il avait des ennemis.

— Ce doit être la garde personnelle de Dracula, dit maman en déglutissant péniblement.

Le plus grand des gardes du corps s'avança vers nous, ôta ses lunettes de soleil et nous regarda méchamment de ses yeux rouge sombre. Un regard qui signifiait clairement : Je suis le genre de type qu'il ne fait pas bon fréquenter. Pas la peine non plus de m'inviter à dîner. Tout ce que j'aime, c'est le sang humain.

Sans hausser le ton, mais d'une voix de basse terriblement menaçante, il dit à maman :

— En temps normal, nous devons tuer sur-le-champ toute personne qui ose s'aventurer dans les appartements de Dracula, mais tu es la fiancée du prince. Nous allons donc tuer seulement les non-vampires.

— « Seulement » ? fit Max avec épouvante. Comment ça, « seulement » ?

Les vampires assoiffés de meurtre poussèrent un hurlement sauvage. C'était si épouvantable que je faillis regretter le couteau du démon cuisinier.

— Je vais leur balancer l'eau bénite, nous souffla maman.

Mais il ne fallait pas ! Elle devait la garder pour Dracula ! Et pas la gaspiller pour nous sauver… Même si ça voulait dire que je n'irais jamais jusqu'au bout avec un garçon, parce qu'il me serait arrivé entre-temps cette chose idiote qui s'appelle la mort.

A l'instant où maman allait envoyer le contenu de sa cruche sur les gardes du corps, je retins son bras.

Qu'est-ce que je me détestais quand j'étais altruiste comme ça !

C'était tout simplement du suicide de vouloir affronter ces gardes. Je ne pouvais pas les regarder dans les yeux tous les douze en même temps pour les hypnotiser, et ils n'étaient pas du genre à se laisser impressionner par une pluie de grenouilles ou par une nuée de moustiques. Même la peste ne leur ferait rien. Il ne me restait donc qu'une solution : la terrible malédiction de la momie !

Pour la lancer, c'était très simple, il suffisait de dire : « Je vous maudis. » Mais je préférai donner à la chose une tournure un peu plus personnelle, et je criai :

— Je vous maudis, sales connards !

Les vampires s'écroulèrent aussitôt sur le sol.

Et moi avec.

Jacqueline apprécia en connaisseuse :

— La mère et la fille sont bien pareilles. Elles se sacrifient pour les autres !

Apparemment, Jacqueline avait raison : nous étions pareilles, et pas seulement pour des bêtises comme avoir la poitrine plate ou toujours se laisser énerver par les autres jusqu'à l'explosion. Maman m'avait aussi transmis son côté altruiste. Ce n'était donc peut-être pas si nul de lui ressembler. Bien sûr, je n'allais pas le reconnaître devant elle, ce serait vraiment trop lèche-cul. Et puis, j'étais bien trop occupée à clamser pour penser à ça en ce moment.

EMMA

Les vampires gisaient devant nous, réduits à l'état de squelettes d'où montaient des filets de fumée. La malédiction de la momie ne faisait pas les choses à moitié.

Fée était tombée évanouie à côté d'eux. Elle paraissait avoir survécu, car elle respirait encore, mais très faiblement. Sa poitrine ne se soulevait même pas. Reprendrait-elle jamais conscience ?

Je la regardais, malade d'inquiétude, ne sachant comment l'aider, quand Jacqueline fit une constatation désagréable :

— Il ne reste plus qu'une minute.

Et aussitôt après, une autre plus désagréable encore :

— Plus que 59 secondes...

Je me rendais compte que je devais me détacher de Fée pour que son sacrifice n'ait pas été vain. Mais je n'y parvenais pas.

— 58...

— C'est bon ! fis-je, agacée, sans lâcher Fée pour autant.

— 57 !

— J'ai dit : C'EST BON !

— Pas la peine de s'énerver...

Je demandai à Frank de porter notre fille. Il la souleva tendrement dans ses bras, presque comme quand elle était petite. Au fond de lui-même, Frank avait toujours été un bon père. Saleté de boulot ! Les heures supplémentaires avaient fait autant de mal à ce brave type que Dracula à toute l'humanité.

Nous fonçâmes tous vers une haute porte en chêne, au bout du couloir, qui devait être celle de la chambre de Dracula. J'ouvris la lourde porte. Le Prince des damnés était bien là, au milieu d'une grande salle presque vide. Mais le bain de jouvence ne ressemblait à rien de ce que j'avais pu imaginer. Dracula montait et descendait lentement dans un immense cylindre en plexiglas rappelant un peu une cage d'ascenseur transparente, rempli d'un liquide au léger miroitement bleuté. Il paraissait plongé dans un profond sommeil. A part lui, on ne voyait rien d'autre dans le réservoir qu'une boîte en argent posée sur le fond. Que pouvait-elle contenir ? Qu'emportait-on avec soi dans un bain pareil ? Son petit canard en caoutchouc ? Son piranha en caoutchouc ? Sa hyène en caoutchouc ? Son Kadhafi en caoutchouc ?

Voir Dracula nu me causa une bouffée de chaleur et me fit frissonner en même temps, car je me souvenais de nos merveilleux ébats, rétrospectivement si abominables. Frank remarqua que je me secouais, et je le regardai d'un air honteux. Il lui fallait du temps pour penser, pas pour sentir. Il comprit aussitôt que je l'avais trompé avec Dracula. Profondément blessé, il déposa Fée sur le sol sans rien dire.

— Ouah, le Prince des damnés a une sacrée bistouquette ! fit Jacqueline, ébahie.

— Jacqueline ! aboya Max avec colère.

Frank regarda entre les jambes de Dracula et devint encore plus jaloux.

Envie de pénis entre monstres. Freud aurait voulu étudier ça.

— Je vais sauter en haut du cylindre et verser l'eau bénite dedans, dis-je.

C'est alors que Max intervint :

— Je ne sais pas, mais tout cela me paraît beaucoup trop simple.

— Trop simple ?

Qu'est-ce qu'il lui fallait ? Nous avions vaincu les gardes du corps de Dracula et la version démoniaque de Jamie Oliver, Fée était évanouie dans les bras de Frank. Si tout cela était simple, je ne voulais surtout pas avoir affaire à du « compliqué », et même pas savoir ce que pouvait être le « très compliqué ».

— C'est le Prince des damnés. Ce serait beaucoup trop simple si on pouvait le vaincre de cette façon.

Je n'eus pas le temps de répondre, car la voix de Dracula retentit dans un haut-parleur ultramoderne fixé au réservoir :

— Voilà un loup intelligent.

Effrayée, je regardai Dracula : il flottait toujours dans le cylindre, les yeux fermés. N'était-il plus inconscient ? D'ailleurs, comment pouvait-il parler ? Brusquement, il ouvrit les yeux, et mon cœur absent cessa de battre. Puis il sourit, et le sang se figea dans mes veines.

— Je vois que tu as apporté quelque chose, dit-il d'un air entendu en désignant ma cruche à travers la vitre. J'imagine que c'est de l'eau bénite improvisée.

— Il faut la verser tout de suite, me pressa Jacqueline. Il ne reste plus que trente secondes !

— Crois-tu vraiment que je n'étais pas préparé à quelque traîtrise de ta part ?

— Je te l'avais dit, gémit Max.

— Je m'en fous ! décrétai-je avec résolution. Je vais faire ce pour quoi je suis venue.

Grâce à mes muscles puissants, je bondis avec ma cruche sur le rebord du cylindre, qui devait être large d'une vingtaine de centimètres. Nageant avec élégance et rapidité, Dracula descendit au fond et ouvrit la boîte. Qu'allait-il prendre là-dedans ? Son canard Kadhafi ? Tout ce qui pouvait me tuer ne devait-il pas le tuer lui aussi ?

— Plus jamais de massages ! criai-je avec fureur.

J'allais jeter la cruche dans le réservoir, mais Dracula fut le plus rapide. Il prit dans la cassette une petite pilule bleue et la lança vers moi. Traversant le liquide comme une balle de pistolet, elle jaillit hors de l'eau et entra tout droit dans ma bouche, d'où elle tomba directement dans mon estomac. Aussitôt, je me sentis prise d'une soif de sang plus torturante que tout ce que j'avais connu jusqu'alors.

Le Prince des damnés sourit dans son réservoir.

— A tout antidote, il y a un antidote !

J'oubliai tous mes projets. Je n'avais plus qu'un seul désir : le sang. Ce maudit, ce délicieux sang !

Je sautai à bas du cylindre, envoyai la cruche d'eau bénite se fracasser contre un mur. L'eau se répandit sur le parquet, et l'épouvante sur les visages des autres.

— Oh, merde ! s'écria Jacqueline.

— « Oh, merde » est encore trop peu, fit Max en tremblant. C'était... c'était notre seule chance...

— Tu es vraiment un loup très intelligent, confirma Dracula.

— Je préférerais être un pingouin, répondit Max toujours tremblant. Dans l'Antarctique.

Quant à moi, je me fichais bien d'avoir détruit notre seule chance d'anéantir Dracula. Je voulais du sang ! Pas celui d'un loup, ni d'une momie inconsciente, ni même celui d'une adolescente buveuse de bière. Non, je voulais celui de l'être qui avait en lui la plus grande quantité du précieux suc de vie...

Je me précipitai vers Frank, le fis tomber à terre et me jetai sur lui, cherchant avidement à planter mes canines dans son cou. Si j'avais pu penser quoi que ce soit dans mon ivresse, je me serais attendue à le voir se défendre de toutes ses forces de surhomme. Mais il n'en fit rien. Au contraire, il resta immobile, sans même se débattre. Et il murmura :

— Je t'aime.

Il ne dit pas « Je pftaime », ni « Pfe t'aimfe », ni rien de ce genre. Non. Cela avait dû lui coûter un effort de concentration terrible, et même surhumain, mais, pour la première fois depuis notre transformation, il prononça une belle phrase. Qui était d'ailleurs la plus belle de toutes : « Je t'aime. »

Je ne cessai pas d'éprouver un furieux désir de sang, mais j'éloignai mes canines de son cou. De plus, j'étais toujours couchée sur lui et pouvais donc à tout moment mordre dans sa carotide.

Frank continuait à me parler, faisant un violent effort pour bien prononcer les mots. Il ne parvenait pas à en mettre plus de trois à la suite. Mais on peut dire beaucoup de choses avec trois mots. Et il les disait :

— Travail trop important... Mais plus maintenant... Nous seuls importants... Zuleika était erreur...

Au souvenir de cette femme, je fus carrément reprise par l'envie de le mordre.

— Mais c'est fini... Nous avons avenir...

A cette pensée, j'oubliai carrément ma faim pour un instant.

— Bel avenir...

Cette fois, il n'avait dit que deux mots, mais deux mots merveilleux.

De son cylindre, Dracula remarqua mon hésitation. Comprenant que Frank saurait peut-être réveiller notre amour au point de me faire oublier tout à fait ma faim, il cria de toutes ses forces :

— J'ai couché avec ta femme !

Frank encaissa le choc. Il s'en doutait, bien sûr, mais cette confirmation était un coup dur. Il allait certainement entrer en fureur, se mettre à gronder, me repousser. Alors, je redeviendrais ivre de sang, je le déchirerais comme une bête sauvage...

— Et au lit, elle était très bonne ! ajouta Dracula.

Normalement, c'est là que Frank aurait dû se déchaîner. Mais il ne fit rien de tel. Il ne poussa pas même un grognement. Au lieu de cela, voici ce que je lus dans ses yeux :

Frank me sourit avec amour.

— C'était ma faute… Je te pardonne…

Son amour était si grand qu'il était capable de pardonner. Et, malgré mon ivresse meurtrière, ce grand amour se fraya un chemin jusqu'à mon cœur.

— Mais mords-le, à la fin ! cria Dracula.

La soif était encore là, mais je n'entendais presque plus Dracula. Frank réussit même à aligner plus de trois mots pour dire :

— Je t'aime pour toujours.

Après cela, non seulement j'oubliai ma faim, mais elle cessa de me tourmenter. La soif de sang avait disparu. Définitivement vaincue par l'amour de Frank.

L'amour est parfois plus grand que l'ivresse.

L'amour rend les monstres humains.

Mon esprit y voyait clair à présent. Mon cœur aussi. Frank avait été capable de me pardonner ma trahison et, suivant son exemple, je lui avais pardonné Zuleika. L'amour, c'était ça aussi.

J'étais toujours couchée sur lui, ce qui était la position idéale : j'embrassais sa bouche de métal, il embrassait mes lèvres froides de vampire. Et pourtant, ce baiser réchauffait mon cœur – absent en tant qu'organe. C'était le plus beau baiser que nous ayons jamais échangé. A sa manière, c'était même un premier baiser. Le premier d'une passion ravivée.

— Vous les humains… vous êtes bigrement fatigants, soupira Dracula.

Sa voix ne provenait plus du haut-parleur. Effrayés, nous regardâmes vers le réservoir : le Prince des ténèbres était debout sur le rebord du cylindre.

Aïe ! Le soleil venait juste de se coucher !

— Encore une fois, ouah ! s'émerveilla Jacqueline. J'avais toujours cru que les bistouquettes rétrécissaient dans l'eau, mais si celle-là a rétréci... à quoi ressemble-t-elle en temps normal ?

— Jacqueline ! s'écria Max, courroucé.

— Emma sait à quoi elle ressemble, lança le prince nu.

Je me relevai très vite, suivie de Frank. Nous n'avions plus d'eau bénite pour détruire Dracula. Nous n'avions ni ail, ni pieu. Pouvions-nous le vaincre par un autre moyen, nous, les Wünschmann ? Il était immortel, il avait des milliers d'années d'expérience du meurtre, et nous n'étions des monstres que depuis trois jours. Cette fois, c'était probablement la fin.

Mais moi, il ne pouvait pas me tuer, à cause de la prophétie de Haribo. Cela me laissait peut-être une chance de sauver ma famille, même s'il me fallait pour cela vivre un enfer éternel aux côtés de Dracula.

— Epargne ma famille, et j'accepterai de rester avec toi.

— Emma ! cria Frank.

— Je sais ce que je fais, dis-je courageusement.

— Non ! s'écria mon mari, à qui l'amour avait fait retrouver la parole.

— Ne t'inquiète pas, lui dit Dracula avec un sourire ironique. Je ne veux plus d'Emma.

Il ne voulait plus de moi ? Je ne sais pourquoi, je ne trouvai pas cela très flatteur.

— Cela m'ennuie de t'avoir éternellement près de moi et de concevoir des enfants avec toi.

Pas du tout flatteur.

— J'ai connu des femmes sans nombre au cours de ma vie immortelle, et je dois dire que tu es tout juste au-dessous de la moyenne.

Si j'avais pu dessiner comme Frank, voici ce que j'aurais gribouillé à cet instant :

La voix de Dracula se fit tout à coup plus douce :

— Quand j'ai essayé avec toi, j'espérais encore sincèrement pouvoir un jour éprouver quelque chose qui ressemblerait à de l'amour... mais il ne s'est rien passé.

Un instant, il parut déçu. Il n'avait donc pas menti en parlant de son désir d'amour. Mais peut-être était-il simplement incapable d'aimer ?

— Mais qu'adviendra-t-il de la prophétie ? demandai-je avec l'espoir qu'au moins, si nous ne concevions pas une horde de vampires, l'humanité serait épargnée.

— Il reste une autre façon de détruire les humains.

— Laquelle ? s'enquit Jacqueline.

— Je crois que nous préférons ne pas le savoir, dit Max d'une voix angoissée.

— Mais je veux bien vous l'expliquer, répondit Dracula avec un sourire maniaque qui lui ôtait définitivement toute séduction. Ma société d'informatique a développé un virus très spécial grâce auquel je prendrai dès cette nuit le contrôle de l'arsenal nucléaire russe.

— Tu vas déclencher la Troisième Guerre mondiale ? demandai-je, épouvantée.

Son sourire s'élargit.

— Moi, je l'appelle la « Dernière Guerre mondiale », dit-il en sautant à bas de son cylindre.

— Cet homme a vu trop de films de James Bond, fit Max d'une voix étranglée.

J'essayai de parlementer :

— Si tu irradies la terre, c'est ta nourriture qui mourra avec les hommes.

— Oh, j'ai assez de pilules rouges pour vivre indéfiniment. Et je serai enfin débarrassé de tous ces humains insupportables.

Ses yeux brillèrent à cette pensée. Tout le monde éprouvait de temps en temps le désir d'être seul, par exemple au moment d'une réunion du personnel, d'une fête de famille ou d'une rencontre de parents – mais là... c'était la perversion ultime du désir de solitude.

Ouvrant alors un tiroir d'une grande commode en chêne, Dracula en sortit un masque à gaz.

— Qu'est-ce que c'est encore que ça ? demanda Jacqueline.

— Je crois que, là aussi, nous préférons ne pas le savoir, répondis-je.

— Non, nous préférons nous sauver en courant, confirma Max.

— Trop tard, dit Dracula d'une voix caverneuse, à cause du masque.

— Voilà qu'il fait maintenant des effets sonores à la Dark Vador ! gémit Max.

C'est alors que nous comprîmes pourquoi il était trop tard pour s'enfuir : Dracula pressa un bouton invisible dans le mur. Un centre de contrôle ultramoderne avec ordinateurs, écrans et tableaux de commandes se mit à monter du sol. Nous n'étions pas encore revenus de notre surprise que Dracula appuyait déjà sur une touche de l'une des consoles. De tous côtés, des tuyaux jaillirent des murs et un gaz commença à se diffuser. Aussitôt, Frank, Max et Jacqueline se mirent à tousser en se tordant de douleur, puis s'effondrèrent les uns après les autres.

— Maman... tu es notre dernière chance, haleta Max juste avant de s'évanouir.

Il pensait sans doute qu'en tant que vampire j'étais immunisée contre ce gaz. Mais je me sentais moi aussi terriblement mal : il y avait de l'ail dans le mélange...

À mon réveil, je puais comme si on m'avait mise à macérer dans l'aïoli, et je me sentais très faible. Couchée sur le sol de béton nu d'une grande salle vide qui ressemblait à un bunker, je vis, debout près de moi, Frank, Max et Fée.

Ma fille avait repris conscience ! La malédiction de la momie ne l'avait pas tuée ! Ma joie n'était pourtant pas sans mélange. D'abord, Fée paraissait encore chancelante. Ensuite, comme les autres, elle avait les mains attachées dans le dos par des chaînes d'une couleur argentée. Elles-mêmes encastrées dans le béton du sol. Frank avait beau tirer dessus furieusement, il ne parvenait pas à les arracher de leur ancrage. Le métal brillant qui les constituait semblait beaucoup plus solide que l'acier ordinaire. Mais il y avait plus étonnant encore : pourquoi étais-je la seule à ne pas être enchaînée ?

— C'est bien que tu te réveilles enfin, fit la voix de Dracula.

Nonchalamment appuyé au chambranle de la porte, sans masque à gaz, mais en habit élégant, il leva le verre de champagne qu'il tenait à la main et reprit en souriant :

— C'est toujours plus agréable quand les humains meurent éveillés. Plus agréable… pour moi.

— Où est Jacqueline ? demanda Max avec inquiétude.

— Dans les oubliettes, avec la vieille Cheyenne. J'ai pensé qu'il serait mieux de préparer une vraie fête de famille pour votre dernier petit quart d'heure. J'ai fait aménager cette pièce pour les exécutions spéciales, en m'inspirant de mon auteur préféré…

— Probablement pas Jane Austen, marmonnai-je.

— Mon auteur préféré est Edgar Allan Poe.

Evidemment. C'était bien le genre de maniaque intermittent amateur de curiosités gothiques.

— Tu devrais plutôt essayer de lire Alan Alexander Milne, répliquai-je avec un sourire douloureux. *Winnie l'ourson* est un enchantement.

— Je le lirai peut-être, quand tous les humains seront morts et que je serai enfin seul. Alors, j'aurai tout mon temps. Et surtout la paix.

Un court instant, son expression se fit nostalgique, puis il reprit :

— Poe a écrit une nouvelle tout à fait merveilleuse sur l'Inquisition espagnole…

— *Le Puits et le Pendule*, fit Max d'une voix étranglée.

— J'aime particulièrement, dans cette histoire, le moment où la pièce se rétrécit.

Il pressa l'un des trois boutons placés sur un panneau près de la porte. Des pieux en bois jaillirent du plafond, des dizaines de pieux aiguisés, solides, mortels. Y compris et surtout pour les vampires.

Dracula appuya une deuxième fois sur le bouton, et le plafond commença à descendre vers nous, très lentement.

— Je n'ai jamais aimé Edgar Allan Poe, gémit Max.

— Oui, même Schiller en cours d'allemand, c'est plus drôle, approuva Fée.

— Je vous souhaite une belle fin de vie, fit Dracula en achevant son verre de champagne. Ah, à propos : les chaînes sont en titane indestructible, ajouta-t-il en se tournant vers la porte.

Frank tira encore plus violemment sur ses chaînes. En vain. Mais moi, je n'étais pas attachée. Comme une folle, je me précipitai vers Dracula. Il se contenta de lever devant moi ce qu'il portait en pendentif : un crucifix. A plus d'un mètre de lui, je sentis le feu brûler mes entrailles. Encore un pas et elles se consumeraient tout à fait. Je reculai instinctivement. Ce faisant, je m'aperçus que je grondais comme un fauve, tant la croix agissait puissamment sur mon organisme de vampire.

Dracula, lui, n'était nullement gêné. Il accrocha le crucifix au tableau de commandes et sortit en souriant, puis referma la porte derrière lui, laissant le plafond descendre inexorablement vers nous. J'essayai de m'approcher du tableau, mais c'était impossible. Je m'effondrai, en proie à d'atroces souffrances. Pour ne pas être définitivement détruite, je m'éloignai en rampant et rejoignis ma famille.

— Dans ce genre de situation, les vampires juifs et musulmans ont incontestablement l'avantage, commenta Max.

— Si seulement j'avais la force de lancer une autre malédiction, dit Fée.

Elle ne manifestait ni peur, ni désespoir. A peine revenue de sa première malédiction, elle était déjà prête à remettre sa vie en jeu !

J'avais été trop injuste avec elle. Je l'avais toujours prise pour une fille qui ne s'intéressait qu'à elle-même, pour une nihiliste sans enthousiasme. Alors que je pouvais être fière d'elle, de son désintéressement, de son esprit d'initiative. Oui, c'était même à moi de me sentir honorée lorsqu'on disait que nous nous ressemblions.

Fée était une jeune femme très forte.

Elle l'avait sans doute toujours été, et moi, je n'avais rien vu.

De même que je n'avais pas reconnu le courage de Frank.

Et pour Max, que derrière sa façade de rat de bibliothèque se cachait un garçon romantique, capable de convertir à l'amour même une fille comme Jacqueline.

Je venais seulement de comprendre que, pendant toutes ces années, j'avais été une idiote beaucoup trop occupée d'elle-même pour voir sa famille sous son vrai jour.

Si je les avais regardés au lieu de ne penser qu'à ce qui me dérangeait dans ma propre vie et aux moyens de l'améliorer, je les aurais jugés autrement.

Je ne me serais pas autant énervée, et ma vie se serait à coup sûr améliorée d'elle-même !

Je ne me serais pas querellée sans cesse avec ma famille, la catastrophe Stephenie Meyer n'aurait pas eu lieu, pas plus que les histoires d'adultère entre Frank et moi, et nous ne serions pas en ce moment dans le bunker édifié par Dracula en mémoire d'Edgar Allan Poe.

Mais surtout : si je les avais vus avec d'autres yeux, nous aurions pu vivre heureux tous ensemble, comme une vraie famille.

Je le comprenais trop tard. Bien trop tard.

Ou peut-être pas ? Après tout, nous étions encore vivants !

La situation était désespérée, plus rien ne pouvait nous sauver, nous allions bientôt mourir, mais il n'était pas trop tard pour regarder enfin ma famille de la bonne façon. Loin des frustrations et du surmenage de la vie quotidienne. Simplement à la lumière de ses vraies possibilités.

Alors, pour la première fois, je les regardai tous avec d'autres yeux :

La forte Fée.

Le courageux Frank.

L'aimable Max.

Je les voyais tels qu'ils étaient : vraiment pas ordinaires.

J'étais fière d'eux.

Et je leur dis de tout mon cœur qui débordait :

— Je vous aime.

Après un instant de surprise, Fée sourit et parla à son tour :

— Vous avez tous risqué votre vie au moins une fois pour moi. Qui a une famille pareille ?

— Aucun héros de littérature, fit Max en riant.

— Ce n'est pas si mal d'être un Wünschmann, reprit Fée avec un sourire heureux.

— Je ne peux que m'associer sans réserve à cette déclaration, dit Max.

Alors, Fée prononça ces mots merveilleux, les plus beaux qui soient :

— Je vous aime aussi.

Le visage de Max rayonnait de bonheur.

— Là encore, je ne peux que m'associer sans réserve, dit-il.

Tous les regards se tournèrent vers Frank. Les pointes des pieux n'étaient plus qu'à cinq centimètres de sa tête, mais il se tenait encore debout et nous souriait. Et dans ses yeux, nous vîmes ceci :

Nous nous rapprochâmes, eux enchaînés et moi sans chaînes, et nous blottîmes les uns contre les autres.

Tous ensemble.

Bien serrés.

Avec amour.

Bien sûr, nous n'étions pas une famille toujours *happy*. Plutôt une famille qui connaissait des disputes, des moments de grand stress. Mais une famille qui s'aimait. Finalement, cela seul comptait dans la vie.

En pensant à tout cela, je me sentis heureuse.

Profondément heureuse.

Mais je ne fus visiblement pas la seule.

Car au même instant, sous mes yeux, Fée, Frank et Max redevinrent des êtres humains.

Il n'y avait qu'une seule explication possible : quand je les avais pris dans mes bras, ils avaient comme moi éprouvé un instant de bonheur. Et puisque nous l'avions ressenti tous ensemble, l'effet du sortilège de Baba Yaga avait cessé.

Moi aussi, j'étais redevenue cette bonne vieille Emma. Ou plutôt, une nouvelle Emma. Plus heureuse qu'il y avait seulement trois jours.

Etant redevenu lui-même, Frank avait retrouvé sa taille normale, ce qui lui permit de se dégager de ses chaînes. Je le serrai dans mes bras, il m'embrassa. Le contact de ses lèvres normales était tellement plus doux que celui du métal ! Et avec mes lèvres normales, c'était tellement meilleur que lorsque j'étais une suceuse de sang !

— Je n'ai rien contre les câlins, intervint Fée d'une voix pressante, mais... NOUS SOMMES SUR LE POINT DE NOUS FAIRE EMBROCHER, MERDE !

Elle avait raison : les enfants avaient repris leur forme d'origine, mais, n'ayant pas changé de taille, ils restaient enchaînés, et le plafond descendait toujours.

Frank et moi, nous nous précipitâmes vers les boutons de commande. Au début, j'eus un peu de mal à me repérer avec mes yeux humains sans lunettes – mais, comme disait Saint-Exupéry, on ne voit bien qu'avec le cœur. Et le mien avait enfin retrouvé toute sa lucidité.

Le plafond était déjà si bas que, derrière nous, les enfants avaient été obligés de s'asseoir, et nous devions courir courbés. Ce n'était pas le moment d'attraper un lumbago !

Enfin parvenus à la porte, nous pressâmes le bouton, et le plafond se mit à remonter. Frank poussa un soupir de soulagement :

— Merci, mon Dieu !

C'était formidable d'entendre à nouveau sa voix habituelle.

Les enfants respirèrent enfin eux aussi. J'appuyai sur un autre bouton : la porte s'ouvrit. A quoi pouvait donc servir le troisième bouton ? J'espérai qu'il déverrouillait les chaînes – après tout, il fallait bien les ouvrir d'une façon ou d'une autre pour enlever les cadavres des victimes. Et de fait, à peine avais-je appuyé sur ce bouton que les chaînes sautèrent. Les enfants coururent vers nous et se jetèrent dans nos bras. Nous pouvions enfin nous étreindre pour de bon, sans entraves. Comme des êtres humains.

Au bout d'un moment, Frank nous dit :

— Il serait temps de déguerpir de ce château.

— Oui, allons chercher Jacqueline et Cheyenne, et filons ! approuva Max.

— Mais d'abord, il faut libérer tous les prisonniers, dit Fée avec détermination.

— Non, il faut rester, répondis-je.

— Parce qu'on est trop bien ici ? demanda-t-elle d'un air contrarié.

— Parce que nous devons sauver le monde. Si nous fichons le camp, Dracula va déclencher la guerre nucléaire.

— Nous pourrions plutôt avertir la police, ou l'armée… ou les services secrets… suggéra Max.

— Et ils nous croiront ? demandai-je, uniquement pour la forme.

— Euh, sûrement pas, reconnut Max, penaud.

— Mais nous n'avons plus nos pouvoirs de monstres, objecta Fée.

C'était vrai, nous ne possédions plus les pouvoirs grâce auxquels nous avions pu vaincre zombies, Godzillas, momies et vampires. Il semblait donc que nous fussions totalement impuissants.

Oui, mais ce n'étaient pas nos pouvoirs de monstres qui nous avaient permis de survivre, je le savais à présent. C'était une autre force que nous avions découverte chemin faisant.

— Ne vous inquiétez pas, dis-je. Dracula n'a aucune chance contre nous.

— Ah oui ? Et pourquoi ? demanda Fée.

— Eh bien… répondis-je en souriant. Nous sommes les Wünschmann !

FRANK

Tandis que nous courions vers l'ascenseur, je savourai le bonheur de ne plus être un monstre. Je pouvais de nouveau parler, compter au-delà de huit (si j'en avais été capable en tant que monstre, j'aurais dû avouer à Emma que j'avais couché avec Zuleika non pas huit fois, mais douze !). Je ne me cognais plus contre les lustres ou les plafonds trop bas. Mais il y avait mieux encore : je ne me sentais plus fatigué. Je ne voulais plus chanter les chansons habituelles : « Je n'en peux plus », « D'ailleurs je ne veux plus », ou « Je me suis tapé la tête sur le dessus de la table ».

A la place, j'avais envie de fredonner des choses comme : « Montrez-moi cet arbre, que je l'arrache », « Du Red Bull, pour quoi faire ? », et « Salut, Mme l'Endorphine ».

Je voulais sauver le monde, serrer mes enfants dans mes bras, être au lit avec ma femme.

En montant dans l'ascenseur, j'admirai le derrière d'Emma. Magnifique. En comparaison, celui de Stephenie Meyer était réellement trop bas.

Il y avait bien longtemps que je n'avais pas regardé les fesses d'Emma de cette façon. Pire, j'avais aussi oublié de regarder son merveilleux visage. C'était miraculeux comme il s'éclairait quand Emma s'enthousiasmait pour quelque chose. Et c'est avec cette femme remarquable que j'avais conçu deux enfants dont je pouvais être fier. C'était dingue : il avait fallu que je devienne un monstre sans cervelle pour comprendre à quel point ma famille était formidable.

Maintenant que j'avais récupéré mon cerveau, je n'avais plus le droit de retomber dans mon ancienne routine. Sous prétexte d'être son « soutien », j'avais failli perdre ma famille. Ah, j'aurais vraiment eu l'air malin quand il ne serait plus resté dans ma vie que mon boulot de conseiller financier – vision d'horreur ! C'était arrivé à certains de mes collègues, et on aurait pu les enrôler sans problème pour tourner un *Danse avec les zombies*.

Mais cela ne m'arriverait pas. J'avais enfin compris quel était le sens de ma vie : sauver des gens, peut-être, ma famille, sûrement, mais les banques, en aucun cas.

MAX

Pendant que l'ascenseur montait, je constatai deux changements agréables par rapport à notre précédent passage.

D'abord, je marchais sur deux pattes. J'étais redevenu un Homo sapiens. Ensuite, ce qui était bien plus considérable : je ne ressentais plus aucune terreur. Pas le moindre nanolitre d'adrénaline ne se déversait dans mon organisme.

D'ailleurs, pourquoi aurais-je dû avoir peur de Dracula ? C'était le dernier des lâches, plus froussard que le garçon de douze ans le plus bêtement normal. Contrairement à lui, je n'avais pas peur de l'amour !

Oui, ç'avait été vraiment courageux de ma part d'avouer mon amour à Jacqueline. J'y avais gagné davantage que bien d'autres grands héros : à la fin de son histoire, Frodon Sacquet part seul au pays des Elfes, et Luke Skywalker se voue au célibat. Ces héros étaient peut-être très courageux au combat. Mais en amour, ils étaient de vraies mauviettes comparés à moi !

J'attendais la confrontation d'un cœur léger. Si le bien devait triompher aujourd'hui, alors les Wünschmann deviendraient des héros. Et dans le cas contraire, qui voudrait survivre dans un monde où le bien ne triompherait pas ? A part Dracula, Dark Vador et quelques exploitants de centrales nucléaires ?

Parvenus au treizième étage, nous courûmes le long du couloir et ouvrîmes à la volée la porte de la chambre de Dracula. Il était assis devant l'immense tableau de commandes de la terreur, prêt à s'en servir pour déclencher les missiles nucléaires russes. Sur les écrans, on voyait déjà s'ouvrir les trappes des silos. Oh là là, je n'aurais pas voulu être à la place du personnel affecté à ces silos et avoir à prendre le téléphone pour dire : « Euh, Monsieur le Président... il vient de nous arriver un petit malheur... »

Notre arrivée, qui plus est sous notre forme humaine, déconcerta quelque peu le Prince des ténèbres. Quand il eut retrouvé sa langue, il nous demanda d'un air étonné :

— Etes-vous les Wünschmann ?

— Non, nous sommes trois Chinois et une contrebasse, répliqua Fée.

— Ta dernière heure a sonné, canaille ! m'écriai-je théâtralement.

Puis j'expliquai aux autres avec un sourire ravi :

— J'avais toujours rêvé de dire ça un jour.

FÉE

Cet idiot de comte éclata de rire.

— Vous autres humains… vous pouvez être vraiment amusants.

Nous le laissâmes rire. Il n'en aurait plus l'occasion longtemps. Car, dans le bunker, nous avions concocté un plan tous ensemble. Un plan terrible.

Pendant que Dracula, trop occupé à rire, oubliait un instant ses missiles nucléaires, chacun de nous quatre fit ce qu'il avait à faire. Papa courut vers le cinglé et l'empoigna. Nous savions très bien qu'il ne faudrait à Dracula qu'une seconde et demie environ pour l'envoyer valser contre le mur le plus proche. Mais il ne nous en fallait pas davantage ! Nous voulions seulement détourner son attention le temps que je coure jusqu'à la commode où était le masque à gaz, tandis que Max se glisserait vers la console.

Papa s'écrasa contre le mur, puis s'écroula sur le plancher en grommelant :

— Jamais douleur ne m'a fait un tel plaisir.

Dracula se tourna vers Max, mais s'aperçut trop tard de ce qu'il faisait.

— Tu n'as pas le droit ! cria-t-il.

— Dans un moment comme celui-là, Jacqueline dirait peut-être : Va te faire voir chez les Grecs ! répliqua Max.

Il appuya sur le bouton, et les tuyaux sortirent des murs. Dracula savait que le machin giclerait dans moins d'une seconde et qu'il n'y survivrait pas. Pris de panique, il courut vers moi pour essayer de m'arracher le masque à gaz, son dernier recours.

Mais, hé, oh, ça n'aurait pas été un bon plan si nous n'avions pas prévu aussi ce coup-là !

EMMA

Pendant tout ce temps, je regardai ma famille. Telle qu'elle était vraiment. C'était formidable de les voir ainsi en action.

Puis Fée me lança le masque à gaz, comme convenu. Cela nous permit de gagner la seconde nécessaire pour que le gaz à l'ail commence à se répandre. J'enfilai le masque tandis que, pour changer un peu, Frank, Fée et Max s'effondraient sur le sol en râlant. Mais cette fois, ils le firent avec le sourire. Contrairement à Dracula, qui haleta entre deux quintes de toux :

— Tu me le paieras !

Je m'approchai et, me penchant vers lui, murmurai à son oreille de vampire de ma plus belle voix de masque à gaz :

— Je ne crois pas !

Le reste fut relativement simple : je courus jusqu'à la console et stoppai les missiles nucléaires, ce que le président russe fêterait sans doute par une tournée générale de vodka. Puis je cherchai les interrupteurs qui commandaient les grilles des cachots dans les oubliettes. Je les déclenchai et regardai sur les écrans ce qui se passa alors. Les cellules s'ouvrirent d'un seul coup. Les elfes, les anges gardiens et les fées en sortirent en poussant des cris de joie et se mirent à danser, à voleter dans les airs, à chanter de merveilleux chants de liberté. Plus tard, avec Cheyenne et Jacqueline, ils m'aidèrent à faire le ménage dans le château de Dracula, à enfermer dans les oubliettes les serviteurs qui s'étaient dispersés un peu partout, comme Renfield, et retaper ma famille en lui donnant la becquée. Mais surtout, ils m'aidèrent à exaucer le plus cher désir de Dracula.

DRACULA

Quand je me réveillai dans mon bunker, j'étais seul. Entouré de milliers de caisses de pilules rouges. J'en avais suffisamment pour très, très longtemps. Les elfes, les fées et les anges gardiens m'avaient même réinstallé mon bain de jouvence. Mais les boutons de commande du bunker étaient détruits, la porte verrouillée. J'étais donc condamné à rester enfermé là. A cet égard, j'avais un seul motif de soulagement : les vampires n'ont pas de système digestif.

Je regardai autour de moi. J'étais enfin seul, sans aucun être humain pour me déranger. Sans doute pour toujours. Tout à coup, je n'étais plus aussi certain que cela me fasse tellement plaisir.

EMMA

Nous avions réussi à neutraliser Dracula ! Nous, les Wünschmann ! Je pouvais me remettre à embrasser Frank, tandis que Jacqueline embrassait pour la première fois Max sous sa forme humaine. Elle se recula un instant et dit en riant :

— Je serais contente de te voir un jour avec du poil au menton !

Puis elle recommença à l'embrasser. Fée, qui les regardait, déclara avec un grand sourire :

— Si même ce petit rollmops peut rencontrer le grand amour, je devrais avoir une chance moi aussi de tomber un jour sur un type valable.

— Un ? Tu en trouveras au moins 427 ! plaisanta Cheyenne.

Fée se mit à rire.

— Ça me paraît un bon plan !

Mais tout ne baignait pas encore complètement dans l'huile pour la famille Wünschmann. Il restait une question à régler.

Je m'excusai un instant et descendis retrouver Baba Yaga dans les oubliettes. La pauvre vieille gisait sur le sol, à la dernière extrémité, son petit Golem accroupi en silence auprès d'elle.

Pourtant, Baba me reconnut. Elle me demanda d'une voix faible et tremblante :

— Vous botter fesses de Dracula ?

— Et comment ! confirmai-je.

— Alors, toi pas femme ridicule.

Je la remerciai d'un sourire.

— Je dois mourir maintenant.

— Ça me fait de la peine…

Je parlais en toute sincérité. Car sans elle nous serions restés les Wünschmann d'avant. Et, tôt ou tard, notre famille aurait éclaté. Probablement plus tôt que tard.

— Toi pas besoin avoir peine… haleta Baba. Mais je demander quelque chose à toi…

— Oui ?

Elle me fit signe d'approcher et murmura :

— S'il te plaît… occupe-toi de Golem…

Sans une seconde d'hésitation, je lui promis d'une voix ferme :

— Je l'élèverai comme mon propre enfant.

— Alors… lui devenir bon garçon.

Textuellement.

J'en eus la gorge nouée, mais Baba souriait. Dans un dernier souffle, elle dit encore :

— Maintenant je mourir heureuse.

Et elle ferma les yeux. Pour toujours.

Golem se mit à pleurer doucement. Je le serrai contre moi tout en regardant la vieille femme morte. Elle gardait sur les lèvres un sourire bienheureux. J'éprouvais une infinie gratitude. Grâce à elle, j'avais compris une chose importante : on n'a pas toujours besoin d'être *happy* pour être heureux.

Quand le petit fut trop épuisé pour continuer à pleurer, je séchai son visage et quittai les oubliettes avec lui. En rejoignant les autres en haut, je leur annonçai que la famille avait un nouveau membre. Tous souhaitèrent la bienvenue à Golem, et Fée plaisanta même :

— Mince, c'est justement ce dont j'avais toujours rêvé : avoir un deuxième frère !

Max donna à sa sœur une petite bourrade taquine et ils échangèrent un regard amusé. Un sourire furtif passa même sur le visage de Golem.

— Et maintenant, il est vraiment temps de rentrer à la maison ! m'exclamai-je.

— Je ne crois pas, dit Fée. En tout cas, pas pour moi.

Devant mon air étonné, elle expliqua :

— Ce n'est pas seulement parce que, après tout ce que nous avons vécu, j'ai encore moins envie qu'avant d'entendre mon prof de biologie me seriner les mœurs des méduses…

— Alors, pourquoi ? demandai-je.

— Pendant que tu étais en bas, l'une des fées m'a demandé de les aider. La fée Clochette…

— Oh ! fit Jacqueline. J'avais toujours cru que c'était « la fée Couchette »…

— En tout cas, poursuivit Fée, elle vient du Pays imaginaire et elle a besoin d'aide pour libérer son royaume d'un méchant capitaine qui le terrorise…

Je ne pus m'empêcher de plaisanter :

— Si tu m'avais raconté une histoire pareille il y a seulement trois jours, je t'aurais envoyée dans une clinique psychiatrique !

— Je veux les aider.

Max vint à la rescousse avec enthousiasme :

— Et elle ne dit pas ça parce qu'elle aurait été choisie par le destin, comme Harry Potter ou Luke Skywalker, mais bien parce qu'elle choisit elle-même son destin.

Fée lui sourit avec reconnaissance. Et soudain, à brûle-pourpoint, elle nous demanda :

— Vous venez avec moi ?

— Nous n'allons pas te laisser partir toute seule, répondit Max sans hésiter.

— Oufta ! plaisanta bruyamment Frank.

Ils me regardèrent tous trois avec espoir, et je compris qu'ils avaient furieusement envie de vivre de nouvelles aventures.

Pendant ces derniers jours, j'avais encore appris autre chose : qu'il n'est jamais mauvais pour une famille de faire des choses ensemble.

Et puis, la famille s'était bien agrandie.

Alors, je m'écriai :

— Eh bien, en route pour le Pays imaginaire !

Happy Family End

Remerciements

Merci à Ulrike Beck, héroïne des correctrices, à Michael Töteberg, l'agent qu'aucun monstre ne peut vaincre, à Marcus Hertneck (pour ses conseils en dialecte souabe), à Marcus Gärtner, et à Ulf K., le plus merveilleux dessinateur de la planète.

Cher lecteur,

Dans mon premier roman, *Maudit Karma*, l'héroïne se réincarnait en fourmi à cause du mauvais karma qu'elle avait accumulé. Pour nous épargner ce sort à vous et à moi, j'ai créé la fondation *Gutes Karma* (« Bon Karma »).

Plaisanterie mise à part, il n'est pas nécessaire de croire à la réincarnation ni au ciel pour changer les choses dans cette vie. La question n'est pas d'être récompensé ou puni pour ses actes après la mort, mais de savoir qu'il est juste, ici et maintenant, d'aider ceux qui ne sont pas aussi favorisés que nous. Cela ne leur fait pas seulement du bien à eux, mais nous fait plaisir à nous aussi – on peut le reconnaître sans problème, même si cela paraît un peu moins altruiste.

La fondation *Gutes Karma*, qui a pu exister d'abord grâce au succès de mes romans, a pour but d'aider des enfants dans le monde entier, avec une priorité à l'éducation. Des projets éducatifs, petits ou grands, seront menés à bien dans le monde entier, ainsi qu'en Allemagne. La fondation a déjà financé au Népal la construction d'une école qui donnera à plus de sept cents enfants la possibilité d'étudier dans de bonnes conditions du primaire jusqu'en fin de seconde (de la 1re à la 10e classe allemandes).

Plusieurs partenaires sérieux se sont investis dans ce projet avec la garantie que leurs dons seront utilisés sur place d'une façon valable. Alors, que vous souhaitiez éviter d'être réincarné en fourmi ou seulement faire une bonne action, vous avez là un moyen concret d'aider.

Plus d'informations sur le site www.gutes-karma-stiftung.de.

Avec mes salutations amicales,
David Safier

Composé par Nord Compo Multimédia
7, rue de Fives, 59650 Villeneuve-d'Ascq

Achevé d'imprimer au Canada
sur les presses de Imprimerie Lebonfon Inc.
Dépôt légal : mai 2012